TROMPE-LA-MORT

JEAN-MICHEL GUENASSIA

TROMPE-LA-MORT

roman

ALBIN MICHEL

À Georgy, à Sophie

Celui de qui la tête au ciel était voisine
Et dont les pieds touchaient à l'empire des morts…

La Fontaine

L'homme invisible

Je suis mort le jeudi 5 février 2004 à 7 h 35 du matin. Je ne sais pas si j'ai été tué alors que l'hélicoptère était en vol ou lorsqu'il s'est écrasé au sol. Personne n'a été capable de me le préciser. En vérité, je m'en fous. Le résultat est le même. J'ignore également si les souvenirs qui m'assaillent sont la preuve qu'il existe quelque chose après la mort et que je suis désormais un esprit qui volette dans l'immensité, ou si je vois défiler les événements les plus importants de ma vie avant de disparaître pour toujours...

Je suis le fruit d'un amour bizarre. J'ai été espéré, attendu et choyé comme rarement un bébé a pu l'être. Ma venue sur cette terre avait un sens profond pour mes parents, elle signifiait qu'ils avaient eu raison, raison de s'aimer, de lutter, d'affronter l'opprobre des leurs. Dans ma jeunesse, je croyais que mon père était un excentrique aux idées originales, en décalage avec celles de sa famille. J'ai mis longtemps à comprendre que, dans notre pays, l'excentricité n'est qu'une façon raffinée de dissimuler notre conformisme. En ce qui concernait mon père, il était, en fait, profondément conservateur et reproduisait les stéréotypes de son milieu social, pour lequel l'originalité du comportement n'était pas le reflet d'une quelconque contestation ou d'une réflexion personnelle mais une simple posture qui permettait à vos proches d'affirmer que vous étiez délicieux et franchement drôle. Peut-être que je le juge mal. J'ai été dur avec lui, et je l'ai mal compris. Je me suis si souvent trompé.

Mon grand-père paternel était avocat à Sheffield, il aurait voulu que son fils fasse des études de droit et lui succède mais les deux hommes ne s'entendaient pas. Mon père n'évoquait jamais son enfance ni sa famille, affirmant qu'il était heureux de ne pas avoir choisi la voie de la facilité financière et qu'il n'aurait pas pu continuer à vivre dans la ville la plus triste d'Angleterre. À la fin de ses études d'ingénieur informaticien, il avait trouvé du travail dans une grande compagnie informatique américaine, qui l'envoya à Singapour, puis en 1969 il débarqua à New Delhi[1] où, devenu un spécialiste des grands systèmes, il fut nommé chef de projet d'un énorme contrat de développement que sa boîte avait signé avec le gouvernement indien.

Il était né à la fin de la guerre et, partageant ce trait de caractère avec la plupart des Anglais de sa génération, mon père adorait les Indes. Dans mon entourage, il n'y a que lui qui les nomme au pluriel. C'est là-bas qu'il rencontra ma mère. Elle travaillait en tant qu'ingénieur dans son entreprise. Ils m'ont raconté leur rencontre et décrit les préventions qu'ils avaient affrontées. Dès leur arrivée, on mettait en garde les expatriés : ils devaient s'abstenir de toute relation sentimentale avec les Indiennes, c'était une source d'ennuis et de difficultés interminables qui pouvaient justifier le licenciement ou le rapatriement. Les hommes devaient conserver avec elles une distance impérative de cinquante centimètres, ne jamais leur serrer la main ou leur tapoter l'épaule, ne pas leur faire de bises le matin et s'abstenir des blagues vaseuses. Le mieux était de bannir les blagues tout court, les expressions de galanterie, les marques de sympathie, les remarques sur la tenue ou la coiffure, de s'interdire tout propos ambigu, toute allusion, de fuir

---

1. Tous les noms de lieux en Inde sont donnés sous l'ancienne appellation anglaise.

comme la peste les repas non professionnels. Si une réunion de travail imprévue en tête à tête s'avérait indispensable, il ne fallait sous aucun prétexte fermer la porte de communication. Dans le livret d'accueil, il y avait trois pages de préconisations diverses et de prescriptions impératives. Si j'ai bien compris, mon père était, à cette époque, le petit ami d'une Australienne qui bossait pour les chemins de fer indiens, et ce qui l'avait séduit chez ma mère, c'est qu'elle était la seule personne de sa connaissance qui fût capable de travailler plus longtemps que lui devant un ordinateur. Fulvati, ce qui en hindi signifie «délicate comme une fleur», avait passé avec succès le diplôme d'ingénieur programmeur, elle avait été recrutée parce que le contrat obligeait de recourir aux ressources locales et que la charte éthique américaine recommandait, de son côté, d'embaucher sans discrimination de sexe. Sur une photo de groupe prise lors du départ du directeur des achats, on voit ma mère au premier rang, dans un sari violet, bras croisés, un sourire de fierté sur les lèvres, et mon père au troisième, tout mince, les cheveux en bataille et dépassant ses collègues d'une tête. Un jour où, sur la plage de Ramsgate au mois d'août, ma mère et moi observions un couple mixte étaler une serviette de bain à proximité, je lui avais demandé comment cela avait démarré entre elle et mon père, elle avait souri avant de me répondre sans l'ombre d'une hésitation : «*Il était si beau...*»

À sa manière elliptique, mon père me raconta que cela s'était passé malgré eux : un soir, alors que les autres collaborateurs étaient rentrés chez eux, épuisés. Ils s'étaient retrouvés devant le même écran d'ordinateur, le clavier abolissant la sacro-sainte distance de cinquante centimètres. Des doigts qui se frôlent, une main qui traîne, une autre qui ne la repousse pas, un regard interrogateur, un sourire de velours et un baiser probablement. Des frissons aussi. Ils devaient se cacher de leurs collègues, et surtout de la famille de ma mère.

Tarun Kumar était légitimement fier de sa fille, qui incarnait à ses yeux l'idéal de la femme indienne, mélange parfait de cette modernité pour laquelle il s'était battu et de cette tradition qui était le socle de la vie telle qu'il la concevait. Il avait imaginé pour elle le plus bel avenir. Il allait accomplir son rêve et la marier à Pran, le fils cadet de son collègue Shan au ministère, avec qui il négociait ce mariage depuis des années. Après de laborieuses discussions, les deux pères avaient fini par s'accorder sur les conditions du mariage et la dot. En Angleterre, cette pratique avait longtemps été la règle dans la *bonne société*. Aujourd'hui, n'importe qui se révolterait contre cet usage d'apparier un garçon et une fille sans leur consentement, mais, dans ce monde-là, nul ne songeait à remettre en cause le droit des parents à choisir le conjoint de leur enfant. Leurs propres parents avaient agi ainsi et il en était allé de même pour toutes leurs connaissances. À notre époque encore, quatre-vingt-quinze pour cent des mariages indiens sont arrangés par les familles. Curieusement, ces mariages fonctionnent tant bien que mal et il n'y a qu'un pour cent de divorces. Quand Tarun aborda la question avec Fulvati, il sentit, à la façon dont elle gardait la tête baissée et refusait de répondre, que sa fille rencontrait un problème. Il attribua cette réserve à la pudeur légendaire des jeunes filles indiennes et à l'appréhension qu'elles peuvent avoir d'une nuit de noces avec un inconnu, l'idée qu'on découvrira son conjoint le jour du mariage étant la source de maintes angoisses. Il exigea que son épouse fasse l'instruction de leur fille. Lorsque Nimisha lui parla, Fulvati l'écouta sans l'interrompre, puis, rassemblant son courage, dit à sa mère que jamais, non, jamais, elle ne se marierait avec Pran. Le soir venu, Nimisha répéta leur entretien à Tarun, qui se montra compréhensif. Il arrivait que les filles manquent d'enthousiasme et se fassent des idées fausses. Avec sa bonhomie habituelle, il lui expliqua que son ignorance était légitime, il était là pour veiller à son bonheur, elle allait entrer dans une des meilleures familles de Delhi et c'était un honneur pour elle. Pran était un garçon intelligent et travailleur avec qui elle pourrait fonder une famille magnifique qui ferait sa fierté et celle de son père. Fulvati releva la tête, fixa Tarun de ses immenses yeux noirs et lui répéta qu'elle ne l'épouserait pas.

– Pourquoi, ma chérie ? Tu verras, Pran est un garçon convenable... Sois sérieuse, tu as vingt-quatre ans, tes sœurs ont déjà des enfants. Je suis triste à l'idée de te voir partir, mais tu vivras à Delhi et nous nous verrons souvent.

Fulvati tergiversa, elle allait briser le cœur de son père et de sa mère. Elle se dit que cette aventure avec Gordon était sans lendemain. Pourtant, il lui avait promis de l'épouser, de l'emmener dans son pays et de ne jamais la quitter. Que savait-elle vraiment de lui ? Hormis qu'il était un ingénieur remarquable, un patron qui respectait ses engagements avec les clients et traitait ses collaborateurs avec équité ; avec lui, elle pouvait rester des heures à parler, de tout et de rien, comme elle n'avait jamais parlé avec personne. Et elle le trouvait si beau, avec ses cheveux ondulés qui viraient au roux, sa peau un peu rose, ses mains fines qui effleuraient le clavier à une vitesse pharamineuse, et son rire incroyable qui la faisait rire. Un gentleman qui riait ainsi ne pouvait pas mentir. Et puis, si elle obéissait aujourd'hui, elle le regretterait toute sa vie. Elle acceptait de courir ce risque, de vérifier si elle pouvait avoir raison contre son milieu. Après tout, son père lui avait appris qu'elle devait se montrer combative comme un homme. Il l'avait encouragée à choisir le métier qui lui plaisait et élevée de manière à la rendre autonome. Maintenant qu'elle avait une situation et des responsabilités, elle n'avait pas envie de rentrer dans le rang et de devenir une femme au foyer. Fulvati était sur le point de prendre la décision la plus importante de son existence et en mesurait les conséquences : si elle jetait son dévolu sur Gordon, elle s'exclurait de la famille, elle en serait bannie. Était-elle prête à quitter ceux qu'elle aimait pour un homme qu'elle connaissait depuis six mois et qui, d'une certaine façon, lui était aussi mystérieux que Pran ? Elle se rendait compte qu'elle allait humilier son père, lui infliger une punition qu'il ne méritait pas. Il perdrait la face vis-à-vis de ses collègues. Il risquait de ne pas se remettre de cet outrage. Ne ferait-elle pas mieux de renoncer à cette folie, de suivre le chemin tracé par son destin plutôt que de rêver à une lune imaginaire ? Emportée par ce tumulte incertain, elle s'entendit affirmer d'une voix posée :

– Je n'épouserai jamais Pran. J'ai rencontré quelqu'un. Il s'appelle Gordon. Je l'aime et c'est avec lui que je veux vivre.

Elle lut dans le regard de son père un infini mépris. Il sortit de la pièce en ignorant sa fille. Pour lui, un Anglais, même haut placé, n'appartenait qu'à une catégorie d'intouchables et Fulvati, malgré sa naissance dans une caste de guerriers, venait par son choix insensé de rejoindre ce porc dans le néant.

*

« *Tu es un enfant de l'amour* », affirmait ma mère, et je n'avais aucune raison de ne pas la croire. Elle me répétait : « *C'est pour toi que j'ai fait ça... Pour toi, mon chéri.* » Je ne comprenais pas ce qu'elle voulait dire, je faisais oui de la tête et cela lui faisait plaisir que je sois d'accord.

Ma mère débarqua chez mon père. Elle avait mis quelques vêtements et ses bracelets dans un sac de voyage, ce fut tout ce qu'elle emporta de sa vie passée. Elle venait d'être reniée par son père. Mon père dit : « *Ah bon !* » quand elle lui raconta sa mésaventure sur le pas de la porte, puis il l'invita à entrer mais elle ne s'installa pas dans son appartement, elle prit une chambre d'hôtel à proximité et y resta jusqu'à la cérémonie du mariage. Celui-ci eut lieu deux mois plus tard, à l'ambassade. Ce fut un mariage expédié en dix minutes avec, pour seuls participants, leurs témoins, quatre collègues occidentaux du bureau. Ma mère et mon père s'en fichaient.

Ils partirent en voyage de noces à Cochin, dans l'État du Kerala, un endroit qui ressemblait, me dit ma mère, à l'idée qu'ils se faisaient du paradis. C'est là qu'ils prirent leur décision. Ce fut pour eux une évidence. La logique aurait voulu qu'ils aillent en Europe, ils étaient deux ingénieurs appréciés, travaillant pour un groupe informatique américain, et ils auraient trouvé un poste n'importe où. Mais partir, c'était s'incliner, admettre que l'Inde ne pouvait changer, que la tradition était infaillible et qu'ils avaient tort. Ils sont restés.

Mon père espéra infléchir celui qui aurait dû être son beau-père, il voulut en appeler à son intelligence, plaider sa cause au nom de la modernité. Ma mère soutenait que cela ne servirait à rien, elle était confrontée à une situation que tout Indien ressentait de façon innée, sans qu'il fût besoin d'en parler, mais qui était inexplicable à un Occidental, même à l'homme de son cœur. Il y avait là une fatalité impossible à combattre, autant vouloir supprimer la misère du monde ou traverser l'océan à la nage. Gordon insista et manifesta une telle confiance en sa capacité de persuasion, revenant sans cesse à la charge, qu'elle le laissa écrire à son père deux longues lettres qui lui revinrent sans avoir été ouvertes.

Ma mère avait un oncle, frère cadet de mon grand-père, qui l'aimait beaucoup. Elle tenta une démarche auprès de lui. Il ne répondit pas à ses messages. Elle écrivit à ses cousines, à ses tantes. Elle leur téléphona, mon père à ses côtés. Elles ne prirent pas la peine de lui répondre, ni de discuter. Fulvati n'existait plus. Pas comme si elle était morte. Comme si elle n'avait jamais existé.

*

Nous occupions un grand appartement de fonction au centre de New Delhi, avec vue sur le dôme fantomatique du Parlement, dans une brume perpétuelle, été comme hiver. De l'autre côté de l'avenue s'étendait le parc de l'ambassade d'Indonésie, avec ses rangées de frangipaniers, de bougainvilliers multicolores, et son banian. On racontait que c'était le plus beau monument de la ville, une forêt à lui seul, un arbre dont les mille racines aériennes, se nouant sur ses plus hautes branches, replongeaient dans le sol tels des serpents gris pour ressortir plus loin et prospérer à l'infini.

Ma mère n'était pas plus présente que mon père. Tous deux passaient douze heures par jour devant leur ordinateur, c'est peut-être ce qui m'a dégoûté de cet instrument. Le directeur des achats leur avait recommandé la nourrice qui s'occupait de ses enfants et ils avaient donc embauché Dhanya, qui venait d'un village du Nord, situé dans les environs de Manikaran. Le plus dur pour elle était d'y aller chaque année pendant ses congés car elle avait l'impression de retourner au Moyen Âge. C'est elle qui m'a appris à parler hindi. Je n'ai jamais connu aucune femme, ma mère y compris, qui portât d'aussi beaux saris. Elle envoyait l'essentiel de sa paye à sa famille restée dans sa lointaine province et habitait avec nous. Comme disait mon père : «*Sa paye, c'est de l'argent de poche, non ?*»

Pendant cinq ans, chaque matin, Ramesh nous a attendus, Dhanya et moi, dans son rickshaw jaune, à la porte de notre immeuble, pour nous conduire à l'école britannique de Chanakyapuri et, chaque soir, il nous a ramenés sains et saufs à la maison. Il conduisait à une vitesse inimaginable, se faufilant dans la circulation avec une habileté diabolique. Il n'arrêtait pas de causer ou de commenter l'actualité, d'après lui tous les politiciens de cet État étaient corrompus, c'était pour cela que ça allait si mal. Il était de l'Himachal Pradesh, la province d'origine de Dhanya, il essayait de lui faire la cour mais il n'avait pas l'air de trop lui plaire. Elle faisait semblant de ne pas entendre ce qu'il racontait, alors que moi, assis contre elle, j'entendais très bien. Depuis que son mari était décédé dans un accident de train, un an avant qu'elle soit engagée par mes parents, Dhanya avait refusé de se remarier. Une fois par mois, Ramesh nous déposait à Chandni Chowk, le gigantesque bazar de la vieille ville dont nous arpentions les ruelles jusqu'au quartier musulman. Dhanya se choisissait un nouveau sari. C'était sa petite folie. Gare à celui qui aurait espéré la tromper : elle connaissait les étoffes, les qualités, les provenances et les prix et pouvait discuter une heure pour un montant dérisoire. À la fin, pour avoir la paix, le marchand lui vendait le sari au prix qu'elle voulait et nous repartions, fiers de notre victoire.

Puis ma mère est tombée malade. Elle a arrêté de travailler, et Dhanya s'est occupée d'elle. Une fois, ma mère a voulu nous accompagner dans le bazar. Elle a été heureuse de s'acheter des bracelets supplémentaires et un sari bleu brodé de fils d'or, mais il fallait se frayer un passage dans la foule et c'était au-dessus de ses forces. Ma mère aurait pu se faire soigner à Delhi, mon père préférait qu'elle aille à Londres : «*Le monde entier va se faire soigner à Londres*», et puis cela faisait près de quatorze ans qu'il s'était expatrié, il en avait assez de son exil. Il devait avoir envie de revoir le ciel bleu londonien.

Il a accepté une proposition de sa boîte et nous sommes partis, ça s'est décidé en deux semaines. Rien ne retenait plus ma mère. Cela faisait neuf ans qu'elle n'avait plus de contacts avec sa famille, personne n'avait fait le moindre effort pour renouer les liens, personne ne l'avait invitée à des fiançailles ou à un mariage. À ma naissance, elle avait informé une cousine dont elle était proche, et elle avait été meurtrie par son silence. C'était comme si on avait voulu lui signifier que je n'étais pas né. Je n'ai pas connu ma famille indienne. J'aurais aimé avoir des grands-parents, des cousins indiens. Je crois que si j'avais pu les rencontrer, ils m'auraient accepté parce qu'ils se seraient rendu compte que j'étais pareil à eux. Ils n'ont pas voulu.

Moi, je ne voulais pas partir, je ne me sentais pas anglais. Mon pays était ici. J'étais si bien dans mon école, j'aimais disputer des parties de cricket sans fin avec mes copains, et j'aimais tellement Dhanya. Partir signifiait être séparé d'elle à jamais. Durant les huit premières années de ma vie, c'était elle qui avait été présente quand j'avais un problème ou une maladie. On jouait sans arrêt. Elle m'avait appris à marcher, à rire, à lire, à danser et à chanter. Elle m'avait appris tout ce que je savais. Mais j'avais huit ans, j'ai été obligé de suivre le train.

*

C'est Dhanya qui m'a appris à fabriquer un cerf-volant et à m'en servir. Ce fut longtemps mon plus grand plaisir. Il n'y a rien de plus beau qu'un cerf-volant qui s'envole après avoir frissonné et humé l'air comme pour se demander si cela vaut la peine de décoller. Rien ne fait plus plaisir à un enfant que de voir un morceau de papier collé sur quatre bouts de bois tutoyer les nuages. Pour autant que je m'en souvienne, on y jouait à deux périodes dans l'année : à la fête de l'Indépendance, à la mi-août, et pour célébrer la fin de l'hiver, à la mi-janvier, quand le soleil passe dans l'hémisphère Nord. Le reste de l'année, nous les ressortions parfois pour le seul plaisir de les faire voler. Lors de ces deux événements, les cerfs-volants se comptaient par milliers dans le ciel de Delhi, confettis de toutes les couleurs qui s'agitaient avec d'incessants soubresauts. Il y a peu de vent à Delhi, la poussière stagne et enveloppe tout dans une brume permanente. Comme par miracle, le vent se levait toujours à la période du solstice, soufflant assez fort pour envoyer dans ce ciel saturé ces *patangs* que les marchands vendaient à la chaîne ce jour-là, sans compter ceux qui étaient fabriqués avec ingéniosité par leurs lanceurs, losanges chamarrés tendus sur des cadres de bambou aux formes plus originales, coloriés à la main et qui s'envolaient en tournoyant.

Nous montions sur la terrasse de l'immeuble. Nous apercevions les employés des ambassades et des ministères, qui du haut de leurs bâtiments rivalisaient d'adresse pour couper le cordon des autres cerfs-volants. Ils avaient enduit leur ligne de retenue en coton d'un mélange de verre pilé et de colle qui, une fois séché, devenait tranchant et apte à couper les fils qui avaient reçu une moins bonne préparation. Les combats duraient toute la journée et se poursuivaient jusqu'à la dernière extrémité. C'était à qui s'assurerait la suprématie du ciel. Les amis, les parents, les voisins se combattaient interminablement. Chaque perdant voyait son cadre s'évanouir dans la brume et n'avait plus qu'à lancer un nouveau cerf-volant, tandis que les vainqueurs manifestaient leur joie avec exubérance. À ce jeu, Dhanya était redoutable, elle gagnait tous ses combats, son fil était tranchant comme un couteau aiguisé. Il fallait faire attention à ne pas se blesser, les coupures aux doigts étaient fréquentes. Lors de la dernière fête, elle m'avait promis de me livrer la recette secrète de son mélange, mais dans la précipitation du départ, elle avait oublié de le faire. Elle fabriquait, avec minutie, une pâte rose clair, on aurait dit du dentifrice, qu'elle appliquait avec un pinceau sur le fil en le tendant sur un tourniquet.

Je nous revois, un matin où il faisait presque beau à Delhi et où, exceptionnellement, on apercevait entre les nuages des filaments de ciel bleu. Le froid était si mordant, ce 14 janvier, qu'on aurait eu du mal à imaginer que l'été allait apparaître. Nous sommes montés tôt sur la terrasse de notre immeuble, harnachés comme pour affronter la montagne, avec bonnets de laine et doubles gants. Dhanya a fabriqué son enduit rose à base de pâte de riz, de gomme et de verre pilé fin, et j'ai lâché un cerf-volant vert acheté la veille au marché pour dix roupies. Sur chacune des terrasses, à droite et à gauche, il y avait une dizaine de personnes. Les gens s'affrontaient entre les immeubles, j'étais protégé, notre bâtiment était le plus haut du pâté de maisons et je suis parvenu à éviter les tentatives d'agression de leurs cerfs-volants en me déplaçant. Au moment où je me suis éloigné, mon cordon s'est emmêlé avec un rouge, qui venait du bâtiment situé derrière le nôtre; en essayant de m'en défaire, j'ai accéléré le frottement et mon fil a cédé. Libéré de son entrave, mon cerf-volant a été aspiré vers le haut, puis a disparu dans la masse nuageuse. Je me suis retrouvé comme un idiot, le cordon pendouillant au bout de la main, à regarder s'enfuir le minuscule carré de toile. Les employés du ministère ont crié de joie et ont échangé des félicitations. Dhanya a déroulé le fil qu'elle avait préparé et y a accroché un cerf-volant plus large, arborant un rond bleu sur un fond doré. Elle l'a lancé et il s'est élevé d'un coup, se cabrant tel un cheval. Elle m'a confié le tourniquet et je l'ai laissé filer. Il avait au moins cinquante mètres de fil, tournait avec majesté, faisait des zigzags impressionnants. Elle s'est assise en tailleur. Là où elle était, elle ne pouvait être vue des immeubles attenants.

– Écoute-moi, Tommy. Ne refuse pas le combat, ramène le fil... Oui, comme ça, c'est parfait, tu es à sa hauteur. Il faut donner des coups secs avec les bras et les mains, les plus nerveux possibles. Il ne faut pas laisser d'amplitude, tu comprends ? Ne laisse pas le fil se courber. Descends un peu, c'est parfait... Laisse-le s'approcher et, quand il sera près de toi, donne un coup sec à droite, vers le bas. N'essaye pas de t'échapper par le haut, tout le monde fait cette erreur. Si tu veux t'écarter, rembobine à toute vitesse.

Je suivais ses instructions de mon mieux. Ce n'était pas facile, à cause du fil qui était rigide : le moindre mouvement lui donnait une amplitude de plusieurs mètres, et le froid ne facilitait pas le jeu.

– Laisse-le approcher son cerf-volant du tien et, lorsque je te le dirai, tu lèveras tes mains jointes le plus haut possible et ensuite, à mon signal, tu les abaisseras. Tu as vu comment ton père joue au golf ? Eh bien, c'est pareil. Tu bloques ta respiration, tu contractes tes épaules, tu bandes tes muscles et tu lâches tout. Un coup brutal vers le bas. Laisse-le venir vers toi.

J'exécutai ses consignes et le cerf-volant rouge du fonctionnaire vint se coller au mien. Nous entendions les cris monter de leur terrasse, ils se voyaient déjà vainqueurs.

– Lève tes bras, oui, continue ! Laisse-le s'agiter... C'est lui qui s'use... Ne bouge pas... Laisse-le s'agiter... Vas-y, *cut* !

27

Comme pour donner un coup de hache, je tirai brusquement sur le fil, abaissant mon cerf-volant d'une dizaine de mètres, et on vit soudain le cerf-volant rouge s'élever à toute vitesse, tournoyer et disparaître en direction de la vieille ville. Mes voisins m'entourèrent et des cris d'allégresse s'élevèrent de notre terrasse. Ce fut une victoire immense. La première de mon existence. Par la suite, aucune ne m'a procuré autant de satisfaction. J'étais devenu un homme, j'étais capable de battre un autre homme. Maintenant que j'y repense, un frisson me parcourt, le même que celui ressenti ce soir-là. Dhanya s'est levée, m'a serré dans ses bras et m'a félicité. J'ai vu une telle lueur de bonheur dans ses yeux que j'ai mis un point d'honneur à me montrer à la hauteur. On a joué jusqu'au soir, on a remporté tous les affrontements, sauf deux. Les deux fois, il paraît que j'avais été trop mou.

– Ne t'inquiète pas, Tommy, tu n'as que huit ans et tes bras sont comme des haricots. Quand tu seras grand, tu y arriveras. Le ciel est sans limites pour ceux qui n'ont pas peur d'eux-mêmes.

Le soleil blanc a commencé à décliner vers cinq heures. À six heures il faisait nuit noire et la compétition s'est arrêtée. Petit à petit, les braseros se sont allumés sur les terrasses, les femmes y ont fait cuire le repas de riz et de lentilles. Le ciel s'est rempli de cerfs-volants lumineux, il y en avait des centaines et des centaines, de tous les côtés. Ils dansaient sur une musique assourdissante qui montait de la ville. Certains habitants en attachaient quatre ou cinq à la suite, des *tukal*s hauts comme deux ou trois étages qui emportaient des dizaines de bougies enfermées dans des poches de papier sulfurisé, et ces serpentins multicolores brillaient au milieu des étoiles dans la nuit glacée de Delhi.

Quand mes parents sont rentrés, ils ont été surpris que je ne sois pas couché. Je me suis précipité pour leur annoncer la nouvelle de ma première victoire, ma mère était heureuse pour moi mais mon père était furieux et s'est mis en colère contre Dhanya, il lui a demandé si elle n'était pas folle et comment elle pouvait exposer un enfant au risque d'avoir un doigt sectionné, sans compter que, chaque année, nombre d'Indiens emportés par leur enthousiasme basculaient dans le vide, et il lui a interdit de recommencer.

– Et ça ne sert à rien de dire *patang, patang* ! Tu ne peux pas parler anglais et dire *kite* comme tout le monde ?

*

Mon père affirmait être un non-violent : «*Peace and love, All you need is love*» et toutes ces conneries, ça se voyait sur son visage et dans son maintien mais de toute sa vie, hormis à la télévision, il n'avait jamais eu l'occasion d'être confronté à la violence. Il était passé entre les gouttes sans se mouiller. C'est plus facile d'être généreux si personne ne vous a menacé. Il disait qu'il s'était installé aux Indes parce que c'était la patrie de Gandhi et la terre de la non-violence (à l'époque, lorsqu'il lançait cette affirmation, je ne connaissais pas la réalité et ne pouvais pas lui éclater de rire au nez). Quand il réussissait à libérer son dimanche après-midi, sa promenade de prédilection le menait au parc du Raj Ghât où reposait Gandhi. Je ne sais pas si on peut parler de repos à propos de cendres. C'était là que se trouvaient les restes de la crémation, un tombeau carré en marbre noir recouvert de colliers de fleurs orange et blanches et qui inspirait le calme et la sérénité. Nous nous asseyions près d'un bouquet d'arbres situé sur la butte et essayions de nous imprégner de son esprit comme s'il voletait dans les airs. Mon père fermait les yeux, inspirait profondément, infiniment comblé par ce moment de paix. Le vacarme de la circulation nous parvenait, à peine assourdi, et ne le dérangeait pas. Puis ma mère lui tendait le sac gris en tissu. Toute la semaine, ils recueillaient les morceaux de mie de pain et, dès que mon père plongeait la main dans le sac, on voyait se pointer cinq ou six écureuils. Il affirmait les reconnaître et qu'eux nous connaissaient aussi ; toujours est-il qu'ils venaient à plusieurs nous manger dans la main et, pendant qu'ils grignotaient les miettes, nous leur caressions l'échine ou jouions avec leur queue. Ils se laissaient faire mais dès qu'il n'y avait plus de pain, ils disparaissaient dans les arbres.

Avec Dhanya, ma mère avait commencé à remplir nos caisses et l'appartement ressemblait à un entrepôt. Un soir, mon père est rentré avec une mauvaise nouvelle, son entreprise ne payerait pas le déménagement en totalité et nous verserait un forfait. Mon père jurait que c'était un mal pour un bien, l'essentiel de nos affaires nous seraient inutiles en Angleterre. Ça coûterait moins cher de racheter là-bas ce dont nous aurions besoin, surtout que notre maison à Londres serait moins spacieuse que cet appartement. Dhanya nous a dit qu'elle donnerait ce que nous laisserions aux pauvres. Quand ma mère et moi avons fait le tour de ma chambre pour trier mes jouets, ma décision a été vite prise, je ne tenais qu'à ma batte, mes balles et mon gant de cricket.

J'avais une tirelire contenant de la monnaie. C'était

une poterie ronde, un hibou en porcelaine blanche qu'il fallait casser pour récupérer l'argent. Mon père détestait les pièces qui lui encombraient les poches, il les abandonnait dans un cendrier sur la table de l'entrée et me laissait les pièces d'une, deux et cinq roupies. J'en possédais un montant inconnu. Ma mère m'expliqua qu'elles n'auraient aucune valeur en Angleterre.

– À toi de voir ce que tu veux en faire, dit-elle.

La dernière fois que nous sommes allés au Raj Ghât, c'était le dimanche avant notre départ. Ma mère marchait lentement, le souffle court, chaque pas lui réclamait un effort. Nous avons nourri les écureuils et cette fois, à la fin de leur repas, ils ne sont pas partis. Ils jouaient autour de nous et se cachaient derrière notre dos. Puis mon père a donné le signal du départ. Il est allé se recueillir devant le mémorial du Mahatma et nous a rejoints après le portail. En sortant, nous nous sommes retrouvés dans le flot de la foule, il y avait, comme d'habitude, des dizaines d'enfants en guenilles, crasseux, pieds nus et poussiéreux, qui vinrent nous demander l'aumône. J'avais sur moi la monnaie de la tirelire et j'ai commencé à distribuer ce que j'avais dans les poches à ces miséreux, ravis qu'on leur donne enfin quelque chose. Se départant de sa placidité habituelle, mon père s'est jeté sur moi et, l'œil noir, m'a reproché ce geste, comme si j'avais commis une action sacrilège ou abominable. Il ne fallait pas donner d'argent à ces enfants qui vivaient dans la rue, m'a-t-il dit, parce qu'on n'en aurait jamais fini, pourquoi à l'un et pas à l'autre, c'était injuste, il y en avait des milliers et des milliers, c'était une question de dignité, ça les habituait à la mendicité et à ne pas travailler. J'avoue ne pas avoir bien compris comment ils allaient

31

s'en sortir si on ne leur donnait rien. Il a hélé un rickshaw. Mes parents sont montés dedans. Autour de moi il y avait une dizaine d'enfants noirs de crasse, les cheveux hirsutes, le regard lumineux, qui tendaient la main en m'implorant. J'avais les poches gonflées de monnaie. J'en ai pris des poignées et je les ai lancées par terre. Les enfants se sont précipités dessus comme un vol d'étourneaux. Mon père a voulu sortir du rickshaw mais ma mère était assise et il ne pouvait pas passer. J'ai vidé mes poches jusqu'à la dernière roupie et je suis monté à côté de ma mère. Mon père s'est mis à crier, le rickshaw a démarré, se ruant dans le maelström de la circulation. Le boucan a couvert la voix de mon père qui hurlait. Le considérant avec détachement, j'ai affiché un sourire indien, celui que j'avais vu si souvent flotter sur ses lèvres à lui, et cela l'a encore plus énervé. Ma mère n'est pas intervenue. Elle se tenait à la barre de séparation et affichait le même sourire. Je me rappelle m'être demandé qui était l'individu qui hurlait près d'elle.

*

Pendant des heures, je suis resté le nez collé au hublot. Nous sommes partis de Delhi à la fin mars 1980, et une ombre de chaleur voilait la ville. C'était la première fois que je prenais l'avion, mais cela m'a laissé de marbre. L'appareil a décollé et j'ai découvert que ma ville s'étendait à l'infini, puis je l'ai vue rapetisser et s'évanouir. Je me suis promis de revenir à Delhi, très vite. J'avais une impression de trahison. Pour me remonter le moral, ma mère m'a dit : « *Tu verras, Londres ressemble beaucoup à Delhi.* » Et puis elle s'est reprise et a ajouté : « *Enfin, je crois.* » Le soleil, brillant au-dessus des nuages, nous a accompagnés durant tout le voyage. Quand nous avons débarqué à Heathrow, en début d'après-midi, ce fut une immense déception, le ciel était de plomb et il pleuvait. Perché sur la passerelle, j'ai immédiatement détesté ce pays.

*

Mon père s'était trompé. Il affirmait qu'il avait été grugé, que sa seule faute était d'avoir fait confiance à la responsable du personnel. Il avait beau dire : le résultat était le même. Notre habitation à Greenwich n'était pas plus petite que notre appartement de Delhi, elle était infiniment plus petite. C'était une maison de poupée, en briques rouges, précédée d'un jardinet inutile, et rigoureusement identique aux autres bâtisses de la rue. Quand nous sommes sortis du taxi, mon père est entré le premier, pour constater que l'électricité était coupée. Le tour du propriétaire ? Deux minutes ont suffi. Il y avait une cuisine ridicule où on pouvait à peine se croiser, un salon-salle à manger qui donnait sur la rue et sur un jardin tout en longueur. Le papier peint à motifs jaune et gris décoloré devait dater d'avant-guerre. Ma mère a pivoté sur elle-même à deux reprises, elle a demandé à mon père s'il était sûr de lui, et si c'était là qu'on allait vivre. Sans répondre, il a seulement hoché la tête. Ma mère a dit : «À ce prix-là ? C'est de la folie !» Il lui a répondu que c'était le prix des locations à Londres mais que les lieux seraient plus agréables quand nous aurions reçu nos affaires.

Nous avons vécu six semaines au Royal Oak Hotel, le temps que notre déménagement arrive par bateau. Nous sentant en vacances, ma mère et moi sommes partis à la découverte de Londres. Contrairement à ce qu'elle m'avait affirmé, Londres n'avait aucun point commun avec Delhi. C'était moche, ça puait, c'était triste à mourir. Et pourtant il n'y avait aucun détritus par terre, pas de vaches dans les rues, ni de chiens, ni de rickshaws. J'ai détesté cette ville lugubre.

Mon père a essayé de trouver une alternative, mais c'était irréalisable, nous n'en avions plus les moyens, il n'avait plus sa prime d'expatriation. Là-bas, au moins, nous étions riches. Un soir, mon père a émis l'hypothèse qu'on reparte, un poste allait se libérer à Bangkok, moi j'ai crié : «*Oh oui !*» Ma mère a fait non de la tête et ils ont poursuivi l'examen des annonces immobilières dans le journal. Ce qu'ils visitaient était encore plus cher et pas plus vaste, ou il aurait fallu habiter trop loin du centre.

On a eu l'électricité et ce n'était pas plus gai avec la lumière, il a fallu changer le papier peint, ils ont été effarés du prix, à Delhi, pour les travaux, c'était donné. Ils se sont installés dans la grande chambre à l'étage, moi dans le salon au rez-de-chaussée, et quand le camion de déménagement est arrivé, ç'a été la catastrophe, il a été strictement impossible de faire rentrer le tiers des cartons dans la maison, il y en avait partout, superposés, dans la rue, il a fallu mettre les autres dans le jardin. Par chance, un voisin nous a prêté des bâches pour les recouvrir, sinon ils auraient été noyés par la pluie silencieuse. Lorsqu'on a voulu les récupérer, ceux du bas étaient moisis, nous avons dû tout jeter. Ça a fait de la place.

Début avril, j'ai passé un test à l'école de Greenwich, ils m'ont accepté malgré mes lacunes en anglais, c'était le cas pour la majorité des enfants d'expatriés. Ma mère voulait que je lise pour rattraper mon retard, cela m'ennuyait terriblement, je ne pouvais tenir plus de deux pages sans bâiller. Pour avoir la paix, je m'enfermais dans ma chambre et affirmais que je lisais Dickens, mais quand elle m'a demandé ce que j'aimais chez cet auteur, je n'ai pas su quoi lui répondre. La seule lecture qui me passionnait, c'est *Battle Action Force,* une bande dessinée dont je me délectais chaque semaine. Mon père considérait que c'était d'une violence inouïe et voulait me l'interdire, ma mère, elle, affirmait qu'il valait mieux que je lise cela plutôt que rien.

En Inde, les gens étaient colorés, de toutes les nuances, ici ils étaient blanchâtres, comme des coquilles d'œuf, ou ils étaient gris, comme les murs et les imperméables, le gazon et le ciel, et je ne sentais que l'odeur du saindoux des *fish and chips.* Même leur thé était fade. Le pire, c'était le silence, on n'entendait pas la pluie tomber, une pluie sournoise qui s'infiltrait dans les os. En Inde, la mousson était une bénédiction du ciel, ici l'humidité était une plaie. Aucune agitation, aucune frénésie, aucun autobus freinant à mort, pas de nuées de vélos ni de scooters zigzaguant de front dans un ballet incessant. On n'entendait pas le *tuk-tuk* assourdissant des mille rickshaws qui fendaient la foule des piétons et les gens s'interpellant en vingt langues différentes. Nul concert permanent de klaxons, nulle musique s'échappant des temples. Ici les chiens n'aboyaient pas, ils étaient tenus en laisse. Je ne supportais pas ce calme, il m'empêchait de dormir.

Le premier soir, je suis sorti seul pour faire une course au supermarché. Quand j'ai voulu traverser la rue, j'ai vu un type en gris se précipiter, il a crié sous prétexte que je n'avais pas respecté le bonhomme vert, je lui ai dit que je n'avais vu personne, il a tendu le bras et crié : «*Espèce de petit imbécile! Il n'est pas vert le bonhomme? Hein? Et là, maintenant, il est rouge, non?*» Moi, sur le trottoir, je ne voyais rien que des hommes gris. Comme lui. Était-il fou? Je me suis sauvé en courant.

Je n'étais pas très gai, je me sentais incroyablement loin de chez moi. Loin de Delhi. Je pensais que j'allais mourir jeune dans cette ville sinistre. Ce n'était pas mon père qui aurait du chagrin : lui, du moment qu'il avait son ordinateur, le monde fonctionnait de façon idéale; quant à ma mère, dès qu'elle serait guérie, elle repartirait travailler, elle n'attendait que ça et ne parlait que du jour prochain où elle retrouverait son job. Je me sentais comme un intouchable dans ma propre famille, ils m'oublieraient vite, je ne m'en faisais pas pour eux, je me réincarnerais en un vrai Indien et vivrais dans mon pays et pas ici où je détestais tout : leur politesse et leur putain de bonne éducation, leur gentillesse gluante, leur football débile, leur humour pas drôle et leur blancheur. J'ai pensé m'enfuir, repartir seul en Inde, prendre le bateau ou l'avion, je me doutais que ce serait compliqué, je pensais à tout ça, quand, un matin, la pluie s'est arrêtée. Ma mère a proposé que nous allions nous promener à Greenwich Park.

*

Encore aujourd'hui, à mon âge, je n'ai pas fait le tour des innombrables parcs britanniques et je ne peux donc pas dire lequel est le plus beau. J'en ai parcouru des dizaines mais Greenwich Park reste unique entre tous. Il est un des plus anciens, la main de l'homme s'y est complètement effacée. Le promeneur s'y laisse gagner par la conviction qu'il s'agit d'une création pure et spontanée de la nature souveraine, qu'aucun être humain ne pourrait faire advenir une œuvre aussi belle ni l'imaginer. À moins que ce sentiment de majesté et d'harmonie absolue, qui dans ma mémoire s'est confondu si profondément avec l'image de Greenwich Park, n'ait d'autre justification que celle-ci : je l'ai découvert à huit ans en compagnie de ma mère. Quand je repense à elle, je nous vois à Greenwich Park.

Je n'avais jamais vu un parc si étendu, avec une telle profusion d'arbres. Je ne connais toujours pas leur nom et cela n'a guère d'importance car ils existent pour la contemplation, et de tous, ce sont les cèdres gigantesques qui m'ont le plus impressionné. Ce jour-là, le soleil chassait les derniers nuages, le gazon humide brillait et paraissait tout neuf. Nous avons fait le tour du parc, main dans la main. Par intervalles, nous apercevions la Tamise et, dans le lointain, Londres était estompé par la brume à perte de vue.

C'est alors que j'ai entendu un bruit que j'étais capable de reconnaître parmi des millions. Celui, creux et mat, d'une balle en cuir frappée en plein centre par une batte en bois. J'ai entraîné ma mère dans un sous-bois, guidé par un nouveau choc. Nous avons débouché sur une pelouse immense et incroyablement verte. Au milieu, nous avons distingué deux frêles silhouettes vêtues de blanc des pieds à la tête. Le lanceur venait de récupérer la balle, il revenait en marchant, lentement, la tête basse. Il s'est immobilisé à trente mètres du batteur, a pris son élan sur une dizaine de mètres et propulsé la balle d'un geste ample en direction d'une raquette de badminton qui avait été plantée dans la terre par le manche. Après ce lancer magnifique, il s'est produit un événement que je n'avais jamais observé, sauf lors d'un match officiel à Delhi. Le batteur, par un réflexe d'une incroyable vivacité, a envoyé la balle si haut que je l'ai perdue de vue. Quand elle est retombée, j'ai couru pour la ramasser. Ils se sont approchés, j'ai senti que ma vie allait se transformer et que j'allais pouvoir vivre dans ce pays. Pas seulement parce qu'ils jouaient au cricket et qu'ils avaient à peu près mon âge, mais parce que d'un seul coup, grâce à eux et à la peau sombre de leurs visages, je me suis cru revenu à Delhi. Ils nous ont longuement dévisagés. Par la suite, ils m'ont expliqué qu'ils ne comprenaient pas ce que je faisais avec cette Indienne en sari grenat. Si ma mère n'avait pas été là, comme un pont entre nous, ils ne m'auraient pas accordé la moindre attention. Et moi, je n'aurais pas su aller vers eux, leur expliquer qui j'étais ni d'où je venais. C'est elle qui leur a parlé, avant de me présenter comme son fils. J'ai vu leurs visages se détendre. On s'est salués à l'indienne, mains jointes, et, en une seconde, nous étions devenus amis. J'ai rendu la balle au batteur qui m'a souri : « *Tu sais jouer au cricket ?* »

L'amitié est inexplicable : on se sent seul et soudain, voilà que quelqu'un vous accompagne, c'étaient des étrangers et cinq minutes plus tard, nous étions indispensables les uns aux autres. Notre amitié n'était pas due uniquement à notre amour commun du cricket, peut-être venait-elle du fait que j'étais né à Delhi. Ma mère a été déterminante, c'est grâce à elle qu'ils m'ont considéré comme un des leurs. Eux étaient nés ici, Karan à Croydon et Jaipal à Greenwich. Ils n'étaient jamais allés en Inde, ils n'en avaient nullement le projet. Leur avantage sur moi, c'est qu'ils se sentaient anglais. De nous trois, j'étais le seul à parler couramment hindi. C'était pour eux une langue étrangère dont ils ne connaissaient que quelques mots. Je parlais hindi avec leurs parents qui m'appréciaient et m'invitaient souvent. Ça me rendait indien bien que je fusse blanc, enfin pas vraiment, ma peau était un peu hâlée. Ma mère avait la peau assez claire pour une Indienne. Elle m'a raconté que durant sa grossesse, elle avait prié pour que j'aie la peau et les yeux clairs de mon père et que je ne ressemble pas à un Indien et qu'elle avait pris, chaque soir au coucher, deux cuillères de poudre d'amande délayée dans du lait froid.

Karan était le meilleur batteur du monde, en tout cas parmi les moins de dix ans, et s'il y avait une certitude ancrée en lui et partagée par ceux qui l'approchaient, c'était qu'il serait un jour le meilleur. Tout simplement. Il suffisait de le voir se déplacer, se positionner, se concentrer, prendre ses appuis en pivotant jusqu'à trouver la position parfaite, tenir sa batte en position légèrement basse et de biais, à hauteur de son cou comme si elle était le prolongement naturel de son bras. Il cherchait à donner le change au lanceur, puis, quand il se détendait comme un éclair, il balançait la balle si haut qu'on ne la voyait presque plus, c'était un mouvement lumineux et sublime que certains joueurs réussissent une fois de temps en temps mais que lui ne ratait jamais. Il soutenait qu'étant gaucher comme son père, il bénéficiait d'un avantage d'une demi-seconde sur le lanceur. Moi je n'en suis pas sûr, si tel était le cas tous les gauchers seraient aussi bons que lui. Jaipal affirma une fois que Karan était la réincarnation de Sunil Gavaskar. Cette affirmation me surprit car Sunny était vivant et battait tous les records. Mais, convaincus que Karan serait appelé à régner sur le cricket, à être, le moment venu, un dieu sur cette terre, nous avons pensé que, là-haut, ils avaient déjà organisé la succession. On ne voyait pas de meilleure explication à sa fulgurance.

*

Je m'étais trompé. La vie à Greenwich était devenue heureuse dans notre petite maison, parce que mon père avait disparu, absorbé par ses nouvelles responsabilités. Qu'il fût sans cesse en déplacement sur le continent ne me dérangeait pas, ma mère était là. Nous étions revenus pour qu'elle se soigne, elle avait guéri, toutefois elle n'avait pas retrouvé la force de retourner travailler, elle donnait un coup de main à mon père, lui préparant certains dossiers et devis. Elle a travaillé sur un projet important pour leur boîte, elle pouvait s'organiser comme elle voulait, cela lui plaisait et l'occupait. Puis elle a subi une rechute et encore un traitement. Elle s'en est sortie mais elle n'a jamais vraiment récupéré. Elle avait des douleurs inexpliquées dans le ventre, elle a subi des montagnes d'examens, les toubibs n'ont rien détecté. Finalement, on a fini par vivre comme à Delhi. Jaipal, Karan et leurs familles nous avaient adoptés, nous vivions avec eux, mangions avec eux, sortions avec eux. Le père de Karan avait fait fortune grâce à ses deux magasins, où il vendait des châles pashmina importés du Pendjab. Ma mère n'était pas dupe de la beauté de ses écharpes qui contenaient, me confia-t-elle un jour, plus de poil de lapin angora que de laine de chèvre du Cachemire ; heureusement, les Londoniennes ne se rendaient pas compte de la différence.

L'école de Greenwich était d'un niveau inférieur à celui de Chanakyapuri et la discipline y était moins stricte.

Sans rien faire pour, j'ai été propulsé parmi les meilleurs élèves. Jaipal, Karan et moi passions notre temps à jouer au cricket. Je n'avais pas d'amis anglais. Je veux dire blancs et anglais. Une frontière partageait l'école : il y avait les chocolats et les bouteilles de lait. Les insultes n'allaient jamais plus loin que des réflexions désobligeantes comme : «*Comment ils vont les Pakis?*», quand les rosbifs nous croisaient dans la rue ou faisaient la queue avec nous à L'Odéon de Greenwich. Nous avons eu droit à la variante «*chocolat-noisettes*» à cause des boutons d'acné de Jaipal ou «*Paki curry*», celle-là à cause de moi, je le crains. Pour eux, tous ceux qui venaient d'Asie étaient des Pakis, indistinctement. Nous, on se pinçait le nez avec des mines horrifiées dès qu'ils ouvraient la bouche, façon de leur signifier que leur haleine était pourrie. Ça me faisait plaisir qu'ils me traitent de «*chocolat*» car en réalité, j'avais une désespérante tête d'Anglais. Chaque fois qu'il y avait du soleil, je m'exposais dans le jardin avec un réflecteur en aluminium pour foncer un peu plus, ça ne faisait que me donner bonne mine. Au Greenwich Cricket Club s'était formée une équipe de onze joueurs, tous d'origine indienne ou pakistanaise. Il était entendu que j'étais indien et j'en étais ravi; grâce à Karan, dont la réputation s'étoffait d'année en année, on mettait des branlées aux fioles de papier mâché qui déposaient des réclamations auprès des arbitres, nous accusant de communiquer dans une langue étrangère. C'était vrai que nous parlions hindi entre nous, même si mes équipiers en connaissaient à peine quelques mots et massacraient la grammaire. On formait une équipe redoutée. Petit à petit, nous avons gravi les échelons du district et ensuite de la ligue.

Dans notre rue, je m'appliquais à ignorer nos voisins, et particulièrement Sam, qui habitait dans la bâtisse de droite. Il travaillait comme technicien à la commune de Greenwich, ce qui lui laissait des loisirs pour bricoler, déboucher les canalisations, poser du papier peint et ce genre d'activités dont mon père avait horreur. Dès que je l'ai vu, j'ai détesté Sam, sa jovialité, son humour aussi épais que sa carrure de pilier de rugby et son insistance à vouloir que je devienne copain avec Bryan, son atrophié de rejeton qui passait son existence à s'amuser à des jeux vidéo stupides et venait sonner à la porte pour m'inviter chez lui. En m'appliquant avec constance à ne jamais répondre à leurs saluts, j'ai fini par avoir la réputation d'un type *bizarre*, qui traînait avec les Pakis toute la journée, une sorte de raté, ça me convenait parfaitement, je savais d'où je venais.

*

Très vite, j'ai su que je ne serais pas un lanceur d'exception : un bon amateur certainement, jamais un pro, je n'étais pas assez grand et je n'avais pas le bras assez long. Au départ, j'étais plutôt parti pour être batteur, mais face à Karan, j'ai été confronté à un obstacle infranchissable et j'ai bifurqué. Karan était un batteur invincible. Il avait ce que je n'avais pas, il était plus rapide, plus nerveux, plus efficace. Alors je suis devenu lanceur. Il y avait de la concurrence mais pas à son niveau d'excellence. Avec lui, il était illusoire de rêver d'attraper le guichet qu'il protégeait. On a tout essayé, la balle dans les pattes, la balle tournante ou pointée, avec une extrême violence ou flottante; on lui a posé cent fois la question : « *Comment tu fais ?* » Et cent fois il nous a répondu qu'il sentait, avant le lanceur, où la balle allait arriver ; il l'attendait, sans appréhension, et l'envoyait hors de portée. Une fois, Jaipal l'a battu en s'abstenant de prendre de l'élan. Karan a été surpris. La deuxième fois, quand on a recommencé avec un seul pas d'élan ou à pieds joints, il avait déjà compensé l'écart. Nous ne pouvions que nous réjouir de l'avoir dans notre équipe. Entre nous, il n'y avait qu'un sujet de conversation : le cricket. On achetait le *Sun* et le *Guardian*, c'étaient les journaux où il y avait le plus d'infos sur notre sport préféré, on connaissait tous les championnats, les joueurs, les transferts, les rumeurs, les entraîneurs, on parlait et on vivait cricket, on commentait les commentaires. Lorsque l'Inde a battu l'Angleterre à Old Trafford en demi-finale de la Coupe du monde, nous avons failli mourir de bonheur ; quand elle a gagné la finale haut la main face au champion en titre, nous avons éprouvé une joie ineffable et Sunil Gavaskar a conquis dans nos cœurs la place de meilleur joueur de tous les temps.

Les années ont passé ainsi, dans cette ferveur partagée. Nous allions suivre les matchs chez Jaipal. Son père, qui avait ouvert son troisième restaurant, possédait une des plus belles résidences de Greenwich et avait fait installer sur son toit une antenne parabolique, parmi les premières, qui lui permettait de capter la terre entière. Au début, nous avons eu des histoires avec sa grand-mère, offusquée que nous monopolisions l'appareil. Il en a acheté un deuxième qu'il a installé dans sa chambre.

Jaipal avait deux sœurs et deux frères, Karan, trois frères et une sœur, nous nous suivions à un an de distance. Si on ajoutait les amis des uns et des autres, nous formions une tribu bruyante et joyeuse, notre principale distraction était de squatter le salon, vautrés sur les canapés et les fauteuils, à hurler devant la télé, même avec le décalage horaire, et à siffler des litres de Coca-Cola.

J'ai attendu mon treizième anniversaire avec une impatience particulière, j'allais laisser derrière moi les oripeaux de la jeunesse et intégrer l'équipe junior, j'ai reçu la tenue complète ornée au col du chevron grenat, une balle rouge de compétition à double couture et un gant de guichet. Il était trop large pour ma main. Mon père a affirmé que je devais laisser le gant des petits et m'habituer à celui-là. J'étais incroyablement heureux et me suis habillé immédiatement.

Nous étions trop nombreux, les parents voulaient regarder la télé et nous leur cassions les oreilles. Nous nous sommes retrouvés à une douzaine dans ma chambre, debout, assis par terre ou sur mon lit. Karan, installé sur le rebord de la fenêtre, jouait avec mon gant et la balle, s'amusant à la lancer et à la rattraper. Son frère a voulu s'en saisir, Karan s'est reculé pour l'éviter, la balle est tombée par la fenêtre, a glissé sur la verrière et s'est immobilisée près de la gouttière. On aurait pu la récupérer en passant par le jardin, en posant une échelle au bord du mur.

J'ai préféré enjamber la balustrade et, sans prêter attention à mes amis qui me criaient d'être prudent, j'ai avancé de quelques pas, les bras tendus, tel un funambule en équilibre sur un fil. J'ai ressenti, comme jamais auparavant, une incroyable impression de liberté. C'était enfin fini, je n'étais plus un enfant. J'avais dépassé la moitié de la verrière, quand un claquement a retenti, comme lorsque la banquise se craquelle, écartelée par une foule de serpents pressés et métamorphosée en puzzle géant. C'est ce que je présume, parce que je n'ai jamais assisté à l'éclatement d'une banquise, j'ai vu par contre la plaque de verre se fendiller, blanchir en des milliers de losanges, mosaïque froide sans image ni couleur. Elle s'est mise à onduler, je me suis retourné vers la fenêtre, j'ai fait un geste pour revenir sur mes pas. Il s'est mis à pleuvoir. Puis tout s'est arrêté. D'un coup.

*

Je me suis réveillé dans une chambre d'hôpital. Ma mère, assise à ma gauche, lisait une revue. J'étais immobilisé, la jambe droite en l'air, le bras droit soutenu par une corde, et un tuyau fiché dans mon bras gauche me reliait à un goutte-à-goutte. Avec ces bandelettes qui me recouvraient de la tête aux pieds, je ressemblais à une momie. Ma mère s'est levée, m'a souri, m'a caressé le front.

– Comment vas-tu, mon chéri? Tu nous as fait une grosse frayeur.

J'ai reconstitué le fil des événements, en recollant les fragments de ce que chacun avait vu ou entendu et en les raccordant à la dernière image qui me restait en mémoire. Je ne suis pas absolument certain que cela se soit déroulé exactement de cette façon. Selon Karan et son frère, qui étaient aux premières loges, entre le moment où je me suis tenu debout au milieu de la verrière et celui où je suis passé à travers, il s'est écoulé deux ou trois secondes, j'ai pourtant l'impression que cela a duré plus longtemps. Mon père était la personne la plus proche de l'endroit de la chute. Il ne m'avait pas vu avancer sur le toit transparent, il a levé la tête en entendant le craquement de la banquise, il a vu des jambes s'agiter à travers le verre, un corps prisonnier qui gigotait et un hurlement infernal qui l'a horrifié. D'après lui, ç'avait duré de dix à vingt secondes. Puis il y avait eu le bruit terrible de la verrière qui éclatait en mille morceaux, il avait reculé, s'était protégé le visage du verre qui giclait dans toutes les directions, et il avait vu le corps atterrir à trois mètres de lui. Il ne m'avait pas reconnu tellement j'étais déchiqueté, avec du sang qui suintait de partout, mes vêtements découpés et, dans les chairs, des dizaines d'éclats de verre plantés comme autant de banderilles, parmi les cris et les hurlements. Étrangement, tous m'ont dit qu'il n'avait pas plu la moindre goutte, alors que je me rappelle parfaitement avoir entendu de la pluie juste avant le craquement. Et maintenant, je me souviens du visage de mon père lorsqu'il m'a pris dans ses bras en me fixant d'un air crispé et, avant de sombrer dans l'inconscience, je me suis dit : « *Qu'est-ce que je vais me faire engueuler !* »

Les deux premiers jours, ils me l'ont tous répété plusieurs fois, à croire qu'ils s'étaient donné le mot : « *Plus de peur que de mal, un millimètre à côté de la carotide et...* » Ils s'arrêtaient, comme interdits, après le *et...* J'ai réalisé alors ce qu'était la carotide. Les calmants devaient réduire mon discernement, jamais je n'ai pensé que j'aurais pu mourir. Ou était-ce la faute de ce médecin trop décontracté qui arborait un sourire immense, et qui avait l'air de considérer que ce n'était pas si grave ?

– Dans quelques semaines il n'y paraîtra plus, des estafilades tout au plus.

Je venais de passer une terrible épreuve, j'étais meurtri dans ma chair et, malgré les propos rassurants du médecin, il y avait une possibilité, certes faible, qu'une infection se déclare et que je sois foudroyé par l'assaut conjugué et sournois des microbes et de mon manque de chance. J'aurais apprécié un minimum de chaleur humaine, des mines soucieuses, des mains chaudes tapotant la mienne. Au lieu de cela, j'ai été gratifié de blagues vaseuses et répétitives et j'ai pu mesurer les dégâts que la télévision occasionne dans les esprits. J'ai eu droit à toutes les variations imaginables sur *L'Homme invisible,* apparemment j'avais avec cet abruti un air de famille évident : je ne sentais plus mon poids, j'étais plus beau avec ces bandes et ferais bien de les garder toujours. Dès qu'un ami entrait dans la chambre, c'était : «*Hé, Tom, tu sais à qui tu me fais penser avec ces bandelettes ?*» Je répondais : «*À une momie peut-être ?*» Et il me sortait : «*Non, à l'Homme invisible, c'est une série super.*»

C'est comme ça que j'ai découvert Shadvi. «Découvert» est le mot exact. Parce que je connaissais la sœur cadette de Jaipal, mais je n'étais pas ami avec elle, bonjour bonsoir, et une ou deux questions sur l'école ; à vrai dire, je m'en fichais. C'est difficile d'être ami avec une fille, surtout si elle ne joue pas au cricket. Elle a fait des efforts, a voulu apprendre, on lui a montré comment se positionner et tenir une batte ou lancer la balle, mais hormis de sérieuses crises de rire, cela n'a rien donné, elle n'était pas douée, ce qui n'est pas étonnant, quoi qu'on dise, ce n'est pas un sport pour les filles. Elle a été la seule à me témoigner de la compassion, à ne faire aucune référence télévisuelle, à me demander si j'avais mal, si je dormais bien la nuit, si je n'avais pas soif ou si je voulais effectuer quelques pas dans le couloir, je pouvais m'appuyer sur son bras.
 — Dis donc, Shadvi, t'as des muscles pour une fille !
 — Je fais du tennis. Et toi ?

– Moi je ne joue qu'au cricket.

– Si tu veux, on pourra jouer au tennis ensemble.

– Dès que ça ira mieux, ce sera avec plaisir.

Shadvi était quelqu'un que j'appréciais, elle n'était pas comme les autres filles. Elle écoutait ce que je racontais, avec attention, en hochant la tête et en précisant : « *Oui, je comprends.* » Elle avait des yeux et de longs cheveux noirs et une peau sombre superbe qu'elle essayait de blanchir avec des crèmes qui coûtaient une fortune à sa mère. Je lui ai souvent dit qu'il était inutile de s'en tartiner le visage et les bras, ça risquait de lui abîmer la peau, et elle était parfaite ainsi. À chaque fois que je le lui expliquais, elle me fixait, troublée : « *Tu crois ?* », puis elle recommençait. Il paraît que ça marchait, qu'elle avait la peau plus claire qu'avant, j'opinais pour lui faire plaisir, je ne voyais pas la différence.

Au bout de dix jours, je suis sorti de l'hôpital, je boitais, j'ai dû faire une rééducation pour le bras droit, cette mésaventure a marqué la fin de ma carrière de lanceur. J'aurais pu reprendre l'entraînement, me remettre au cricket et, si j'avais voulu, recoller au groupe, mais je n'en avais plus envie. Entre-temps, je m'étais mis au tennis. Je jouais avec Shadvi, elle se débrouillait mieux que moi, personne ne savait comment une fille aussi menue pouvait taper aussi fort, elle frappait la balle avec rage, et un *Han !* comme Navrátilová, elle se battait sur chaque point, avait un coup droit dévastateur et travaillait son service pendant des heures. Dès qu'on faisait une partie, elle me battait, je jouais court et mou, j'abusais des lobs, c'était la manière indigne que j'avais trouvée pour la battre.

C'est sous un cèdre noir du parc de Greenwich où nous nous étions réfugiés pour nous protéger de la pluie que je l'ai embrassée. Pour être sincère, je dois préciser que c'était la première fille que j'embrassais et j'étais, je l'ai appris plus tard, le premier garçon de sa vie, j'avais quinze ans, elle quatorze. Nous sommes restés longtemps collés l'un contre l'autre, il y avait une odeur d'herbe fraîche, ses cheveux sentaient la vanille et sa peau était incroyablement douce. Shadvi était plus intelligente que moi, elle savait d'instinct ce que j'ai mis de longues années à comprendre. Elle répétait qu'il ne fallait rien révéler, ni à Jaipal, ni à Karan, qu'en dehors de nos parties de tennis, nul ne devait nous voir ensemble ou ce serait terrible. C'était notre secret. Elle avait l'air tellement convaincue que je n'ai pas réagi : les femmes savent des choses que les hommes ignorent. Nous n'avons rien dit à personne. Quand nous étions avec les autres, nous jouions les indifférents, nous nous parlions à peine. Nul ne se doutait de rien. C'était la sœur de mon meilleur copain, il fallait être prudents comme des espions. On se retrouvait à Londres pour se balader. Pour donner le change, nous nous sommes mis à jouer en double au tennis et, quand on me demandait pourquoi j'avais arrêté le cricket, je prétendais que j'avais gardé une contraction à l'épaule et que je ne pouvais plus lancer comme avant.

Shadvi maintenait une certaine distance entre nous : «*J'ai beaucoup d'affection pour toi, je me souviendrai de toi toute ma vie, tu auras été mon premier amour, mais il n'y aura rien entre nous, il ne peut rien y avoir d'absolu.*» Je me doutais de ce que ce «rien» signifiait, j'insistais, j'aurais voulu qu'on soit *vraiment* des amoureux, et elle me lançait : «*Sors-toi ça de la tête, Tom.*» Je savais que ce n'était pas un flirt anodin, je voyais comment elle me dévisageait lorsque nous étions tous les deux, comment elle se laissait aller, parfois, quand on s'asseyait sous le cèdre et qu'elle se blottissait contre moi, nous n'étions pas juste deux copains. Deux ou trois fois, j'ai failli réussir, j'ai senti qu'elle était sur le point de céder. Une fois où nous étions seuls chez moi, c'est allé assez loin. Au dernier moment, elle a repris la maîtrise de soi et m'a repoussé : «*Si tu veux baiser, va voir Sheryl ou Betty, moi je te le dis, Tom, tu ne coucheras pas avec moi!*» Et moi, je lui ai répondu : «*Non, c'est avec toi que je veux faire l'amour.*» Elle m'a crié d'aller me faire foutre. J'avais pourtant la conviction qu'il y aurait une histoire fantastique entre nous. J'ai acheté une boîte de préservatifs pour le cas où. Mais autour de moi il n'y avait personne à qui je puisse demander conseil.

On suivait les matchs de cricket, on applaudissait les exploits de Karan et de Jaipal, on les encourageait en hurlant des tribunes. Deux années de suite, nous sommes allés à Wimbledon, mais comme il a plu les deux fois, ce n'a pas été très agréable. Les tournois suivants, nous les avons vus à domicile et elle s'arrangeait pour qu'il y ait quelqu'un avec nous.

C'est à cette époque que j'ai pris l'habitude d'aller travailler chez Jaipal, pour préparer les exposés c'était mieux, lui était ravi qu'on soit ensemble pour bosser mais je dois reconnaître que ce qui me ravissait, c'était que Shadvi restait avec nous. Quand je repense à cette époque, je me dis que nous avons vécu des années magnifiques.

*

J'ai vu ma mère changer, presque à vue d'œil. Elle n'aimait pas que je la regarde et, quand elle me surprenait, elle me demandait si je n'avais rien d'autre à faire. Elle

restait des heures dans le fauteuil du salon, un livre sur
les cuisses, mais elle n'avait plus envie de lire, elle avait
les yeux perdus dans le vague et, parfois, poussait un long
soupir. Cela l'énervait de n'être bonne à rien, elle aurait
voulu s'occuper de la maison, mais elle n'avait plus de
courage, elle traînait et elle s'ennuyait. Elle qui, lorsque
nous vivions à Delhi, était vêtue à l'européenne, avait relé-
gué ses jupes et ses pantalons et ne portait plus que des
saris, son seul plaisir était d'aller en acheter un de temps
en temps. Je l'ai accompagnée plusieurs fois à Southall où
elle trouvait son bonheur. Malgré les dernières émeutes,
elle préférait aller là plutôt qu'à Brick Lane, c'était moins
cher, affirmait-elle. Il y avait, sur Broadway, deux magasins qui avaient sa préférence, on s'asseyait en tailleur, les
marchands nous offraient le thé et des pâtisseries de couleur orange, ils défaisaient des dizaines et des dizaines de
saris, elle les tâtait, les soupesait, les examinait à la lumière
pour évaluer la qualité du tissu et de la teinture, disait :
« *Celui-là, peut-être, mets-le de côté, montre-moi le bleu
là-bas.* » Il y en avait partout, de toutes les couleurs, une
vendeuse servait de mannequin mais ma mère en essayait
plusieurs. Sa famille étant d'une caste de guerriers, elle
était obligée d'acheter des saris de plus de six mètres,
elle avait une manière à elle de les draper, elle passait un
pan du tissu supplémentaire entre ses jambes et le fixait
à sa taille, lointain souvenir d'une époque où les femmes
montaient à cheval en amazone. Il aurait été inconcevable
qu'un homme puisse apercevoir un morceau de sa peau,
elle s'examinait dans la glace, sollicitait mon avis, hésitait
une heure entre deux, était effarée par les prix, dix fois
plus élevés qu'à Delhi, marchandait interminablement

pour cinquante pence et se rendait dans la boutique voisine pour en essayer de nouveaux. Cela ne dérangeait pas les commerçants, ils avaient l'habitude et gardaient leur éternel sourire, c'était comme ça, toutes les Indiennes agissaient ainsi, on ferait affaire la prochaine fois. Ils parlaient hindi, avec des mots d'anglais quand ils s'énervaient ; au début, ils avaient été étonnés de m'entendre parler cette langue, ce n'était pas très courant. Elle achetait quelques bracelets, parce qu'on achète obligatoirement des bracelets avec un sari neuf, elle adorait les bracelets, elle en avait trois ou quatre cents. Puis on a cessé d'y aller, c'était fatigant pour elle, il fallait prendre le métro et le bus. Des saris, elle en avait une armoire remplie, il y en avait qu'elle n'avait jamais mis, elle n'en avait plus besoin, plus envie. Elle en est venue à ne porter que les deux mêmes : un jaune safran parcouru de fils d'or et un rouge grenat. Ceux-là, elle les avait achetés à Delhi.

À Londres, elle s'est remise à la religion. À Delhi, elle ne pratiquait pas beaucoup ; maintenant, elle allait au temple de Plumstead, consacré à Vishnu et à Krishna, au moins deux fois par semaine. Il était bondé. Je l'ai souvent accompagnée, ce n'était pas loin de chez nous, elle ne ratait aucune des fêtes rituelles hindoues et il y en a tant. J'étais frappé de la ferveur de cette communauté qui adressait des prières pleines d'extase et de dévotion à des statues colorées, brûlait de l'encens et couvrait les idoles de guirlandes de fleurs. Les fidèles avaient l'air incroyablement heureux. C'est ainsi que ma mère s'est liée d'amitié avec la mère de Karan, qui était très religieuse et venait la prendre en voiture.

Mon père brillait par son absence. Il travaillait comme

un fou, se plaignait de faire au moins quatre-vingts heures par semaine en comptant le temps perdu en avion et dans les aéroports, il râlait mais il aimait ce rythme. Il avait été nommé directeur pour l'Europe du Nord et passait sa vie en Allemagne et dans les pays scandinaves. Il aurait voulu qu'on déménage dans un quartier plus chic, ma mère n'a rien voulu entendre. Finalement, elle était bien là, elle avait un nombre considérable d'amies et ne tenait pas à s'éloigner d'elles. Quand il rentrait tard et ne nous voyait pas à la maison, mon père se rendait chez les parents de Karan ou de Jaipal et il était sûr de nous y récupérer. Alors, comme par magie, il redevenait indien, il enlevait ses chaussures, marchait pieds nus, parlait hindi et mangeait avec sa main droite, assis en tailleur, des plats horriblement épicés qui auraient foudroyé n'importe quel Anglais.

*

C'est sur une musique de Dire Straits que mon existence a basculé. Il était tard, soixante-dix mille personnes s'agitaient autour de nous dans les gradins du stade de Wembley, qui était plein à craquer pour le plus fabuleux concert de l'histoire : on fêtait les soixante-dix ans de Nelson Mandela. Je tiens à être sincère : si cela avait été uniquement pour Mandela, je n'y serais pas allé, mais l'affiche était phénoménale, dix heures de concert d'affilée, cinquante des plus grands chanteurs et des meilleurs groupes venaient lui rendre hommage, cela justifiait largement les trente-cinq livres sterling dépensées pour l'achat du billet, soixante-dix si je compte celui de Shadvi que j'avais invitée. Je me fichais de cette somme astronomique. Ce samedi 11 juin 1988, il faisait un temps magnifique. Étant arrivés tôt, nous nous trouvions assez près de la scène pour les reconnaître tous. Ce soir-là, Eric Clapton, autant dire Dieu réincarné, s'était joint au groupe et tenait la guitare solo. Quand il a commencé à jouer les premières notes de *Sultans of Swing*, une immense clameur s'est élevée, et quand Mark Knopfler a chanté *Romeo and Juliet* un frisson m'a parcouru. Puis il a levé les bras et nous a parlé : «*Mes amis, on va offrir cette chanson à Nelson Mandela et je vous demande le silence, pour que, dans la prison où il a été enfermé, il puisse l'entendre*» et le silence s'est fait. Soixante-dix mille individus ne formaient plus qu'un seul être, et retenaient leur souffle. Knopfler et ses musiciens ont commencé à chanter *Brothers in Arms*. Et je pleurais, et Shadvi pleurait. Clapton et Knopfler ont joué le pont en duo, cette musique tombait du ciel, et soixante-dix mille spectateurs se sont mis à chanter...

> *J'ai été témoin de toutes vos souffrances*
> *Quand le combat est devenu enragé*
> *Et s'ils m'ont grièvement touché*
> *En ces moments de peur et de danger*
> *Vous ne m'avez pas laissé seul*
> *Vous mes frères d'armes*

Était-ce l'excitation, le paroxysme de la musique ou une prémonition ? Instinctivement, je me suis retourné. À cause des têtes qui bougeaient et le masquaient, quand je l'ai aperçu, à une dizaine de mètres de moi, au milieu de la foule, j'ai eu un doute : Non, ce n'est pas lui, pas ici, il est à Stockholm ! Shadvi ne s'est pas rendu compte que je l'abandonnais. J'ai fendu la foule, comme un bélier, comme un demi de mêlée – *Il y a tant de mondes diffé-rents* –, la tête et les épaules en avant – *Tant de soleils différents* –, je le perdais de vue puis l'apercevais de nou-veau – *Nous n'avons qu'un seul monde* –, on me repoussait violemment, j'avançais avec plus de détermination encore – *Mais nous vivons dans des mondes différents* –, il était à trois mètres de moi, son bras accroché au cou d'une jeune femme, une blonde radieuse qui devait avoir vingt-cinq ou trente ans – *Le soleil est allé au diable* –, ils chantaient en chœur et oscillaient en rythme d'un pied sur l'autre, au son des guitares aériennes – *Et la lune a pris son vol* –, avec difficulté, je suis parvenu à les rejoindre – *Laissez-moi vous dire adieu, Tout homme doit mourir* –, ils avaient l'air si heureux –, *Mais c'est écrit dans la lumière des astres* –, je me suis planté en face de lui – *Et dans chaque ligne de la main* –, il ne me voyait pas, son regard au-dessus de ma tête cherchait Clapton et Knopfler sur la scène – *Nous sommes des idiots de faire la guerre* –, c'est à cet instant qu'il m'a vu, il ne comprenait pas ce que je faisais là, il m'a souri – *À nos frères d'armes* –, et mon poing est parti, droit dans son estomac. Il en a eu le souffle coupé. Je n'ai plus rien entendu, ni la prodigieuse acclamation déclen-chée par la fin de la chanson ni le *bis* qu'ont joué Clapton et Knopfler. Je frappais, dans son ventre, son visage, ses épaules. La blonde hurlait, elle s'est jetée sur moi, a voulu me mordre le bras, je l'ai repoussée violemment, mon père m'a donné une gifle qui m'a fait pirouetter sur place, je lui ai envoyé un coup dans le ventre qui l'a fait se plier en deux. Elle s'est interposée entre nous, j'essayais de le frap-per en passant par-dessus sa tête, elle le protégeait de son corps. Tentant de me ceinturer, un spectateur m'a agrippé les bras. Mon père m'a frappé sur le nez, je ne pouvais plus respirer. Deux types me sont tombés dessus, je ne pouvais plus bouger, je me débattais, je criais que j'allais le tuer. Plusieurs agents de sécurité nous ont emmenés sans ménagement.

Nous nous sommes retrouvés au poste de police du stade. Les flics n'en revenaient pas que nous soyons père et fils. Il n'a pas voulu porter plainte, la fille non plus. On est reparti chacun de son côté, et la foule nous a emportés. Shadvi avait disparu. Le lendemain, je ne lui ai rien dit. Elle s'est inquiétée car ma pommette était rouge et éraflée, je suis parti sans lui répondre.

C'est sur cette musique divine que j'ai découvert ma force, qu'il n'y avait pas besoin d'être grand et musclé pour frapper fort et faire mal, très mal, il fallait juste le vouloir. Auparavant, je n'avais pas eu l'occasion de m'en servir. Là, j'avais frappé, vraiment frappé, pour faire le plus mal possible, si on frappe, c'est pour démolir, sinon, il ne faut pas se battre. Mon père était plus baraqué que moi, il faisait vingt centimètres et trente kilos de plus que moi, il aurait dû m'écraser, il n'a pas su se battre ou pas voulu.

Le matin, j'avais l'arcade sourcilière enflée et l'œil tuméfié, ma mère ne m'a pas cru quand je lui ai raconté que j'étais tombé dans les escaliers du stade. Mon père a téléphoné dans la soirée, soi-disant coincé à Stockholm. Des difficultés imprévisibles. Il est rentré cinq jours plus tard, il portait une barbe, il n'a rien dit de spécial, il a fait comme si. Moi aussi.

Longtemps, on ne s'est plus parlé, on a vécu côte à côte comme des fantômes. Ma mère m'a interrogé : « *Qu'y a-t-il entre ton père et toi ? Vous êtes fâchés ?* » On n'allait pas lui révéler la vérité. Pour donner le change on s'est reparlé, on a fait semblant mais ce n'était plus pareil. Quand elle n'était pas là, on avait une façon de s'ignorer qui est devenue notre mode de vie. Cela ne me dérangeait pas, il était absent en permanence, sa boîte avait remporté le marché de l'Union européenne et c'était lui qui dirigeait le projet. Depuis Bruxelles. Quand il était là, je passais *Brothers in Arms* en boucle, je chantais les paroles lorsqu'on se promenait tous les trois ou qu'on allait voir Karan et Jaipal à un match de cricket, cela ne provoquait aucune réaction, comme s'il avait déjà oublié. Il s'en fichait, il était en transit. Je voulais qu'il s'excuse, qu'il me dise qu'il regrettait, il a continué à jouer au bon mari et je lui en voulais pour ça. Bien sûr ce n'était pas à moi qu'il aurait dû demander pardon mais à ma mère.

Au bout de quelques mois, j'ai laissé tomber Dire Straits, mais il y a toujours eu cette musique lancinante entre nous.

*

Quelques semaines après le concert, la nouvelle est tombée, ma mère devait recommencer son traitement, pour la troisième fois. Elle nous l'a annoncé d'un ton détaché, comme si elle avait décidé de faire des travaux de rénovation et choisi le nouveau papier peint. Elle ne voulait pas que je l'accompagne, ni mon père, elle allait à l'hôpital de Whipps Cross avec la mère de Karan. C'est tombé à une mauvaise période, mon père était débordé par la mise en place du nouveau contrat et faisait des apparitions en coup de vent, débarquant de Francfort ou de Göteborg pour repartir immédiatement à Helsinki. À chacune de ses apparitions, je me demandais s'il était toujours avec sa blonde. Pourtant, il était le seul qui réussissait à remonter le moral de ma mère, elle l'attendait avec impatience. Ils s'asseyaient dans le salon, prenaient une tasse de thé, il lui rapportait une bricole, elle lui prenait la main : «*Allez, Gordon, raconte-moi.*» Elle lui posait mille questions sur son travail, où il en était avec Shell ou Volkswagen, comment il avait résolu tel problème, ce qu'il avait décidé pour tel autre ou s'il avait trouvé les consultants qui lui manquaient. Parfois, il restait si peu de temps que le taxi qui l'avait conduit de l'aéroport jusqu'à la maison attendait dans la rue pour le ramener à l'aéroport.

Ma mère a traversé une sale période, elle restait silencieuse dans son fauteuil, je m'asseyais à côté d'elle en lui prenant la main. Elle n'était pas d'un tempérament mélancolique, elle ne parlait pas du passé ni de sa famille perdue. Une fois, une seule fois, elle m'a dit qu'elle s'en voulait de ne pas s'être occupée de moi quand j'étais petit et de m'avoir laissé à Dhanya à peine deux mois après ma naissance pour retourner à son travail.

Un soir, je lui ai proposé que nous repartions tous les deux à Delhi, elle est restée sans répondre, puis a haussé les épaules.

– Tu sais, mon fils, m'a-t-elle dit en regardant tomber la pluie, il ne faut penser qu'au présent, sans cesse. Le reste n'a pas d'intérêt. L'avenir nous est interdit ; pour nous, êtres humains, c'est le présent qui existe. La vie est une maladie incurable, Tommy. On n'arrive jamais à s'en remettre. On voudrait qu'elle soit conforme à nos rêves, on se bat pour l'apprivoiser et la dominer mais nous ne faisons qu'obéir, contraints et forcés, comme des esclaves désobéissants. Nous sommes obsédés par la mort alors que nous ne devrions penser qu'à la vie. À chaque jour qui nous est donné. Parce que c'est la seule chose dont nous soyons absolument certains. La seule vérité sur cette terre, c'est que nous sommes là, toi et moi, et que nous nous aimons. Tout le reste n'est qu'illusion.

Elle a souri, m'a tapoté la main et elle est retournée à son silence. Elle n'avait de goût à rien, elle ne lisait plus et avait laissé tomber la télé, je l'aidais de mon mieux en faisant les courses ou en m'occupant des papiers. Shadvi me donnait un coup de main. C'était surtout sa mère et celle de Karan qui s'occupaient d'elle et s'organisaient pour ne jamais la laisser seule. Elles lui apportaient ses repas, veillaient à ce qu'elle se nourrisse, lui tenaient compagnie tous les après-midi. Ensemble, elles formaient un trio intarissable.

Les résultats des examens suivants ne furent pas bons, pas catastrophiques non plus, son médecin hésitait. Elle avait un rendez-vous à l'hôpital avec le grand patron, c'est lui qui déciderait, elle appréhendait de devoir reprendre ce traitement qui l'épuisait.

À la fin octobre, on a fêté Diwali. Pour les hindous, c'est une des fêtes les plus importantes, elle marque le début de l'année et c'est la fête des Lumières. Elle symbolise le triomphe du bien sur le mal et sur le mensonge, elle rappelle la victoire de Rama et son retour en apothéose. On illumine les maisons et les rues, rien ne doit rester dans l'obscurité. À Delhi, on se gavait de friandises et de pâtisseries, la fête durait cinq jours et cinq nuits, elle retentissait de l'explosion de milliers de pétards, scintillait de l'éclat des guirlandes lumineuses qui étaient accrochées partout et des feux d'artifice qu'on tirait dans chaque quartier. Malheureusement, il n'était pas imaginable de transformer Greenwich en ville indienne. Nous fêtions la nouvelle année entre nous, en famille, chez le père de Jaipal, qui avait une résidence assez vaste pour y recevoir tous les proches, c'était l'occasion de faire des repas délicieux. Le troisième soir, nous nous retrouvions chez le père de Karan pour la remise mutuelle des cadeaux. Ils devaient être inattendus, confectionnés avec soin ou dénichés longtemps à l'avance, et comme nous étions une trentaine, la distribution occupait une partie de la soirée. On avait passé la journée à tresser des dizaines de colliers de fleurs, soucis et tubéreuses, et à fabriquer deux cents lampes à huile au moyen de récipients en terre cuite et d'une mèche en coton. La tante de Jaipal les confectionnait avec du beurre clarifié et les lampes répandaient une odeur vanillée. Les femmes avaient mis leurs saris de fête, leurs plus beaux bijoux, et s'étaient tracé des dessins au henné sur les mains. C'était la seule fois de l'année où je voyais Shadvi en sari, elle ne s'habillait en Indienne que pour faire plaisir à son père, gardant son blue-jean en dessous. J'avais beau lui répéter qu'elle était magnifique dans ce vêtement, cette tenue paraissait la gêner. Je lui ai offert des boucles d'oreilles dorées. Vu le prix que je les avais payées à Southall, elles ne devaient pas être en or. Elle les a portées aussitôt, et ma mère a souri quand j'ai croisé son regard. Ma mère m'a offert une statuette de Ganesh en bois peint car c'est le dieu qui apporte le bonheur. Moi je lui ai offert un livre sur les châteaux de la Loire, qu'elle rêvait de visiter. Le père de Karan lui a promis que l'été prochain, il nous emmènerait en France pour que nous les visitions ensemble. Nous avons vu ses yeux s'embuer et elle s'est mise à pleurer.

– C'est loin, a-t-elle dit, la gorge nouée.

– Je te jure, Fulvati, que tout va bien aller pour toi. Cet été, tu seras en pleine forme et nous ferons ce voyage, crois-moi.

Il a allumé une veilleuse à l'attention de Vishnu et de Lakshmi, son épouse, dont les peintures étaient accrochées au-dessus de l'autel. Le père de Jaipal a fait de même, et nous nous sommes tous souhaité une bonne année.

– Que ta vie soit illuminée et que ce soit une année prospère, de paix et de gaieté.

Chacun espérait que nous serions rassemblés pour le prochain Diwali, et moi, j'ai glissé trois veilleuses dans ma poche.

*

Il fallait que je règle mes comptes avec Dieu. J'avais seize ans et je ne croyais en rien. Pourtant, j'en ressentais le besoin ; ce n'était pas seulement imaginer l'existence d'une puissance supérieure, c'était partager cette croyance avec les siens et faire partie d'une communauté. Il y en avait tellement : Jésus, Bouddha ou Allah, le dieu de mon père ou la cohorte infinie des dieux de ma mère. Autour de moi, on croyait en Brama, Vishnu et Shiva, cette trinité était complexe à expliquer et il fallait admettre des complications, des bifurcations, des ramifications, des ombres et des désaccords. Plus jeune, je ne m'étais jamais intéressé à ces subtilités. Que les parents croient, se prosternent et récitent des prières m'avait semblé naturel. Mais que Karan, Jaipal et Shadvi leur emboîtent le pas et aient la foi du charbonnier m'avait toujours semblé énigmatique. Ils paraissaient épanouis, leur foi s'exprimait avec une spontanéité qui me déroutait, ils pratiquaient la religion de leurs ancêtres sans la moindre hésitation. Moi, avant de croire, j'aurais aimé comprendre. L'hindouisme est une religion si complexe, si tortueuse, saturée de mystères et de contradictions, que personne ne pouvait me l'exposer clairement. Il fallait tout prendre ou tout laisser.

Mon père était anglican et je ne l'avais jamais vu pratiquer, il s'en fichait royalement, il avait laissé ma mère faire ce qu'elle voulait et cela n'avait jamais été un problème entre eux. Mais trop de dieux, c'était comme pas de dieu du tout. Il manquait la rareté qui fait le divin. Le message chrétien me touchait plus, c'était simple, fondé sur l'amour du prochain, le pardon des fautes, la rédemption et la morale, et ce dieu unique me semblait plus probable et convaincant que les centaines de dieux hindous. Jésus me paraissait un bon choix. J'aurais dû me lancer, me rallier sans réfléchir, cependant j'avais une réserve de taille : depuis deux mille ans que le Christ régnait sans partage sur les esprits occidentaux, on ne pouvait pas prétendre que le rayonnement de sa pensée ait été une franche réussite. Les gens continuaient d'agir comme si le Christ n'existait pas. Les exemples étaient innombrables de celles et ceux qui se prosternaient devant lui le dimanche et le bafouaient dans la semaine. À quoi donc servait son message s'il était à ce point méprisé, ignoré et inefficace, et quel était ce dieu

impuissant à se faire entendre ou respecter des siens ? Je
me suis souvenu de la mort horrible de Bobby Sands et de
ses compagnons, que Thatcher avait laissés mourir de faim
à petit feu quand il aurait suffi d'un seul mot pour les sauver... Non, je ne pouvais pas prier le même dieu que Thatcher. Il n'était pas concevable que ce dieu-là fût un dieu
respectable puisqu'il n'avait pas été suffisamment fort pour
la convaincre de manifester sa compassion sur cette terre.

Le vrai problème vient de là, on met de la logique dans
la religion, on voudrait que Dieu réagisse en être humain,
qu'il ait un système de pensée identique au nôtre. Or il
n'en est rien. Ce qui prouve que Dieu n'est pas à notre
image. Je me suis dit que je n'étais pas obligé de décider tout de suite. Il était tard, je devais approfondir un
peu plus, en parler avec des gens compétents. Il n'était
peut-être pas utile d'invoquer une puissance divine particulière, si Dieu existait tout là-haut, il se reconnaîtrait
et entendrait ma prière, s'il était si grand et si puissant et
gouvernait chaque chose dans ce monde, il ne me tiendrait pas rigueur de ne pas l'avoir appelé par son nom.
L'important, c'était ma prière et ma sincérité.

Je voulais simplement que ma mère vive. Ce n'était
rien pour un dieu, une femme à sauver, il avait accompli
tant d'œuvres monumentales. En échange de sa guérison,
j'étais prêt à donner tout ce que j'avais, à me faire moine
s'il l'exigeait.

J'ai pris la première veilleuse que j'avais emportée avec
moi, j'y ai versé de l'huile et j'ai redressé la mèche de
coton. Je devinais les raisons de ce geste. En Inde ou en
Angleterre, les hommes allumaient des bougies pour se
signaler à son attention : « *Ohé, j'existe, écoute-moi je t'en*

prie. » Ça devait permettre d'établir une connexion. J'ai allumé les trois veilleuses avec une allumette. J'ai fermé la lumière électrique et je me suis agenouillé. Les flammes tremblaient et mon ombre dansait sur le mur. J'ai fermé les yeux et, du plus profond de mon âme, je me suis adressé à lui, qui ne me connaissait pas bien, pas encore, j'étais certain que s'il existait quelque part, il m'entendrait : « Sauve ma mère. Il n'y a rien que tu ne puisses faire. Elle n'est rien pour toi. Prends-en une autre, moi j'ai besoin d'elle. Je t'honorerai, je me battrai pour toi contre ceux qui ricanent, tu n'auras pas de plus fidèle serviteur. Je dirai à tous ce que tu auras fait et tous t'aimeront, comme moi. Je te le jure. Tu peux me croire, je n'ai jamais menti, enfin sur rien d'important. Je t'en supplie, par pitié, sauve-la. Qu'elle vive, c'est ce que je te demande. »

J'ai murmuré ma prière plusieurs fois, les mains jointes, le corps prosterné, et à cet instant, j'ai éprouvé une sensation bizarre, je me suis senti soulevé, transporté ailleurs, j'étais certain qu'il m'écoutait, qu'il était attentif à mes paroles, et j'ai eu la certitude qu'il allait m'exaucer. J'ai dû lui adresser de nombreuses suppliques ; tout ce dont je me souviens, c'est d'avoir vécu, cette nuit-là, un cauchemar. J'ai rêvé que j'étais en enfer…

Je me suis réveillé au moment où la poutre faîtière s'écroulait sur mon lit, autour de moi la maison brûlait, je n'ai pas compris ce qui se passait ni où j'étais. Sous le choc, mon lit s'est affaissé sur le côté, j'étais coincé entre le mur et la poutre, ma cuisse gauche me faisait horriblement mal et je ne pouvais plus bouger. J'ai poussé un hurlement mais à travers le ronflement des flammes et le cognement sourd des briques qui tombaient, personne ne pouvait m'entendre. Le toit s'était séparé en deux moitiés tordues vers l'intérieur, et par cette large échancrure, j'apercevais la lune et des nuages gris. Les flammes dévoraient ma chambre ; le plancher, près de la fenêtre, s'est embrasé comme une torche. Il m'a semblé entendre crier mon nom, j'ai hurlé en réponse : «*Je suis là ! Je ne peux pas bouger !*» J'étais incapable de me redresser, la poutre m'immobilisait, des flammèches tombaient du toit tandis qu'une fumée épaisse s'envolait par l'ouverture.

– *Maman ! Maman, tu m'entends ?*

J'ai eu beau tendre l'oreille, je n'ai plus perçu la moindre voix humaine. Les flammes se rapprochaient inexorablement, la fumée me piquait les yeux et la gorge, m'empêchant de respirer. J'ai réussi à attraper l'oreiller et à le mettre devant ma bouche. Puis j'ai lâché l'oreiller. Je ne sais pas combien de temps je suis resté ainsi au milieu du feu. Je n'avais pas peur de mourir, ne ressentais pas de panique, je criais : «*Maman, tu m'entends ?*» La chaleur augmentait, le feu faisait un boucan assourdissant, les objets se tordaient, se calcinaient, j'ai fermé les paupières à cause de la fumée et rassemblé mes forces pour me dégager, mais je n'ai pas pu déplacer la poutre.

Le plancher du palier s'est écroulé dans une gerbe d'étincelles, une vague de chaleur incroyable m'a submergé, la bâtisse entière a vacillé, j'ai entendu dans le lointain une sirène de pompiers, j'ai crié, aucun son ne sortait de ma bouche ou c'était moi qui n'entendais plus rien, je voulais résister, ne pas m'endormir, crier, ma tête tournait, tournait. Je me suis dit que c'était fini... oui fini, tant pis.

*

Je me suis réveillé dans une chambre d'hôpital, une chambre différente de la dernière fois, mais dont les murs étaient du même jaune grisâtre. Un tuyau me reliait à une sonde nasale à oxygène et j'avais mal à la tête. Une poche de glucose était suspendue sur la gauche. Shadvi se tenait près de moi, parlant à voix basse avec Jaipal, et la mère de Karan était assise à côté du lit. Quand elle a vu bouger mon bras, elle s'est levée, a retiré le tuyau de mon nez et a pris de mes nouvelles. Je lui ai dit que ça allait. J'avais le souffle court, comme si j'avais couru durant des kilomètres.

Mon tibia gauche était cassé, on m'avait opéré et posé des broches pour réduire la fracture. J'avais soif, ils m'ont aidé à me redresser et fait boire une gorgée d'eau, une partie du liquide s'est répandue sur mon pyjama.

– Que s'est-il passé ?... Et ma mère, comment va-t-elle ?

Dès que ces mots ont franchi mes lèvres, je me suis senti comme aspiré vers le fond par une vague irrésistible. Shadvi m'a pris la main, l'a serrée et m'a souri tristement.

– Comment elle va ? ai-je répété.

Elle a secoué la tête et n'a pu retenir ses larmes. Jaipal s'est approché.

– Les pompiers n'ont rien pu faire.

– Où est-elle ?

– C'est un miracle que tu t'en sois sorti, Tom. La maison a complètement brûlé. Il ne reste plus rien.

L'incendie m'est revenu en mémoire, je me suis mis à sangloter comme un môme de six ans, des hoquets me soulevaient, les larmes coulaient sur mes joues.

– Pleure, mon grand, pleure, a dit la mère de Karan en essuyant mon visage avec un mouchoir.

– On a réussi à prévenir ton père, a dit Shadvi. Il est à Munich, il doit rentrer ce soir.

Il n'est pas revenu pour me consoler et me prendre dans ses bras, ni pour me dire à quel point il était soulagé que son unique fils soit sain et sauf, ou que sa peine était aussi immense que la mienne. Il n'a pas dit que nous allions rester tous les deux avec elle entre nous, que nous parlerions d'elle continuellement, que nous ne l'oublierions jamais et la chéririons comme si elle était là jusqu'à la fin de notre vie. Il n'a rien dit de tout ça. Il ne s'est pas inquiété de l'état de ma jambe, ni de mes brûlures. Il m'a fixé, méfiant, comme s'il questionnait un de ses collaborateurs : « *Que s'est-il passé ?* » Il voulait comprendre de quelle manière le feu avait pris. Je l'ignorais. Un court-circuit probablement. Il a posé la question trois fois, et son insistance m'a exaspéré.

Le lendemain, avait eu lieu la crémation de ma mère à Nunhead, mon père m'a demandé si je voulais venir, je me sentais épuisé ; de toute façon, le médecin s'y était opposé.

Trois jours plus tard, je suis sorti de l'hôpital, avec des béquilles, il est venu me chercher avec sa voiture pour m'emmener chez le père de Karan, qui organisait une cérémonie funèbre en l'honneur de ma mère. J'ai appris que ses cendres seraient dispersées dans le Gange, conformément à ses dernières volontés.

Quand j'ai interrogé mon père, il m'a répondu qu'il partait le soir même et que je ne pouvais pas venir avec lui, les médecins refusant que je prenne l'avion si peu de temps après l'anesthésie. J'ai protesté, il me semblait invraisemblable qu'il parte avec elle, et sans moi, que celui qui l'avait trahie accomplisse pour elle ce rite sacré. «*C'est comme ça, je n'y peux rien, c'est une décision médicale.*» En attendant son retour, je serais hébergé par les parents de Jaipal.

Plus tard, alors que je discutais avec Karan, Jaipal, Shadvi et un de ses frères et que nous fumions tranquillement dans le jardin, mon père s'est précipité vers moi et m'a tiré à l'écart du groupe.

– Réponds-moi, Thomas. Tu fumais ?

– Je...

– La nuit de l'incendie, tu fumais dans ta chambre ?

– Je dormais.

– Tu fumes, non ?

– Tu t'en serais rendu compte si tu avais vécu plus souvent avec nous. Cette nuit-là, je n'ai pas fumé.

– Si, j'en suis sûr. Tu as fumé. C'est comme ça que le feu est parti.

– Tu es malade !

– Je découvrirai la vérité. Tu peux me faire confiance. De toute façon, l'assurance va faire une enquête poussée.

Il est parti, l'urne funéraire sous le bras. Et, à cet instant précis, il s'est produit une déchirure entre nous. Une séparation irréversible. J'ai décidé qu'il ne serait plus mon père et que je préférais être orphelin. Il me volait ma mère, il l'emportait comme un voleur, il ne la méritait pas, c'est moi qui aurais dû partir là-bas, retourner chez moi, avec elle, c'est moi qui aurais dû disperser ses cendres dans le Gange. Moi je connaissais le rite et les prières, j'étais comme elle. J'aurais dû l'accompagner dans son dernier voyage, moi qui la chérissais tellement, qui m'étais occupé d'elle pendant des années, qui ne l'avais jamais abandonnée, jamais trahie, qui restais avec elle le soir à regarder la télé pour ne pas la laisser seule, qui l'emmenais se promener le dimanche, qui traversais Londres pour qu'elle se choisisse un sari. J'étais à la dérive, je ne savais pas ce qui m'attendait, je m'en foutais d'ailleurs, mais ce que je savais avec une certitude absolue, c'était que cette nuit-là je n'avais pas fumé.

*

Je me suis installé dans la pièce du rez-de-chaussée qui servait de bureau au père de Jaipal. Mes affaires étaient parties en fumée, je n'avais plus rien. Karan et Jaipal m'ont donné des vêtements. Dès que je l'ai pu, j'ai voulu retourner chez moi, ils m'ont accompagné. Avec mes béquilles je marchais moins vite qu'eux, sur le chemin on n'a pas dit un mot, comme si on allait au cimetière. La façade était restée debout. Mis à part les fenêtres défoncées, on ne se rendait compte de presque rien. Derrière la porte branlante, c'était un champ de ruines, on voyait le jardin à travers le mur du salon. Tout était calciné. L'étage s'était en partie effondré. On apercevait un moignon d'escalier qui pendait dans le vide, on devinait les meubles sous la mélasse, on s'enfonçait dans une gadoue fondue, informe et noire. Je n'ai rien pu récupérer, mes bandes dessinées, mes CD, ma raquette de tennis, ma batte de cricket, mes balles, mon gant, tout avait disparu. Je n'avais même plus une photo de ma mère. Aucune trace de ma vie d'avant. J'en étais dépouillé. Et j'ai senti cette odeur de brûlé.

— Ça pue, non ?
— Qu'est-ce que tu sens, Tom ?

– Le brûlé. Ça pue le brûlé.

– On ne sent rien.

Je sentais ce qu'ils ne sentaient pas. Peut-être étais-je devenu hypersensible aux odeurs ? Le pire, c'était que cette puanteur m'accompagnait. Dès que je reniflais, l'odeur de cramé me remontait aux narines et m'étouffait. On m'a fait des examens, les médecins n'ont rien trouvé, c'était psychologique, ça passerait. Ils n'avaient pas l'air de savoir. Par instants, cette odeur était insupportable et en plus, à chaque fois qu'elle revenait, la nuit, je revoyais l'incendie et je pensais à ma mère. J'entendais sa voix et j'imaginais des cris. Le médecin voulait que je suive un traitement, que je voie un psychothérapeute. Il ne pouvait me garantir que ce serait efficace, la guérison n'était jamais certaine, mais ce travail pourrait m'aider. Je ne voyais pas le rapport. Il y avait quelque chose qui avait brûlé dans mon nez, c'était pour cela que cette putain d'odeur m'encombrait. Ce n'était pas compliqué à comprendre.

Mon père est resté trois semaines en Inde. Pourquoi si longtemps ? Je l'ignore, il ne m'a donné aucune explication. Je n'ose pas croire que sa poule l'avait accompagné. Le père de Jaipal a proposé de nous héberger, il avait une chambre disponible à l'étage, mon père a refusé. Il a réservé une chambre à l'hôtel, sa boîte lui cherchait une location, ensuite il devrait régler les divers problèmes avec l'assurance. Il voulait acheter une maison dans un quartier plus chic. Je lui ai dit que je voulais rester ici, il a haussé les épaules : j'étais mineur et je devais obéir.

On s'est réinstallés au Royal Oak Hotel, la patronne était gentille, elle faisait tout pour que nous nous sentions chez nous, elle m'a donné une chambre sur le jardin. Ça s'est bien passé parce que, tout de suite, mon père a pris la poudre d'escampette, il a dû retourner à Munich pour mettre en place son contrat, je me suis réinstallé chez le père de Jaipal sans solliciter son avis. Quand mon père revenait, j'étais obligé de le suivre à l'hôtel. Entre les papiers, les formalités, les négociations avec l'assurance et les expertises, il n'avait plus une minute à lui. Il avait rêvé d'empocher la prime d'assurance, de vendre notre terrain en l'état et d'acheter une résidence à Chelsea, c'était l'occasion pour lui de quitter un quartier auquel s'attachaient tant de souvenirs. Il visitait des appartements et des pavillons.

Un matin, il a manifesté le désir que je l'accompagne pour en voir un à Fulham, je lui ai répondu que je n'en avais pas envie et que je n'irais jamais là-bas. Il y est allé seul et, le soir, il ne m'en a pas reparlé. Il avait un paquet de congés en retard, il les a pris d'un coup. Il ne l'avait pas fait quand ma mère était là. Quelques semaines plus tard, il m'a informé d'une voix fatiguée qu'il avait réfléchi : on restait à Greenwich. Il a ajouté : «*Ce sera mieux pour toi*», comme s'il avait pris cette décision en pensant à moi. Il l'a répété au père de Karan. C'était faux. Je connaissais le véritable mobile. J'avais accès à son ordinateur, j'avais deviné son mot de passe du premier coup, ce n'était pas compliqué, c'était «Fulvati». Dès lors, j'ai pu me balader dans sa messagerie, dans ses dossiers, afficher ses photos. J'ai tout su de lui et je ne l'ai pas aimé davantage. Il vivait toujours avec sa blonde, elle s'appelait Cynthia, il lui donnait des tas de noms stupides comme mon papillon, ma petite fée, ma coccinelle. C'était son assistante, elle le suivait partout, elle était avec lui à Munich quand l'incendie avait eu lieu et elle l'avait accompagné en Inde. Il aurait voulu qu'elle vienne vivre avec nous, elle avait refusé. À cause de moi. Elle avait peur de ma réaction, j'étais imprévisible et violent, écrivait-elle. Elle n'avait pas tort, si j'avais pu, je lui aurais crevé les yeux. En lisant les messages qu'il avait échangés avec les agences immobilières et avec la compagnie d'assurances, j'ai réalisé le motif qui nous faisait rester. Malgré sa bonne situation, il n'avait pas les moyens de se payer une demeure à Mayfair ou à Kensington. Pour cela, il aurait dû gagner au loto, être lord, trader ou footballeur, ou s'endetter si lourdement et pour si longtemps qu'il a dû penser qu'à la fin, je serais le seul à en profiter, et cette idée a dû lui couper ses rêves de quartier chic. Finalement, l'assurance a fait des histoires sur l'évaluation du préjudice, elle a remboursé une somme dérisoire pour les meubles et les objets. Il s'est donc lancé dans la reconstruction. À l'identique. Il a affirmé que ma mère aurait aimé.

Et puis, miracle, il a cédé. Un samedi à midi, il m'a annoncé qu'il acceptait que je m'installe chez le père de Jaipal, si je le souhaitais encore. Lui, il allait devoir faire de nombreux séjours à l'étranger dans les mois qui suivraient. Il me prenait pour un imbécile. Il m'a fait cette proposition parce que cela l'arrangeait bien, il ne paierait plus l'hôtel et pourrait rester avec sa blonde. Ils n'attendaient que ça. Leur dernier échange de mails était clair. Elle lui proposait de venir vivre chez elle, même si l'appartement était petit. J'aurais aimé savoir où elle habitait. Pour aller y mettre le feu.

Entre le jour où l'assurance a donné son accord pour la reconstruction de la maison et celui de la livraison, il s'est écoulé cinq mois. Les maçons connaissaient à l'unité près combien de briques ils utiliseraient et où les poser. Ce n'est pas long, cinq mois, le délai de la rééducation, mais cette période a été interminablement pénible. Le temps de me retrouver en miettes. Un peu plus.

*

À cause de Shadvi, bien sûr. Shadvi était un mystère, une énigme. Ou alors c'était moi qui ne comprenais rien aux femmes et à elle en particulier. Elle avait sa chambre à l'étage, entre celle de Jaipal et celle de sa sœur. On se voyait cent fois par jour. C'était à la fois merveilleux de vivre à côté d'elle, de l'écouter, de l'observer mais désespérant aussi. Elle avait dressé entre nous une barrière infranchissable. Elle était terrorisée à l'idée que son père ou que Jaipal découvre qu'il y avait plus qu'une banale amitié entre nous. Résultat, elle nous contraignait à vivre comme un vieux couple éteint, sans fièvre ni désir. Elle ne faisait aucun effort pour que nous soyons en tête à tête, elle se débrouillait pour rester avec une de ses innombrables copines. Dans mon état, je me sentais impuissant, d'autant que j'avais à affronter un ennemi imprévisible : le grand escalier en marbre. Si je le montais avec les béquilles, cela résonnait comme dans une cathédrale et les marches étaient aussi glissantes qu'une patinoire. J'ai dû ronger mon frein. Une sorte de mise à l'épreuve. J'espérais que Shadvi se manifesterait, viendrait vers moi, frapperait doucement à ma porte. Chaque nuit, je l'ai attendue, assis dans mon lit, guettant le moindre bruit. Elle n'est jamais venue.

Au bout de deux semaines, j'ai pu me passer des béquilles, et quand tous les habitants de la résidence ont été endormis, vers une heure du matin, j'ai entrepris de gravir, avec mille précautions, l'escalier en marbre glacé. J'ai gratté à sa porte, elle a mis dix minutes à me répondre, refusant d'ouvrir et m'ordonnant de retourner dans ma chambre : si son père nous surprenait, il l'étranglerait en premier et moi après. J'ai essayé de lui communiquer mon trouble, ma passion, mais, à travers l'épaisse porte, c'était perdu d'avance. Je ne suis pas parvenu à la convaincre du bonheur que nous aurions à partager le même lit chaque nuit, elle m'a répondu de lui foutre la paix et deux ou trois grossièretés assez étonnantes dans sa bouche. Dans le couloir sombre, j'entendais un ronflement provenant d'une chambre. J'ai murmuré, imploré, supplié, et n'ai pas obtenu de réponse. Rebroussant chemin dans le noir, j'ai compris le désarroi que ressentent les vaincus.

Le lendemain matin, lors du petit déjeuner, elle m'a lancé un regard noir. Elle n'a pas répondu à mon «*Bonjour, Shadvi, as-tu bien dormi ?*». Quand j'ai rapporté mon assiette à la cuisine, elle m'a rejoint en faisant semblant de débarrasser la table et a murmuré : «*Ne recommence plus cette connerie !*» Et elle a fait demi-tour.

Moi, j'aurais voulu être tout le temps avec elle, proclamer au monde entier que notre relation était merveilleuse, que je l'aimais à la folie et qu'après mon terrible chagrin je ne trouvais qu'auprès d'elle espoir et réconfort. Elle me fuyait et quand j'allais la chercher à la sortie de son lycée, elle s'arrangeait pour avoir deux ou trois copines collées à elle. Je l'ai suivie de loin et j'ai réussi à me retrouver seul avec elle, à la fin de son entraînement. Depuis plusieurs mois, elle refusait qu'on joue au tennis. Cette fois, elle n'a pas pu m'éviter, sa prof de tennis m'a cédé la place. Nous avons marché dans le parc de Greenwich étrangement silencieux.

– Que se passe-t-il entre nous, Shadvi ? Ça devient invivable, je suis malheureux, tu sais.

– Moi aussi.

– Tu ne m'aimes plus ?

– Je t'aime de plus en plus... C'est la tentation qui est trop forte.

Je m'attendais à toutes sortes de réponses, mais pas à celle-là. Preuve que j'avais encore beaucoup à apprendre. J'étais décontenancé. Moi, la tentation, j'y aurais cédé immédiatement et sur-le-champ. Pas elle. Là était le problème. J'ai pris sa main et, pour une fois, elle ne m'a pas repoussé. Elle a jeté un coup d'œil aux alentours pour vérifier si elle ne voyait personne de notre connaissance. Je voulais qu'on se parle, qu'on se dise tout, des mots tendres, mais elle fixait le sol avec insistance.

– Toi chez moi, c'est insupportable. Je risque de perdre mon self-control.

– Je ne te comprends pas. On s'aime, Shadvi. On a envie l'un de l'autre. C'est normal. C'est ça l'amour. Je ne rêve que de cela, te prendre dans mes bras et faire l'amour avec toi. Il ne faut pas que tu veuilles tout maîtriser.

– Si, je le dois.

– On ne joue pas une partie de tennis, laisse-toi aller, profite de l'instant.

– Si on ne se domine pas, on est foutus.

J'ai commis une grossière erreur, une erreur de débutant. Pour ma défense, je rappelle que je n'avais aucune expérience et que Shadvi était mon premier amour. J'ai sorti la boîte de préservatifs de ma poche et je la lui ai montrée.

– Ne t'inquiète de rien, j'ai tout prévu.

Elle a fait valser la boîte qui a atterri dans un buisson.

– Arrête, Tom. Qu'est-ce que tu veux ? Que mon père me tue ?

– Si tu veux, j'irai voir ton père…

Elle ne m'a pas laissé finir ma phrase.

– Il faut que tu t'en ailles !

– Quoi ?

– Tu dois aller vivre ailleurs.

– Pourquoi ?

– Si tu restes chez nous, je ne pourrai pas résister et ça finira mal.

On a continué à tourner en rond. Nous parlions de la même chose mais avec des mots différents. Elle ne supportait pas que je lui dise qu'elle ne m'aimait pas, elle déclarait être amoureuse de moi. Je devais la respecter, ne pas l'enfermer dans une situation intenable et ne pas faire pression sur elle. À l'époque, j'étais trop jeune pour saisir le sens de ses propos. Après tout, on ne refait pas sa vie, pas plus qu'on ne la détermine. À tout âge, on emploie les moyens du bord et, à cette époque, j'étais mal équipé. Elle voulait tout maîtriser : son revers lifté, son avenir, son petit copain et son père. Elle m'aimerait quand elle l'aurait décidé, pas avant.

C'est donc le père de Karan qui m'a offert une place sous son toit. Alors que je rassemblais mes affaires, Jaipal est venu me demander pour quelle raison je partais. J'ai bredouillé que Karan avait besoin de mon aide. Jaipal, qui travaillait moins bien que Karan, ne m'a pas cru. Il m'a lancé :

– C'est à cause de Shadvi ?

– De quoi parles-tu ?

– Elle est folle de toi, paraît-il. C'est sa copine Brenda qui en a parlé à Fergus qui me l'a répété.

– Jaipal, on est amis, c'est ta sœur !

– J'ai confiance en toi, Tom, mais les filles sont bizarres, elles sont sentimentales, elles se font des idées.

J'ignore ce qu'il lui a dit mais j'ai vu Shadvi de moins en moins. Les rares fois où je la croisais, elle baissait la tête et s'éloignait à toute vitesse en me lançant : *«Je suis pressée, je suis pressée.»* Elle, qui n'était pas douée en maths, s'était mis en tête de devenir architecte et travaillait comme une folle pour rattraper son retard. Je ne pouvais pas lui téléphoner et j'hésitais à lui écrire, ne sachant de quelle manière lui faire passer la lettre sans risque. Lorsque nous allions suivre l'avancement du chantier tous ensemble, elle ne nous accompagnait pas. La semaine je vivais chez Karan et le week-end je retournais à l'hôtel pour y rejoindre mon père, sauf quand ses *obligations professionnelles* l'obligeaient à rester à l'étranger. De toute façon, on ne se parlait pas ou le minimum du minimum, je ne lui posais pas de questions sur ce qu'il faisait. « *Ça va au lycée ?* » Je répondais « *Oui* », et ça s'arrêtait là. La reconstruction avançait à vue d'œil. Mon père a voulu que je choisisse un papier peint pour ma chambre, je lui ai dit que je m'en fichais. Dans toutes les pièces, il a fait poser ceux d'origine et a tout remeublé à l'identique : meubles, tapis et objets. Souvent, j'entendais des bruits familiers, je tournais la tête, je fermais les yeux, persuadé que, lorsque je les rouvrirais, ma mère serait près de moi dans la pièce. Peut-être est-ce pour cela que j'ai détesté cette maison. Très vite, je n'ai plus voulu y vivre.

Et pour l'odeur de brûlé que je sentais partout. Ils me

disaient tous que c'était impossible, que je me faisais des idées. Moi je sais que cette odeur ne venait pas de mon imagination. Cette demeure sentait le feu de bois refroidi et la suie. Je ne pouvais dormir qu'avec la fenêtre ouverte, sinon je n'arrivais pas à respirer.

*

Mon père a tenu à faire une pendaison de crémaillère, à inviter les voisins, des collègues et, pour les remercier, les familles de Karan et Jaipal. Je l'ai laissé se débrouiller seul. Je me demandais s'il aurait le culot d'inviter sa blonde mais on ne l'a pas vue. Ni Shadvi. Décidé à la faire venir, j'étais allé me planter devant elle, la veille, à son arrêt de bus. J'avais fait l'étonné en la voyant, elle ne pouvait pas m'éviter.

– Oh, Shadvi ! Je voudrais tant que tu viennes pour la crémaillère. Je me sens si mal à l'aise dans ce lieu. Tu es la seule personne que j'aie envie de voir.

– C'est vrai que ce doit être dur pour toi. Je vais essayer.

J'étais persuadé qu'elle ne raterait pas cette occasion. Mais elle n'est pas venue.

Il faisait beau ce soir-là. Mon père était ravi de l'affluence. On a profité du jardin. Conformément à la tradition, chacun avait apporté un cadeau. Nous avons récupéré une foule d'ustensiles de cuisine, dont trois rouleaux à pâtisserie, six couteaux à éplucher les pommes de terre et les carottes, deux à découper les rôtis et trois fouets pour battre les blancs en neige. Les gens étaient contents pour nous, ils le répétaient en nous offrant leur quincaillerie : « *C'est un nouveau départ* » ou : « *Il faut penser à l'avenir* », ce genre de balivernes. Moi, j'aurais voulu qu'ils évoquent ma mère, qu'ils me disent qu'elle leur manquait, qu'ils pensaient à elle, qu'elle était toujours là. Nul n'a rien dit à son propos. Pourquoi ne parle-t-on jamais des morts ? Où était ma mère, maintenant ? J'aurais dû être avec elle et pas ici.

Les parents de Jaipal ont apporté une montagne de poulet tandoori qui venait du restaurant, les invités se sont jetés dessus comme s'ils n'avaient pas mangé depuis une semaine.

Ç'a été une drôle de soirée, joyeuse et inconvenante. Mon père et ses invités faisaient la fête comme si cette pendaison de crémaillère était celle d'un jeune couple. Quant à moi, j'avais l'impression d'errer dans un cimetière. Ils trinquaient avec moi, me souhaitaient bonne chance pour les années que je passerais dans ma nouvelle habitation quand j'aurais préféré qu'elle brûle à nouveau.

Les invités étaient pour moitié des collègues de mon père et des voisins et pour moitié les familles de Karan et de Jaipal, soit une moitié de plus ou moins blancs et couperosés et une moitié de chocolat plus ou moins foncé. Ils se côtoyaient, parlaient la même langue, se bousculaient autour du buffet, ils ne se mélangeaient pas, chacun buvait et mangeait avec les siens. Une ville anglaise en modèle réduit, où chaque communauté vit dans son coin. J'étais entre les deux, ni vraiment d'un côté, ni vraiment de l'autre.

Je suis allé prendre mes cigarettes à l'étage, j'ai mis du temps à les trouver. Quand je suis redescendu le père de Jaipal s'adressait à la collectivité :

– Vous êtes chaleureusement invités à ce grand événement. Je compte sur votre présence à tous, mes amis, dans un mois précisément. Pas besoin de formalités, venez directement à mon nouveau restaurant de Blackheath.

Des applaudissements appuyés ont ponctué ses paroles. Tous sont venus lui serrer la main et l'ont félicité, certains ont voulu l'embrasser mais, ayant horreur des effusions, il les a maintenus à distance. Il les remerciait avec chaleur, affichant un sourire extatique. J'ai rejoint Jaipal.

– Vous avez déjà fêté l'inauguration du restaurant de Blackheath l'année dernière, non ?

– Cette fois, c'est pour les fiançailles de Shadvi. Tu n'as pas entendu ?

– Je n'étais pas là. Des fiançailles ? Avec qui ? ai-je murmuré, les jambes flageolantes.

– Avec le fils Chandurkar, l'aîné. Je crois que tu ne le connais pas. Son père a deux restaurants dans le nord de Londres. Il a fait le difficile mais avec ses quatre filles à marier, il ne pouvait pas trop discuter. On s'en tire bien, on va leur laisser le restaurant de Kinghill Avenue qui marche moyennement. Ils s'en occuperont quand ils seront mariés.

– Shadvi est mineure.

– Ils se marieront dans deux ans. Si on avait attendu, ça nous aurait coûté plus cher.

– Et Shadvi, qu'en dit-elle ?

– Elle est d'accord. Cela a été suffisamment compliqué à négocier. Les Chandurkar sont une famille de Bombay de notre caste. Que veux-tu qu'elle dise ? Il est gentil, Mandir, il fera un bon mari.

Mes joues se sont mises à me brûler, j'avais la chair de poule, je me liquéfiais. La voix de Jaipal se perdait dans le brouhaha des conversations. Il était inutile de protester, de hurler au scandale, la situation relevait de la vie normale et naturelle. Même pour lui, un Indien né en Angleterre, le mariage avait pour objectif la perpétuation de la lignée et c'étaient les mariages d'amour qui étaient incongrus. Mon meilleur ami m'énumérait les avantages de cette union arrangée. Il n'aurait pu envisager une seule seconde que sa sœur épouse un Blanc, autant dire un intouchable. Soudain, il s'est tu, m'observant d'un air inquiet.

– Tom, ça ne va pas ? Qu'y a-t-il ? Tu es tout pâle. Hé, Tom !

J'ai respiré profondément. Je l'entendais s'inquiéter de mon état et me questionner. Il n'aurait pas dû insister.

– Va dehors, assieds-toi, bois de l'eau.

Ma vue s'est troublée. Comme mû par un ressort, mon poing est parti dans son ventre. Jamais je n'avais cogné aussi fort, il en a eu le souffle coupé, il a reculé en titubant, groggy. Il s'est écroulé sur le buffet, je lui ai sauté dessus, je me suis mis à le gifler et je sentais résonner dans son crâne le choc des gifles que je lui assénais. Puis on s'est jeté sur moi, il y a eu une sorte de mêlée, des cris et des hurlements. Deux hommes m'ont ceinturé et m'ont tiré à l'écart. C'est comme ça que la fête s'est arrêtée. Dans la confusion et l'incompréhension. Jaipal saignait du nez et de l'arcade sourcilière. Il me dévisageait, incrédule, et il a quitté le salon soutenu par son frère et Karan. Mon père et moi nous sommes retrouvés seuls tous les deux, au milieu de la pièce dévastée.

– Que s'est-il passé, Thomas ?

Je ne lui ai pas répondu et suis monté dans ma chambre.

– Tu pourrais au moins m'aider à ranger !

Soudain, j'ai été envahi par un sentiment de solitude qui ne m'a plus quitté. J'avais tout perdu, ma mère, mes amis, Shadvi. Quant à mon père, je préférais l'oublier.

Deux jours plus tard, il est parti à Göteborg.

*

Je l'ai guettée des heures entières à la sortie de son lycée ou près de chez elle, jusqu'à disparaître dans un coin de porte, derrière un arbre ou une cabine téléphonique. Je m'effaçais complètement entre deux voitures pour lacer une chaussure. Je m'évaporais dans la foule pour attendre un bus et ne pas y monter. Je n'existais plus, parce que nul ne peut voir celui qui ne veut pas exister.

C'est au cours de cette période que j'ai découvert le don peu enviable que j'avais de me dissimuler et de me fondre dans le paysage. Je ne me faisais jamais remarquer, ni par les agents de police qui effectuaient leur ronde, ni par les vieilles qui épiaient à leur fenêtre. Comme si j'étais composé d'un gaz transparent. Les enfants et leurs mères, les livreurs, les badauds, même des gens que je connaissais, ne me prêtaient aucune attention, certains me bousculaient sans s'en rendre compte. À plusieurs reprises, Shadvi m'a dépassé sans m'apercevoir. Il fallait que je puisse lui parler en tête à tête, la regarder droit dans les yeux et entendre de sa bouche qu'elle était d'accord avec son père, qu'elle acceptait ce mariage d'un autre siècle et d'un autre monde, qu'elle tirait un trait sur moi comme si elle ne m'avait pas connu, que c'était sa volonté, qu'elle n'avait pas subi de contrainte pour accepter ce mariage arrangé et qu'elle était satisfaite à l'idée de passer le reste de sa vie derrière la caisse d'un restaurant à faire des additions, elle qui avait rêvé de devenir architecte. Quelle jeune fille est prête à renoncer à ses rêves à seize ans ? J'avais longuement réfléchi, je m'étais renseigné, je comptais lui proposer de partir avec moi au Canada. Là-bas, ils avaient besoin de bras et de sang neuf. J'avais mes économies, patiemment accumulées, de quoi payer deux billets de bateau et tenir six mois, le temps de trouver du boulot. Nous pourrions nous installer et vivre tous les deux.

Il y avait aussi un plan B, longuement mûri, mais celui-là, je préférais l'oublier, l'appliquer aurait signifié que j'aurais échoué à convaincre Shadvi.

Je l'ai attrapée un jeudi soir au tennis club de Greenwich, les trois jeudis précédents, elle avait quitté l'endroit avec sa prof. Ce soir-là, sa prof l'a abandonnée avant la fin de la partie puis elle est partie en courant vers Bower Avenue. Shadvi a ramassé les balles et rangé les raquettes. Comme elle s'engageait sur Charlton Way, j'ai couru comme un fou à travers le parc jusqu'à Maze Hill, j'ai attendu deux minutes au croisement et je suis revenu sur Charlton Way, les mains dans les poches, comme si je me promenais là par hasard. Elle n'a pas pu fuir, elle ne l'a pas cherché, d'ailleurs.

– Tu m'évites ?

– On n'a plus rien à faire ensemble, Tom. C'est honteux ton attitude. Comment tu as pu faire cela à Jaipal ?

– Pourquoi tu ne lui as rien dit ? Hein ?

– Lui dire quoi ? Il n'y a rien eu entre nous. Je t'ai toujours dit que je ne voulais pas qu'il se passe quoi que ce soit. Tu n'avais pas compris ? Tu n'es pas très rapide.

– Tu aurais pu me prévenir, je ne me serais pas fait d'illusions.

– Il ne pouvait rien y avoir entre nous. Pour moi, tu étais juste mon ami, mon meilleur ami. Et tu as tout gâché.

– Je parlais de ton futur mariage. Il en est question depuis un moment dans ta famille. Je te demande de me répondre franchement, comme à ton meilleur ami, et après, je te le promets, je ne t'embêterai plus et tu n'entendras plus parler de moi. Es-tu d'accord avec ce mariage arrangé par ton père ?

Shadvi a eu un infime sourire.

– Mon pauvre Tom...

Puis elle a détourné les yeux, comme pour m'écarter de son chemin, à la façon dont on balaie une poussière d'un revers de main, sans le moindre état d'âme. Je ne comptais pas, j'avais moins d'importance qu'une fourmi, je pouvais remballer ma proposition dérisoire. Nous avons marché côte à côte comme au bon vieux temps. Il y avait en cette fin de journée une lumière pâle, un peu vaporeuse, et le parc, comme s'il voulait nous faire un dernier cadeau, était d'une beauté magique.

– Je t'ai aimé, et je crois que je suis encore amoureuse de toi. Entre nous, c'était chimérique. Les rêves, dans la vie, n'existent pas. Tu es un ami pour qui j'ai une grande affection, mais il ne pouvait y avoir aucun avenir pour nous. Je savais qu'un jour il me faudrait obéir à mon père. Toi, pourtant, tu nous connais, tu as vécu parmi nous, tu es de chez nous. Tu sais bien que nul ne peut y échapper, sauf en perdant sa famille à jamais, et la seule idée d'en arriver là m'est insupportable. Je ferai comme a fait ma mère, comme a fait sa mère, comme ont fait mes cousines, et comme fera ma sœur quand mon père l'aura décidé. Et, crois-moi, je suis heureuse de mon sort.

J'ai oublié que je devais lui proposer de fuir avec moi. Fini le Canada. Je restais silencieux face à elle, rongé par le désir. Je l'observais comme un con, parce que je venais de réaliser que je la voyais pour la dernière fois.

*

Brothers in Arms résonnait au fond de ma tête. Ce morceau m'habitait et restait mon unique compagnon, je le chantonnais jusque dans mes rêves. J'aurais donné tout l'or du monde pour que l'infâme odeur de brûlé qui me collait aux narines disparaisse. Le cadran de mon réveil électronique marquait 23:24.

J'avais réussi mon bac en obtenant des notes qui m'avaient étonné. Je n'avais pas annoncé la nouvelle à mon père. Un soir, il m'avait interrogé à ce sujet, persuadé que j'avais échoué et que je le lui cachais. Il avait été surpris de mes résultats et de mon silence. Il ne m'avait pas félicité. Il semblait préoccupé par mon avenir.

– As-tu une idée de ce que tu veux faire ?

J'aurais pu répondre : «*Oui, je le sais.*» Je n'ai rien dit, j'ai augmenté le son de la télé et me suis montré captivé par *L'Inspecteur Morse*. Il a attendu une minute, puis il a quitté la maison en claquant la porte.

Après le bac, j'ai traversé une période difficile. Je devais patienter près de neuf mois. Le délai pour me transformer en athlète. C'est cela qui a été douloureux : changer de corps, d'autant plus que j'étais seul. Vraiment seul. Les deux fois où j'avais croisé Jaipal, il s'était détourné et m'avait évité en changeant de trottoir. Karan aussi. Toute la cohorte de leurs frères et sœurs et de leurs amis m'avait abandonné. Ils ne croisaient pas mon regard, et ne me manifestaient aucune agressivité. J'étais sorti de leur vie. J'ai pensé que j'étais enfin devenu invisible. J'ai dû faire l'apprentissage de la solitude. De toute façon, là où j'allais, les amis étaient inutiles. L'odeur de brûlé me collait aux narines. Pour ce que je voulais faire, il était inimaginable de rester fumeur, j'ai donc décidé d'arrêter de fumer et j'ai jeté mes cigarettes dans les toilettes. Finalement, ce fut plus facile que je ne le craignais.

Trois mois avant le bac, un nouvel incident m'avait opposé à mon père. Habituellement, nous vivions dans la plus totale indifférence l'un envers l'autre. Parfois, il me demandait : « *T'as besoin de quelque chose ?* » Comme il me laissait suffisamment d'argent pour faire les courses et payer la femme de ménage, je répondais : « *Besoin de rien.* » Un dimanche soir, alors que je travaillais dans ma chambre, le téléphone a sonné. Comme personne n'appelait jamais, j'ai tendu l'oreille, pensant que c'était sa copine. Plus tard, il a poussé la porte de ma chambre. Il était blême.

– Ton grand-père est mort, a-t-il murmuré.

– Quel grand-père ?

– Mon père.

J'ignorais que j'avais un grand-père anglais vivant. Depuis que nous vivions en Angleterre, ni lui ni ma mère ne m'en avaient parlé. William Larch venait de mourir, seul dans sa maison de retraite de Sheffield, et mon père restait pensif, ressassant probablement de vieux souvenirs.

– … Je crois que je dois y aller. Qu'en penses-tu ?

C'était la première fois qu'il sollicitait mon avis. Il me fixait d'un air perdu.

– Tu veux y aller ?

– C'est mon père, c'est son enterrement.

– Cela faisait combien de temps que tu ne l'avais pas vu ?

– On était allés le voir ta mère et moi, il y a dix ans, à notre retour. Nos retrouvailles s'étaient mal passées.

– Je ne comprends pas pourquoi tu veux aller à l'inhumation de quelqu'un que tu ne voyais jamais de son vivant et avec qui tu ne t'entendais pas.

– C'est mon père. On va y aller.

– Tu veux que je vienne avec toi ?

– Ça serait mieux. L'occasion de renouer avec la famille.

– Vas-y, si tu veux, moi, je n'irai pas. On va aux obsèques de quelqu'un qu'on aime et pour qui on éprouve de la peine, pas d'un étranger. Pour moi, il n'existait pas. Il aurait été préférable de m'en parler quand il était encore là.

– Il faut qu'on y aille ensemble, Thomas.

J'ai refusé, il s'est mis à crier, disant que j'étais mauvais, que je n'avais pas de cœur, que je refusais de l'aider dans cette période douloureuse. J'avais replongé le nez dans mon livre de maths, pensant qu'il allait se calmer et que sa colère retomberait, mais elle est allée crescendo. Il est devenu rouge, bafouillant, il m'a agrippé le bras en hurlant qu'il en avait assez de mes caprices, que j'étais un enfant détestable, la pire erreur de sa vie. J'allais venir avec lui et lui obéir, que ça me plaise ou non. J'ai bondi de ma chaise et me suis dégagé sèchement.

– Je te conseille de ne pas me toucher. Si ça t'amuse d'y aller, c'est ton problème, pas le mien. Ce n'est pas moi le mauvais fils, c'est toi. Et, si tu veux le savoir, tu n'es pas un bon père non plus. Il doit y avoir un gène pourri dans la famille. Et autant te prévenir tout de suite, je n'irai pas à tes funérailles !

Nous sommes restés comme deux pitbulls campés face à face. J'étais sûr qu'il allait me tomber dessus mais il a reculé. D'un mouvement du bras, il a balayé ce qu'il y avait sur mon bureau et il est sorti. Je ne l'ai pas revu pendant dix jours. À son retour de Sheffield, il ne m'a rien dit.

Quand j'ai reniflé, je n'ai rien senti. L'odeur de brûlé s'était dissipée, je pouvais de nouveau respirer profondément. J'attendais, assis sur mon lit, je scrutais les chiffres rouges du cadran de l'horloge : 23:56 , 23:57 , 23:58... Les notes de la guitare de Knopfler avaient gravé dans ma tête leur mélopée lancinante...

Il y a tant de mondes différents
Tant de soleils différents
Nous n'avons qu'un seul monde
Mais nous vivons dans des mondes différents

J'avais décidé d'attendre que ce fût accompli. À minuit une, j'ai consulté ma montre. Elle marquait la même heure que l'horloge. J'avais dix-huit ans. Enfin. Je pouvais m'en aller, faire ce que je voulais de mon existence sans avoir à rendre de comptes à qui que ce soit, sans que quiconque m'en empêche. D'un coup, mon adolescence s'est envolée. J'ai attrapé mon sac de voyage, il était prêt depuis longtemps. J'emportais le minimum et laissais le reste, le superflu, les souvenirs, je n'en avais plus besoin. J'ai jeté un dernier coup d'œil à ma chambre, décidé à ne plus y remettre les pieds. Sur le palier, j'entendais le ronflement de mon père à travers la porte fermée de sa chambre. Je n'avais pas l'intention d'aller le réveiller pour lui dire adieu, j'espérais ne plus le revoir de ma vie.
L'escalier a grincé quand je suis descendu. Devant la porte d'entrée, je me suis immobilisé. J'ai accroché mon

trousseau de clefs bien en vue sur la patère du portemanteau. Il faisait froid, il bruinait, j'ai relevé le col de mon imperméable, j'ai poussé doucement la porte dernière moi, j'ai traversé le jardinet et refermé la barrière. Les réverbères diffusaient leur lumière jaune pâle, et je distinguais la lueur d'un écran de télévision, à l'étage, chez la mère Swanson. Les travailleurs dormaient. Je n'étais pas pressé, le bus de nuit serait là dans vingt minutes. J'ai marché lentement dans les rues désertes. Le pub, les restaurants et les commerces étaient fermés.

J'étais seul à l'arrêt du bus. Le 108 est apparu, j'ai levé le bras pour me signaler au chauffeur, il s'est arrêté, je suis allé m'asseoir sur la banquette du fond.

La ville défilait à toute vitesse. Je me suis fait un serment. Je me suis juré de ne jamais revenir à Greenwich.

*

Une vie qui serait à la fois toute tracée et remplie d'imprévus. C'était cela qui m'attirait. Une vie où tout serait organisé, où les détails du quotidien ne viendraient pas m'encombrer. Et une vie de combat, où, certes, on pouvait mourir en servant son pays, mais une vie qui ne serait pas égoïste et axée sur l'accumulation de biens inutiles. Oui, une vie utile. C'était ça le rêve. Une vie de soldat qui défendrait l'Angleterre contre ses ennemis, si nombreux, si présents, qui l'entouraient, l'infiltraient, la pourrissaient de l'intérieur. Venait un moment où il fallait en finir avec les discours lénifiants, la compassion et la mollesse. À force d'être une nation accueillante, nous étions devenus la poubelle du monde entier pour des gens qui nous haïssaient, nous méprisaient et dévoraient la main qui les nourrissait.

À notre époque, les belles paroles humanistes ne servaient plus à rien quand votre hôte s'apprêtait à vous poignarder dans le dos. Si vous ne vouliez pas mourir et que les vôtres soient assassinés, quelle était la solution ? Ce n'était pas de l'agressivité, c'était de la légitime défense. Aujourd'hui, il fallait se battre ou mourir, arrêter de faire son mea culpa, de baisser la tête et de reculer, clamer haut et fort que nous vivions dans un pays exceptionnel, à l'histoire magnifique, dont nous pouvions être légitimement fiers, et nous n'avions à formuler aucune repentance, à nous excuser de rien et surtout pas d'être anglais. C'était ce que j'avais expliqué, avec mon vocabulaire de l'époque (j'avais à peine dix-huit ans), aux examinateurs du centre de recrutement de Lympstone quand ils m'avaient demandé pourquoi j'aspirais à entrer dans l'armée de Sa Gracieuse Majesté et à intégrer le prestigieux corps des Royal Marines.

Lympstone !... On m'en avait tellement raconté sur cette base perdue au fin fond du Devon, l'antichambre de l'enfer, il fallait être fou pour vouloir y entrer, on ne comptait plus les arrogants petits coqs de mon espèce qui y avaient été cassés comme des fétus de paille avant d'en être éjectés, bons pour mille activités mais pas pour le Royal. Là-bas, on ne prenait que les meilleurs des meilleurs, on les triait, on leur rendait l'existence infernale durant huit mois dans le seul but de les dégoûter, de les faire craquer, et c'était vrai : il fallait être dur à l'effort et avoir du caractère pour tenir, chaque jour qui se levait était pire que le précédent. Je n'avais pas l'intention de me faire éliminer.

Au cours des neuf mois qui avaient précédé ma majorité, je m'étais entraîné, sans rien dire à personne. D'ailleurs, je ne voyais pas à qui j'aurais pu en parler. J'étais seul. Cela ne me dérangeait pas. J'avais perdu cinq kilos superflus, je m'étais musclé, j'avais soulevé des tonnes et des tonnes de fonte, aligné des milliers de pompes, enchaîné les courses au point d'avoir le cœur au bord de l'explosion. J'avais tenu mon programme et bouclé assez vite le circuit de quinze kilomètres en quarante-cinq minutes, et j'avais continué jusqu'au marathon. Quand j'avais pu enchaîner deux marathons à quarante-huit heures d'intervalle, les difficultés avaient commencé. Pour me mettre progressivement dans les conditions des tests d'aptitude, je m'étais lesté d'un sac à dos contenant cinq kilos de pierres. J'avais calé, étouffé, asphyxié, écrasé. Puis j'avais recommencé, à en avoir les poumons en feu, et j'avais fini par courir trente miles sans trop souffrir. Pendant trois mois, j'avais ajouté des cailloux dans le sac par tranches de cinq kilos, jusqu'à en porter trente, le poids d'un équipement complet, à en avoir les muscles tétanisés, aussi durs que les pierres que je transportais. Je faisais suivre cet entraînement de fou d'une séance d'une centaine de longueurs à la piscine d'Arches Leisure, où mes anciens amis ne mettaient jamais les pieds. Là, je pouvais détendre mes muscles par deux kilomètres de nage à petite vitesse, le plus dur restant les cent mètres en apnée. Avant mes dix-huit ans, j'étais parvenu à boucler les quarante-huit kilomètres avec trente kilos sur le dos en moins de cinq heures. En revanche, je n'avais pas pu m'entraîner pour le tir. Cette lacune ne m'inquiétait guère. J'avais beaucoup tiré dans des fêtes foraines et cela ne s'était pas mal passé. J'avais bien fait de me préparer. Ceux qui se sont présentés aux épreuves de sélection les mains dans les poches ont explosé immédiatement et ont été renvoyés dans les cinq minutes.

Lympstone était au-delà de ce que je pouvais imaginer. Tant que vous ne les aviez pas vécus, ces mois de formation étaient impossibles à concevoir. Il fallait traverser avec des godillots et un barda invraisemblable des tunnels aménagés dans la boue et des ponceaux immergés, ramper dans des tuyaux bourrés d'obstacles et à travers des pataugeoires glacées où vous deviez rester immobile une partie de la nuit, franchir des murs lisses hauts de six mètres, des passerelles instables, grimper des échelles molles de quatre étages, escalader et dévaler des pentes à douze pour cent, faire mouche sur une cible mouvante distante de deux cents mètres au moins six fois sur dix, et autres fantaisies et raffinements sadiques nés dans des cerveaux dégénérés, et sous les aboiements de sous-offs psychopathes. Si vous réussissiez ce parcours du diable de quinze kilomètres en moins de quatre-vingt-dix minutes, de jour comme de nuit, sous le soleil comme sous la pluie, puis le parcours Tarzan où vous portiez l'équipement complet sur quarante-huit kilomètres, ainsi que les épreuves de vue, d'écoute, de tir, de corps-à-corps, de résistance à la privation de sommeil, l'épreuve hebdomadaire d'évaluation psychologique où votre motivation et vos capacités étaient testées, et ils s'y connaissaient pour vous déstabiliser et vous poser une batterie de questions embarrassantes : « *Que pensez-vous des homosexuels dans l'armée ? Combien de temps faut-il pour tuer un homme à mains nues ? Doit-on rétablir la peine de mort dans ce pays ?* » Si donc vous supportiez ce rythme de folie durant trente-deux semaines, vous aviez l'honneur d'être admis dans le Royal Marines et d'avoir le droit de mourir jeune pour Sa Très Gracieuse Majesté.

Ayant terminé le parcours en moins de sept heures, je suis sorti de Lympstone avec le grade de second lieutenant. Il m'a fallu subir ensuite quatre mois de formation technique intensive sur la base de Sandhurst pour me préparer à servir dans l'infanterie légère.

Cette année-là, je n'avais connu qu'un seul problème mais il avait failli me coûter mon admission. Au bout de six mois, j'avais été réveillé en pleine nuit par un major qui m'avait hurlé aux oreilles que je devais me présenter immédiatement au commandant du camp et faire mon paquetage. Cet ordre était de mauvais augure : c'était le prélude au congédiement. Je me suis retrouvé au garde-à-vous face à cinq officiers figés comme des statues de cire.

– Thomas Larch, vous avez trahi ma confiance ! m'a lancé le commandant. Je suis déçu. Je pensais que vous étiez un garçon qui avait un bel avenir dans l'armée. Vous nous avez menti ! Nous n'allons pas discuter. Vous avez trente secondes pour me fournir une explication claire ou vous vous cassez !

Je ne m'étais pas préparé à cet entretien, je me demandais ce que me voulait le commandant, si c'était du bluff pour me tester ou si j'avais surévalué mes capacités ou prétendu une chose inexacte. Ils m'avaient fait tant parler au cours des entretiens hebdomadaires. Ne m'étais-je pas laissé aller à des propos négatifs ou dangereux ? J'avais le cœur qui battait la chamade. Les secondes qui ont suivi, j'ai essayé de passer en revue tout ce que j'avais pu leur raconter, malheureusement il était inenvisageable de faire le point avec autant de hâte. J'étais certain de n'avoir affirmé que la stricte vérité. Fermant les yeux, j'ai commencé à fouiller dans ma mémoire, à toute vitesse, mais ma tête était vide.

– Je vous écoute !

– Je suis loyal, mon commandant.

– Sachez que personne ne peut nous tromper !

Tout d'un coup, j'ai eu une intuition, une fulgurance. Ou peut-être le commandant m'avait-il tendu la perche, il avait dit « *menti* ». Je me suis souvenu que lors de mon inscription, à la rubrique « Situation des parents » du formulaire d'entrée, j'avais marqué « parents décédés ». C'était stupide, bien sûr. Ils s'étaient renseignés et savaient que mon père était en vie.

– Je crois, mon commandant, que je me suis trompé en indiquant ma situation de famille. Ma mère est décédée, pas mon père.

– Ce n'est pas clair.

Je me suis senti rattrapé par mon destin. Ma carrière allait être bousillée par mon salaud de père.

– J'ai un problème avec mon père, mon commandant.

– Rompez !

Trompe-la-mort

Le vent s'était levé, plus étouffant que d'habitude. Ses rafales brûlantes soulevaient le sable du désert. On n'y voyait pas à cinquante mètres. Nous attendions que survienne l'ordre de décoller, sans savoir pourquoi nos supérieurs nous laissaient cuire sous ce soleil de plomb. Dans la cabine, mes onze hommes et les deux pilotes se taisaient. J'étais à la tête d'une section du 40 Commando. Pour nous, c'était une intervention comme il y en avait eu des dizaines depuis que nous avions quitté l'Afghanistan et que l'armée britannique contrôlait le sud de l'Irak. Le poste-frontière d'Umm Qasr avait signalé l'infiltration de miliciens islamistes qui paraissaient se diriger vers Bassora. Notre détachement devait ratisser la portion de désert qui s'étend entre Zubayr et Safwan et, si nous étions au contact, immobiliser l'ennemi en attendant les renforts. Le pilote mit la turbine en marche, les rotors commencèrent à tourner. Notre Sea Knight s'éleva et prit rapidement de la vitesse, suivi par les deux appareils de la formation, qui volaient légèrement en arrière. Nous restions au ras du sol, à soixante mètres d'altitude, et la visibilité ne s'améliorait pas. Nous atteignîmes la zone en quinze minutes.

Le village de Zubayr était tranquille. La radio nous ordonna de pousser vers l'ouest. Ayant réduit notre vitesse, nous nous écartâmes de la route. Dans le lointain se devinaient les premiers contreforts de l'Al-Hadjara. Nous scrutions tous la zone désertique quand le pilote amorça un virage en direction du sud et accéléra. Une mince colonne de fumée noire, que je n'avais pas aperçue, s'élevait d'un point éloigné de notre position. Le pilote informa le poste de commandement de notre changement de cap. La fumée provenait de l'enceinte d'une station de pompage relais, qui avait été installée près d'un hameau d'habitations basses en torchis, au pied d'une élévation rocheuse. L'endroit n'avait pas de nom sur notre relevé d'état-major. Quand le Sea Knight se fut rapproché, nous vîmes une jeep bleue couchée sur le flanc en train de brûler sur la piste de raccordement, non loin des bâtiments de la station. Nous descendîmes en piqué au-dessus pour survoler le véhicule en feu, à côté duquel des individus nous faisaient des signes de la main.

Le copilote me désignait un camion renversé quand les premières balles transpercèrent le fuselage, touchant plusieurs hommes. Je ressentis une douleur fulgurante dans le bas du dos et je m'écroulai. Le premier lieutenant Garner avait la tête en sang, il hurlait, le bruit était assourdissant, ses hurlements étaient plus forts encore. Un *marine* lui collait une main sur la tempe droite. Soudain, l'hélicoptère se mit à tourner sur lui-même comme une toupie. Le rotor de queue venait d'être coupé en deux par une rafale et une autre avait brisé l'appareil de visée et tordu les pignons. Un *marine* s'écroula sur moi, les yeux exorbités, une balle lui ayant traversé le cou.

J'essayai de le repousser mais j'étais coincé, je n'avais plus de force pour me dégager, tandis qu'une gerbe d'étincelles jaillissait du plafond de la cabine et me pleuvait dessus. Le pilote s'arc-boutait sur le manche pour maintenir en l'air notre appareil, qui continuait à tournoyer. Puis une barre de fer se rua à la rencontre de mes os, une fournaise traversa mes paupières. Il y eut une explosion et tout s'éteignit.

*

Je suis mort le jeudi 5 février 2004 à 7 h 35 du matin. Je ne sais pas si j'ai été tué alors que l'hélicoptère était en vol ou lorsqu'il s'était écrasé au sol. Personne n'a été capable de me le préciser. En vérité, je m'en fous. Le résultat est le même. J'étais lieutenant et j'avais trente-deux ans. J'étais plus âgé que les onze soldats et les deux pilotes tués dans cette attaque-surprise et dans la chute du Sea Knight. Les deux hélicoptères, arrivés sur les lieux une minute plus tard, ont éliminé le commando de six terroristes. On suppose qu'ils voulaient s'en prendre aux champs pétrolifères des environs de Bassora, ou commettre des attentats. Douze corps ont été récupérés dans les débris du Sea Knight. La plupart, méconnaissables, calcinés, ont pu être identifiés grâce à leur plaque militaire. Moi et un des hommes avions été éjectés lors de l'impact avec le sol. Nos corps, réduits à l'état de pantins sanguinolents, ont été ramenés sur la base du palais de Bassora. Une chapelle ardente a été dressée dans la salle des audiences du palais d'été. C'est en déposant mon corps sur le catafalque que l'infirmier-chef Walker a été saisi d'un sentiment étrange. Il déclarerait plus tard, interviewé par Helen McGunis de la BBC : «*Ça m'a fait tout drôle! Vraiment, un drôle d'effet, si j'ose dire.*»

Ayant posé le pavillon de son stéthoscope contre la jugulaire de mon cadavre, l'infirmier-chef Walker n'en a d'abord pas cru ses oreilles, elles avaient détecté un imperceptible *toc-toc*. Il s'est dit : «Mon Dieu, je rêve! Ce type est pourtant clamsé!» Il a redoublé d'efforts, découpant avec des ciseaux ce qui restait de ma veste en treillis, glissant dans le col de mon tee-shirt le pavillon de son stéthoscope pour le poser sur mon torse. Puis il a réclamé le silence. En réalité, il a hurlé : «*Vos gueules!*» Et, dans le silence enfin rétabli, il a entendu plus clairement le *toc-toc... toc-toc...* qui ne pouvait provenir que du lieutenant Thomas Larch, cadavre qu'il s'apprêtait à nettoyer de ses plaies, du sang, du sable et du cambouis qui le maculaient, avant de le déposer dans un cercueil comme cela allait être fait pour les treize militaires tués six heures plus tôt.

Au micro d'Helen McGunis, l'infirmier Walker poursuivrait son récit :

– Pourtant, Larch avait été examiné par le lieutenant du deuxième hélicoptère, qui a un brevet de secouriste, et ensuite par le médecin-commandant qui s'est rendu sur place trente minutes après le crash. Et s'ils l'ont déclaré décédé, c'est qu'à l'instant où ils l'ont ausculté, il était mort. Je me rappelle m'être dit : «Ce type, dans l'état où il est, il devrait être mort, ou... c'est un type qui ne veut pas mourir.»

Si ce Walker n'avait pas fait preuve de conscience professionnelle, j'aurais été mis en bière, et on aurait vissé le couvercle à fond. Ç'aurait été une fin atroce. Il est probable que, dans l'état où j'étais, je ne me serais pas réveillé et que

j'aurais été étouffé sans avoir repris conscience. Ou bien…
Qui sait ? Je me serais réveillé. J'aurais mis du temps à me
rendre compte de ce qui se passait, j'aurais attendu, guetté
le moindre bruit, espéré qu'on vienne me libérer. En vain.
Puis j'aurais fini par comprendre l'horreur de mon état, et
j'aurais hurlé, hurlé à pleins poumons, mais avec ces putains
de cercueils étanches et mes bras entravés, nul ne m'aurait
entendu m'époumoner au milieu des cadavres de mes
frères d'armes en instance de rapatriement dans la soute
à bagages. J'en ai froid dans le dos. Je dois donc convenir
que, dans mon malheur, j'ai eu une chance insensée.

On m'a aussitôt transféré à l'hôpital de la base. On
raconte que le flegmatique lieutenant-colonel Robertson,
officier du corps de santé qui a vu débarquer ce polytrau-
matisé dans son service, a froncé les sourcils pour ne rien
laisser paraître de son trouble.

– Par où commencer ?

Je suis sorti du coma quatre jours après la deuxième
opération. Le service de réanimation a informé de mon
réveil le docteur Robertson et le reste de l'équipe médicale, qui étaient persuadés qu'aucun corps n'était assez
solide pour survivre à des chocs cumulés d'une telle violence. Mon supérieur, le colonel Wilson, a été stupéfait de
me voir revenir de si loin, et le général commandant de la
base s'est dit épaté de ma résistance.

Finalement, le seul à ne pas avoir été étonné, ç'a été
moi. Je souffrais trop, j'étais trop épuisé pour me rendre
compte de quoi que ce fût. À demi conscient, gavé de
morphine, le corps lardé de tubes et d'appareils, hésitant
entre le ciel et l'enfer, enchaînant les cauchemars, j'avais
juste ouvert un œil hagard et répondu par une pression

des doigts à une infirmière qui m'avait demandé si je pouvais l'entendre. Puis je m'étais évanoui.

Cinq mois et six opérations plus tard, en équilibre sur des béquilles, souffrant encore du dos et du genou, portant derrière chaque oreille une prothèse auditive de la taille d'un quartier de mandarine pour compenser ma surdité aux hautes fréquences, j'ai été décoré de la croix militaire par notre commandant en chef, le général Burridge en personne. Il a formulé des vœux chaleureux pour mon complet rétablissement et m'a offert une demi-coupe de champagne. Nous avons trinqué ensemble à la paix, il n'avait pas l'air d'y croire plus que moi. Le sergent-major américain qui venait me chercher émit l'opinion que ma survie était le résultat d'un miracle, d'une intervention divine providentielle – il devait être évangéliste. Le général Burridge le toisa et lâcha :

– Il n'y a pas de miracles ! Le service médical de l'armée britannique est tout simplement le meilleur du monde et le 33 Field Hospital est le meilleur hôpital de campagne de l'armée britannique.

*

Le lendemain, je fus évacué sur le camp d'Arifjan, au sud de Koweit City, une base logistique US aux dimensions colossales, une vraie ville de dix mille habitants rassemblant toutes les nationalités de la coalition, et où plusieurs centaines d'hélicoptères et des milliers et des milliers de containers, de chars, de canons, de matériel et d'engins de transport divers étaient alignés au cordeau sur des kilomètres.

On y trouvait un hôpital militaire comme il n'en existe pas en rêve, pour les cas extrêmes dans mon genre. Là, je subis de nouveau trois opérations. Les chirurgiens américains me remirent l'épaule d'aplomb, m'enlevèrent un éclat de ferraille d'un centimètre de long logé entre deux vertèbres lombaires, qui n'avait pas été détecté auparavant et réussirent à sauver mon oreille gauche grâce à une nouvelle technique de reconstruction du tympan. Malgré cette opération, je souffrais d'une perte d'audition de cinquante pour cent, ils changèrent mes prothèses auditives, elles me gênaient considérablement.

J'avais accompagné ma mère dans les hôpitaux et je gardais le souvenir de l'accablement provoqué en moi par les discussions des malades qui se racontaient leurs maux et leurs misères et par cette fatalité gluante qui vous aspirait. Ici, il n'y avait pas de maladies courantes mais un échantillonnage époustouflant de gueules défigurées, de soldats qui avaient été récupérés, rafistolés, recollés, après avoir perdu dans un attentat, dans une explosion, dans un combat de rue, ou par la faute d'un sniper, un membre, une oreille, un œil, ou des organes qu'on avait crus indispensables à la vie et dont, grâce aux progrès invraisemblables de la chirurgie, ils parvenaient à se passer, plus ou moins. Et surtout, ils ne parlaient pas de ce qui s'était produit ni de ce qu'ils étaient devenus, comme si c'était un état provisoire et réversible, et qu'un de ces jours ils allaient récupérer, qui ses jambes, qui ses yeux, qui sa tête de jeune premier, et se réveiller dans leur pays comme s'ils n'en étaient jamais partis.

Dans cette pyramide de la déchéance, je n'osais mettre en avant mon cas personnel. J'avais un copain australien qui ressemblait à Frankenstein et un qui rentrerait à Phila-delphie sans ses jambes et avec un moignon de bras. Moi, je n'avais à affronter que quelques mois de rééducation. Par moments, je ne pouvais poser le pied par terre tel-lement mon genou m'élançait, la rééducation était une angoisse quotidienne mais j'avais une certaine endurance à l'effort et à la douleur et, chaque jour, je constatais d'in-fimes progrès. On attendait un appareil auditif sur mesure pour me rapatrier en Angleterre. Je savais qu'à part mon oreille gauche, tôt ou tard, mon corps allait redevenir comme avant. Une question de patience.

*

J'avais hâte de rentrer au pays, de retrouver la grisaille, le crachin et le vent du nord. La chaleur était suffocante. Même les chameaux recherchaient l'ombre. Dès qu'on quittait un bâtiment, on pénétrait dans la fournaise, avec l'impression de fondre sur place en deux secondes, mais le plus pénible était de vivre enfermé, la climatisation pous-sée à fond.

J'ai été convoqué à l'état-major. Persuadé que c'était pour m'entendre annoncer mon départ prochain, je m'y suis précipité avec une excitation fébrile. Un capitaine du *Defence Media Cell,* le service des relations publiques des armées, m'a reçu pour m'informer que la BBC voulait réa-liser un reportage sur moi.

— Pourquoi moi ? Je n'ai rien à raconter. Ce qui m'inté-resse, c'est de rentrer en Angleterre.

— Pour cela, il faut voir avec votre supérieur.

— Je n'ai pas envie d'être interviewé.

— C'est Thomas Larch qu'ils veulent. C'est la BBC !

Nous avons besoin d'eux pour faire comprendre à nos concitoyens l'importance de notre mission et la nécessité de l'effort de guerre.

– Je n'ai rien à dire.

– C'est un ordre, lieutenant !

Il n'est évidemment pas possible à un lieutenant de désobéir à un ordre donné par un capitaine, en particulier si ce lieutenant attend avec impatience d'être rapatrié.

*

J'étais le seul Anglais de la base d'Arifjan à tout ignorer d'Helen McGunis. À ma décharge, je dois préciser que la télévision ne m'avait jamais intéressé. Je ne regardais que les matchs de l'équipe nationale de football, ce qui m'avait causé d'immenses déceptions, et je n'ai jamais éprouvé le besoin d'être informé de l'état du monde : une litanie de mauvaises nouvelles dont je me contrefichais comme de l'an quarante, en avoir connaissance ou pas ne changeait strictement rien à nos vies.

Ce long préambule pour expliquer que je ne pouvais pas connaître Helen McGunis, grand reporter devant l'Éternel, bien qu'elle eût baladé depuis une quinzaine d'années ses tenues de camouflage sur tous les terrains d'opérations de la planète : Afrique, Balkans, Moyen-Orient. Partout où ça tiraillait, explosait et castagnait, elle était là avec son micro, son foulard blanc noué autour du cou à la Lawrence, à peine abritée des roquettes, des balles traçantes ou des rafales de kalachnikov, à détailler aux téléspectateurs le pourquoi du comment de n'importe quel coup d'État et à leur rendre compte de l'avancée des rebelles dans telle région du monde ou des émeutes sanglantes survenues dans tel pays. Je connaissais un capitaine qui affirmait que nos compatriotes n'aimaient rien tant que de prendre le thé, avec un nuage de lait et des biscuits à l'orange, en suivant la guerre dans leur salon. Helen McGunis connut une célébrité internationale lorsqu'elle fut enlevée par une milice islamiste au Liban. Après sept mois d'une captivité difficile, elle fut libérée par un raid de l'armée libanaise au cours duquel deux otages furent tués dont son cameraman. J'étais passé complètement à côté de cette séquestration, ce sujet avait été évoqué quotidiennement, paraît-il, lors des journaux télévisés ; à cette époque, je servais en Irlande. Comme quoi, c'est une erreur de ne pas écouter les informations. On rate des tas de choses passionnantes.

Il y aurait une étude à faire sur la pratique du téléphone arabe à l'intérieur d'une base militaire américaine, entité hermétiquement close, coupée du reste du monde par des murs d'enceinte et par des miradors, gardée par des MP féroces et bardés de métal comme des robocops, et où la survie dépend de l'application aveugle d'une discipline implacable. Les rumeurs y circulent à une vitesse supersonique, vraies, fausses ou inventées. Je n'ai jamais su de quelle manière mes camarades avaient appris que j'allais être interviewé par la BBC, et de surcroît par Helen McGunis : « *Tu t'embêtes pas, mon salaud.* » Ils le savaient tous, avec des détails que j'ignorais, des précisions sur le lieu, la durée, les modalités de l'entretien. Certains m'ont prié de les mentionner comme étant mes meilleurs amis, leurs parents allaient obligatoirement regarder l'émission, ils voulaient que je demande à la journaliste une photo dédicacée, et les plus audacieux, que je la leur présente, car ils avaient, eux, des déclarations importantes à faire.

Le lendemain matin, à sept heures, je me suis présenté au rendez-vous à *Central Point*. Quelle n'a pas été ma surprise en découvrant Helen McGunis. Je m'attendais à une amazone hommasse et agressive, mitraillette en bandoulière et coutelas à la ceinture. J'ai cru à une erreur quand une femme qui paraissait avoir à peine trente ans (je saurais plus tard qu'elle approchait des quarante), toute menue, ne dépassant pas le mètre soixante, les cheveux auburn coupés court et retombant en frange sur son front, maquillée comme pour aller à l'Opéra et arborant un sourire innocent, m'a tendu la main. Elle avait une sacrée poigne.

– Lieutenant Larch, je suis heureuse de faire votre connaissance.

*

Helen McGunis : Lieutenant Thomas Larch, pouvez-vous nous relater votre parcours ?

Thomas Larch : Mon parcours ? C'est-à-dire... Je ne sais pas... par où...

H. M. : Ce n'est pas moi qu'il faut regarder, c'est la caméra.

T. L. : La caméra... Ah bon. Il faudra que vous parliez plus fort, je n'entends presque plus de l'oreille gauche et cet appareil marche mal, j'en attends un nouveau.

H. M. : Et de l'oreille droite, vous entendez ?

T. L. : J'ai une perte de trente pour cent à droite, cela ne me dérange pas.

H.M. : Nous allons échanger nos places.

Elle est descendue de la jeep, elle en a fait le tour et, tandis que je me glissais derrière le chauffeur, la portière a claqué.

H. M. : Comme cela, on vous verra sous votre meilleur profil. Reprenons ! Interview Larch, deuxième : Lieutenant Thomas Larch, pouvez-vous vous présenter aux téléspectateurs ?

T. L. : J'ai trente-deux ans, je suis lieutenant au Royal Marines, mon unité fait partie de l'opération Telic. Nous avons participé à la prise de Bagdad. Et le 40 Commando a été en première ligne lors de la bataille de Bassora.

H.M. : Pour quel motif vous êtes-vous engagé ?

T. L. : J'étais jeune. Il y avait probablement l'attrait de l'aventure, d'une destinée différente. Je ne me voyais pas rester assis devant un écran dans un bureau, et je me suis dit que si je ne le faisais pas, je le regretterais toute ma vie. Et aussi... *Queen and Country*, oui, c'était ça le plus important pour moi.

H. M. : L'envie d'être un héros ?

T. L. : Une idée d'adolescent : l'idéal des chevaliers de la Table ronde, le rêve d'être admis auprès des valeureux.

H. M. : Quel a été votre parcours ?

T. L. : À dix-huit ans, j'ai intégré le centre de formation de Lympstone.

H. M. : C'est une formation très dure ?

T. L. : Si vous n'avez pas la condition physique, c'est à éviter, sinon il n'y a rien d'insurmontable.

H.M. : Et après Lympstone ?

T. L : J'ai été affecté en Irlande du Nord. Au début, c'était compliqué, à cause du climat d'hostilité, il y avait beaucoup de fanatisme, on servait de force d'interposition, on ne devait pas céder aux provocations, il y avait tellement de haine accumulée, on n'arrivait plus à savoir qui avait tort ou raison, les jeunes nous donnaient pas mal de souci, certains cherchaient la bagarre, il fallait garder son calme et ne pas riposter si on se faisait tirer dessus. Quand le processus de paix s'est enclenché et que le colonel Davies a commandé la région Nord, la situation s'est améliorée, pourtant il y avait des provocateurs dans chaque camp. Nous, on se battait pour la paix.

H. M. : Des militaires qui veulent faire la paix, ce n'est pas habituel.

T. L. : À l'armée, on vous apprend à ne pas faire usage de votre arme, ou alors en toute dernière extrémité. J'ai toujours trouvé que les civils étaient plus guerriers que les militaires. Durant les huit années où j'ai servi en Irlande, je n'ai pas tiré un coup de feu, sauf à l'entraînement. Jusqu'en 97, nous avons été plusieurs fois au bord de l'explosion, on a évité de retomber dans les erreurs du passé. Puis Tony Blair est parvenu à enclencher le processus de paix entre les deux communautés, même s'il y a eu encore des attentats et des dissidents qui voulaient tout casser.

H.M. : Vous avez été blessé en Irlande ?

T.M. : Lors de l'attentat contre la caserne Thiepval à Lisburn, en 96. La première bombe avait fait d'énormes dégâts. J'ai été touché lors de la deuxième explosion, alors qu'on évacuait les blessés. J'étais à trente mètres de la voiture qui a explosé, le souffle a été terrible. Je m'en suis bien sorti, avec trois côtes cassées. Deux mois plus tard, j'étais sur pied.

H.M. : Vous ne me parlez pas de votre accident de voiture ?

T.L : Oh, c'était en 93, lors d'une perme en France.

H.M. : Que s'est-il passé ?

T.L. : Nous avions une permission de trois jours sur la

côte normande… On était allés en boîte de nuit et l'accident a eu lieu pendant le trajet du retour. Le copain qui conduisait a voulu doubler, il avait mal évalué. Il avait un peu bu.

H.M. : Vous étiez assis à l'avant et vous avez été l'unique survivant de la voiture.

T.L. : J'étais le seul à avoir mis ma ceinture. Les deux collègues, derrière, ont été éjectés. C'est triste. J'ai eu de la chance.

H.M. : Et après l'Irlande ?

T.L. : Je suis devenu lieutenant au 42 Commando. Mon régiment a été engagé dans l'opération Palliser en Sierra Leone. L'intervention a duré près de six mois, ma première véritable expérience de la guerre. En Afrique, c'est particulièrement moche. La vie d'un homme ne vaut pas cher. Ça n'a pas été facile de déloger les rebelles de l'aéroport, ensuite on s'est mis en quête des garçons, on a réussi à les libérer et on est rentrés à la maison. Je n'en garde pas un bon souvenir.

H.M. : Vous avez été blessé.

T.L. : Ce n'était rien du tout. J'ai été atteint à l'épaule par une balle perdue.

Le chauffeur roulait trop vite, nous étions secoués, l'image allait être tremblée. Helen lui a demandé de ne pas rouler à plus de trente kilomètres-heure.

H.M. : On poursuit. Interview de Thomas Larch, troisième… Ensuite, ç'a été l'Afghanistan ?

T.L. : Je suis repassé au 40 Commando et nous avons été les premiers à débarquer là-bas avec les Forces spéciales américaines. En tout, nous n'étions pas nombreux, cinq cents soldats à peine. Après la prise de Kaboul, on a été affectés dans la zone de Kandahar. Il y avait beaucoup de combats directs et des tirs de snipers. On n'a jamais contrôlé le pays. Les villes, à peu près. Dès qu'on en sortait, il fallait être en permanence sur ses gardes.

H.M. : Quel était votre état d'esprit ?

T.L. : Franchement ?... Le véritable enjeu de cette guerre, ce n'est ni la religion, ni le terrorisme, c'est l'opium et le contrôle des gigantesques champs de pavot. Ils couvrent des centaines de milliers d'hectares. Au moment de la récolte, comme par miracle, la guerre était suspendue, les islamistes faisaient la récolte, on les protégeait de leurs collègues qui voulaient s'en prendre à leur business.

H.M. : Qui cela, « on » ?

T.L. : Les armées alliées. C'est un secret de Polichinelle. L'Afghanistan, c'est comme le Bronx ou n'importe quelle banlieue pourrie, c'est la guerre des gangs pour le contrôle du trafic. Si on avait détruit cette culture, la guerre se serait arrêtée. C'était un grand sujet de conversation entre nous. Les gars ne comprenaient pas le but de notre présence. La religion n'était qu'un prétexte, un alibi. La seule justification de cette guerre, c'étaient les milliards de dollars que rapporte le pavot. Et le pire, c'est qu'ils ne consomment pas leur pourriture, ils l'envoient chez nous. J'ai été ravi de quitter ce monde de fous, où la police, l'armée et l'administration afghanes sont aux mains des trafiquants de drogue.

H.M. : L'Irak, pour vous, a été un soulagement ?

T.L. : D'une certaine façon. Ici, au moins, ce n'est pas l'opium qui dirige tout, c'est le pétrole.

Un téléphone s'est mis à sonner. Au cœur de ce désert de sable qui s'étendait à perte de vue. Ce n'était pas mon téléphone, puisque je n'en avais pas. Helen a sorti un portable de la pochette de son gilet et en a examiné l'écran. Faisant signe au chauffeur de s'arrêter, elle est descendue de la jeep en hâte et s'est éloignée d'une dizaine de pas, l'appareil collé à son oreille. À en juger par les éclats de voix, la conversation était agitée. Elle pliait la main en cornet devant sa bouche pour étouffer le son de ses paroles et, de temps en temps, jetait un coup d'œil dans ma direction.

Helen McGunis ne m'avait pas donné de détails ni laissé le temps de lui poser une question, la seule qui me préoccupât : Pourquoi moi ? Nous étions montés à l'arrière de la jeep et son cameraman à l'avant, à côté du chauffeur. La barrière s'était levée à notre passage, la voiture s'était engagée sur la route du Sud, vers le désert, nous avions roulé sous le soleil du matin. Elle avait donné comme instruction au cameraman de me cadrer en plan serré, ils feraient les raccords sur elle plus tard, au montage. Elle a été surprise quand je lui ai dit que je ne connaissais pas son émission. Elle m'a expliqué que son objectif était de présenter une facette différente de cette guerre, en s'écartant du discours officiel et de la langue de bois. Voulant envisager les faits sous un angle plus humain que ses confrères, elle préparait un portrait croisé de trois militaires, dont une sous-lieutenant, qui raconteraient leur carrière et évoqueraient leur vécu. J'avais approuvé de la tête.

Sa communication a pris un ton apaisé, elle m'a souri. Elle a rangé son téléphone, nous a rejoints, et la jeep a redémarré.

– C'était ma productrice. Je voulais qu'on fasse une interview dans un hélicoptère, mais l'armée ne veut pas en mettre un à notre disposition. Ça vous pose un problème si on continue dans un hélicoptère ?

– Oh non, un hélico ce n'est pas dangereux... tant qu'on ne vous tire pas dessus.

Baissant son regard sur l'écran de son téléphone, elle a tapé un long texto et l'a envoyé.

– C'est incroyable, ai-je dit, ce téléphone qui sonne au milieu du désert.

Elle m'a observé, étonnée, et a enchaîné :

– Interview Larch, quatrième :... Vous avez été grièvement blessé dans la chute d'un hélicoptère Sea Knight. Pouvez-vous nous décrire comment cela s'est passé et ce que vous avez ressenti ?

Elle était bizarre, cette insistance à vouloir que j'évoque mes blessures et accidents divers. Après tout, la vie d'un militaire comporte des risques et il les assume de son plein gré. Cela fait partie du contrat. Je ne voyais pas où elle voulait en venir.

– Je n'ai pas envie d'en parler.

Elle n'a pas semblé surprise ou gênée par mon refus. Elle a opiné comme si elle approuvait ma décision. Elle avait l'air de compatir et de me comprendre. Je me faisais peut-être des idées.

*

La deuxième interview a eu lieu cinq jours plus tard. Helen McGunis m'avait simplement dit qu'elle espérait que nous nous reverrions, j'avais pris cela pour une formule de politesse. Quand nous nous étions quittés, elle m'avait serré la main avec son énergie habituelle mais en la gardant dans la sienne durant deux ou trois secondes.

Je ne savais pas à quoi m'en tenir, il y avait un certain
décalage entre nous : c'était une journaliste-vedette, elle
connaissait de nombreuses célébrités, parlait d'égale à
égal avec le Premier ministre, et moi j'étais un anonyme,
un des quarante mille soldats du corps expéditionnaire
britannique. Je n'imaginais pas un instant qu'un obs-
cur lieutenant pût l'intéresser, et pourtant il y avait eu
ces regards, ces sourires, et cette main qui avait gardé la
mienne trois secondes de plus qu'il n'était nécessaire.

Depuis mon entrée dans l'armée, mes relations avec la
gent féminine étaient sommaires : elles s'effilochaient et
s'évanouissaient vite. J'étais un engagé volontaire, disponible à tout moment pour aller se faire tuer sur n'importe
quel continent, absent pendant des mois, obligé de rési-
der dans un pays hostile et dans un casernement interdit
aux civils. Aucune jeune femme n'aurait désiré partager
l'existence d'un homme à l'avenir aussi menacé, et encore
moins fonder une famille avec lui. Quelle épouse voudrait
vivre en permanence dans l'angoisse de la séparation,
puis dans la peur de la mauvaise nouvelle ? Je ne suis pas
certain d'être de bonne foi. La plupart de mes copains,
ceux avec qui j'ai fait Lympstone, ceux que j'ai connus en
Irlande ou en Afghanistan, sont aujourd'hui mariés et ils
ont des enfants. Je suis un des derniers célibataires de ma
promotion. Je ne vais pas dresser la liste de celles à côté
desquelles je suis probablement passé, elles ne sont pas
si nombreuses. À chaque fois que la tendresse s'immis-
çait, qu'il fallait aller plus loin, j'avais un doute : est-ce
que c'est avec elle que tu veux vivre, et peut-être toute ta
vie ? Soit une réponse négative jaillissait aussitôt, spontanée, soit je me sentais comme paralysé à cette idée et mon

absence d'enthousiasme était pour moi une réponse. Au fond, je ne cherchais pas à me caser, mon existence me convenait telle qu'elle était. J'attendais de récupérer ma condition physique et que prît fin cette rééducation interminable qui me faisait plus souffrir que le pire des parcours de Lympstone. Je boitais toujours autant et j'étais sourd de l'oreille gauche.

Je n'ai pas saisi ce que m'a dit Helen McGunis quand je l'ai rejointe, pour notre deuxième rendez-vous à *Central Point*, elle semblait pressée en permanence. Rien n'allait jamais assez vite, elle bousculait son cameraman et son chauffeur. En bref, le périmètre de son émission avait évolué, notre entretien avait décalé «la perspective de la récurrence narrative» et l'obligeait à recomposer son fil directeur et son synopsis. J'ai hoché la tête comme si je comprenais son charabia, elle a remarqué que je la fixais en souriant bêtement.

– Vous m'écoutez, lieutenant?

*

Quand elle m'a demandé si je savais conduire un tank, j'ai été pris au dépourvu. Ma première réaction aurait été de dire : «*Oui, bien sûr.*» Pourtant, je me suis tu, essayant de paraître naturel et un rien désinvolte, malgré mes handicaps. J'aurais voulu lui faire plaisir et ne pas la décevoir. Je lui ai rappelé que j'appartenais au Royal Marines et que les forces blindées relevaient du commandement de l'armée de terre.

Je me suis retrouvé au volant d'un énorme camion de transport tout-terrain, dans lequel j'avais eu un peu de mal à me hisser sans aide, elle voulait que je fume en permanence et que je parle avec la cigarette aux lèvres, j'ai eu beau lui expliquer que j'avais arrêté à mon entrée dans l'armée, quatorze ans déjà, elle m'a tendu son paquet de mentholées et m'a répondu que c'était uniquement pour l'interview, que cela créerait une ambiance plus détendue. Elle a insisté pour que je conduise d'une main et en bras de chemise, un coude sur la portière, le regard dirigé droit devant moi. Au début, le cameraman a travaillé sur le siège avant, ensuite elle l'a envoyé sur le marchepied et il a fini à plat ventre sur le capot, un pied calé contre le pot d'échappement aérien pour me filmer à travers le pare-brise. Je roulais sur une piste caillouteuse, j'avais peur qu'il soit désarçonné et projeté sous mes roues, j'ignorais que les cameramen étaient aussi agiles. Sa productrice et le preneur de son avaient pris place à l'intérieur du véhicule.

Helen McGunis : Vous avez surmonté des épreuves inimaginables pour un civil. On a l'impression que cela ne vous touche pas.

Thomas Larch : Je suis un soldat. Et je suis payé pour ça.

H. M. : Êtes-vous suffisamment payé pour risquer votre peau ?

T. L. : Nous sommes tous des engagés, des volontaires, personne ne nous a obligés. C'est une vie qui nous plaît. On est plutôt bien payés. Néanmoins, si on fait ce métier, ce n'est pas pour l'argent.

H. M. : Être obligé de tuer, c'est un travail banal ?

T. L. : On ne tire pas par plaisir mais pour répondre à une attaque et se défendre. Cela fait partie du contrat. Il faut que quelqu'un fasse le sale boulot. Si on n'était pas là, l'Angleterre aurait cessé d'exister depuis longtemps.

H. M. : Avez-vous conscience d'être un miraculé ?

T. L. : Franchement ?... Non.

H. M. : Toutefois, vous avez failli mourir à plusieurs reprises.

T. L. : Faut croire que mon tour n'était pas venu.

H. M. : Quels souvenirs gardez-vous de l'accident d'hélicoptère ?

Plusieurs secondes se sont écoulées. J'ai senti ma main se crisper sur le volant.

T. L. : La dernière image que j'ai en mémoire, c'est l'inclinaison du Sea Knight plongeant en piqué sur la fumée noire de la station en feu, et puis après... je ne me souviens de rien. Ni d'avoir été blessé, ni du crash. Je me suis réveillé à l'hôpital.

H. M. : On vous a déclaré décédé. On allait vous enterrer. Vous n'y pensez jamais ?

T. L. : Je pense surtout au reste de l'équipage, à mes camarades. Je les connaissais tous, plusieurs étaient mes amis. La nuit quand je ne dors pas, et cela se produit fréquemment, je les revois dans ma tête, l'image n'est pas triste, ils sont vivants. Vous comprenez ? Moi j'ai eu de la chance, il n'y a pas de quoi se vanter.

H. M. : Vous n'avez pas peur de mourir ?

T. L. : Je n'y pense pas. Je n'ai pas envie de souffrir. Comme tout le monde, je présume... La mort n'est pas un motif d'angoisse pour moi.

H. M. : C'est quoi alors ?

De nouveau, il m'a fallu un temps avant que je parvienne à répondre.

T. L. : En vérité, quand il y a un attentat et des dizaines de blessés ou de tués, ou une embuscade avec des copains qui restent sur le carreau, la seule pensée qui s'impose à vous, c'est : « Ouf, je m'en suis sorti, tant mieux pour moi, tant pis pour les autres !... » Et le plus terrible, c'est que vous êtes content qu'ils aient pris et pas vous. Partout on se fait tirer dessus par des snipers. C'est imparable : le type peut être planqué à deux ou trois kilomètres de l'endroit où vous êtes, et tout d'un coup vous voyez la tête du camarade près de vous qui éclate, vous avez du sang et de la cervelle sur vous, c'est horrible, vous mettez un moment à réaliser ce qui se passe, et la première pensée qui vous vient à l'esprit, c'est qu'il faut vous planquer pour ne pas en prendre une. Les gilets pare-balles ne servent à rien. À Kaboul, j'avais un pote qui marchait à moins d'un mètre de moi. Il en a pris une dans la gorge. Pourquoi lui et pas moi ?... Et le pire, c'est quand j'ai commandé cette section à Bassora. Vous comprenez, j'étais devant. Devant ! La balle aurait dû être pour moi, le sniper m'a eu dans son viseur, c'est obligatoire, et il a atteint le mec derrière moi, entre les deux yeux. Et, je dois le reconnaître, j'ai été soulagé que ça soit lui. Cette putain d'idée m'obsède comme si j'avais tiré moi-même. Pour quel motif le tireur l'a-t-il choisi ? Lui, et pas moi. Je n'ai pas la réponse. Chacun y pense et personne n'en parle.

Je n'avais jamais parlé de cette douleur à quiconque. Et, face à cette journaliste que ma vie intriguait, sans plus me préoccuper de l'objectif de la caméra, j'avais ressenti le besoin d'ouvrir la bonde. Elle m'a gratifié d'un sourire hésitant, appuyé d'un hochement de tête.

H. M. : Reprenons... Vous avez été mêlé à plusieurs bagarres.

T. L. : Quand on est soldat, on est souvent provoqué, on

apprend à se contrôler, à désamorcer. Et si vous tombez sur un imbécile qui veut se payer un militaire anglais, il faut bien se défendre.

H. M. : En Belgique, dans une boîte de nuit, vous avez reçu un coup de couteau dans le ventre.

T. L : La nuit avait été un peu agitée. La blessure n'était pas grave, c'était de ma faute, je n'ai pas vu venir le coup, j'ai manqué de vigilance.

H. M. : Avez-vous un ange gardien qui vous protège, une bonne étoile au-dessus de votre tête ?

T. L. : C'est ce qu'on raconte. Mais ce sont des conneries. J'ai eu de la chance, c'est tout. Juste un peu plus de chance que le copain d'à côté... Ou peut-être que... quelqu'un me protège ?

H. M. : Vous êtes croyant ?

À cet instant, j'ai commis une erreur de débutant. Oubliant le synopsis, j'ai tourné mon visage vers celui d'Helen, j'ai tardé à répondre, j'ai levé le pied et le camion a fini en roue libre. Elle m'a encouragé d'un sourire. Je ne m'étais plus posé la question depuis l'adolescence, et voilà que, d'un seul coup, la réponse me paraissait évidente et lumineuse. Je me suis senti apaisé, comme libéré d'un poids, et j'ai acquiescé.

De l'évolution (des hommes)

La salle de projection de la BBC, sur Portland Place, était comble. Il y avait des gens debout sur les marches des allées latérales et j'étais perdu au milieu de cette foule, entre Susan, la productrice de l'émission, et Helen McGunis. Les spectateurs avaient l'air de se connaître, s'adressaient des saluts, échangeaient des poignées de main. Chacun parlait fort pour se faire entendre. Helen et Susan m'ont présenté, à m'en donner le tournis, à une vingtaine de personnes qui m'ont félicité et m'ont déclaré, avec une sincérité troublante, qu'elles étaient contentes que je sois là. Nous attendions un des patrons de la BBC pour commencer la projection.

J'avais été rapatrié cinq jours auparavant et on m'avait installé dans l'annexe du sinistre hôpital militaire de Birmingham, où une cinquantaine de militaires convalescents tournaient en rond en détaillant leurs blessures respectives. J'étais un des plus âgés et, quand je voyais l'état de mes camarades, j'avais le sentiment de m'en être bien tiré. Je ne me sentais pas malade et mes blessures n'exigeaient pas de soins particuliers. J'avais entamé la dernière partie de mon programme de rééducation, je traînais la patte, je n'entendais presque rien de l'oreille gauche et j'attendais toujours les appareils auditifs dernier cri qui m'avaient été promis. Il y avait une telle demande que le fournisseur de l'armée n'arrivait pas à suivre. Avec mes oreillettes classiques, je pouvais faire illusion. Le matin, j'avais pris le train pour Londres. Je voulais retrouver ma ville, j'avais pris le temps de me promener. Dans le centre, il régnait une agitation qui m'avait fatigué. J'avais oublié à quel point il était agréable d'y flâner ; hormis quelques gratte-ciel anachroniques, la ville était superbe, plus belle qu'avant.

Le directeur s'est assis à côté de nous, les lumières se sont éteintes. Dès le générique, j'ai été atterré. Le documentaire m'était entièrement consacré. Il s'intitulait *Trompe-la-Mort*. Tout simplement. Pour la première fois de mon existence, j'ai eu honte. Une honte poisseuse, qui m'a enveloppé des pieds à la tête. J'avais le cœur qui tanguait, j'aurais voulu disparaître sous terre. J'ai dû assister à une parodie de film d'action, bourrée de clichés, avec un pseudo-héros fabriqué de toutes pièces qui conduisait avec désinvolture un camion de l'armée, dissimulé derrière un écran de fumée, en proférant des âneries sentencieuses. Grâce à un montage habile et nerveux, à des images d'archives d'Irak et d'Afghanistan, d'Irlande du Nord et de Sierra Leone, à l'insertion d'interviews de militaires que je ne connaissais pas ou dont je me souvenais à peine, j'étais présenté comme un surhomme et comme un défenseur acharné des valeurs britanniques et de l'honneur de cette nation. Par moments, je me suis fait avoir, j'ai cru à la supercherie qu'on voyait sur l'écran, à ce type qui me ressemblait, assez modeste, je dois le dire, discret, posé, et doué d'un peu d'humour. *So British, isn't it ?* Ce gugusse qui n'avait rien d'autre à faire de sa vie que de la sacrifier à Sa Majesté, une baderne dans la plus pure tradition du désintéressement et du dévouement qui excitent les foules.

Moi, j'aurais voulu leur raconter la balle qui pénètre la chair à neuf cents kilomètres-heure, la douleur fulgurante qui coupe le souffle, cette brûlure qui empêche de dormir, le corps meurtri et ce silence de cimetière qui vous envahit et vous étouffe, et ceux qu'on n'a pas relevés, qu'on a enterrés *avec les honneurs* et oubliés aussitôt, et tous ceux dont on ne parle jamais, comme s'ils n'existaient pas ou méritaient leur sort, les milliers, les dizaines de milliers d'Afghans et d'Irakiens assassinés, martyrisés, ignorés, qui n'avaient pas exigé qu'on vienne les sauver, habitants de ces pays qu'on détruisait. J'aurais voulu leur rappeler les mensonges éhontés qui avaient été forgés pour justifier l'invasion, les grands principes démocratiques dont s'étaient parés les menteurs et les profiteurs pour justifier leur forfait. J'aurais voulu crier que cette guerre était stupide et dénuée de fondement, que nous y avions perdu des hommes valeureux et sacrifié notre honneur. Et surtout que je me sentais merdeux d'avoir cru à ces bobards. Mais je me suis tu, vaincu. C'était inutile de se lever et de protester. Si je m'étais révolté, on m'aurait pris pour un fou ou pour un traître. C'est pour cela qu'il y avait cette colère en moi et cette amertume qui me collera éternellement aux lèvres. Parce que c'était inutile.

Comme pour en rajouter, Helen McGunis avait déniché un accident que je m'étais gardé d'évoquer. J'ignore quelle enquête souterraine lui avait permis de découvrir cette vieille histoire que j'avais fini par repousser dans les bas-fonds de mes souvenirs. De quelle manière était-elle remontée à cette avalanche meurtrière qui avait anéanti notre groupe dans les environs de Kitzbühel ? J'étais resté deux heures enseveli sous la neige avant qu'on me récupère, unique survivant, inconscient et en hypothermie, sauvé par une poche d'air. Le témoignage du chef des sauveteurs était particulièrement émouvant, avec son visage buriné de montagnard tyrolien, toujours étonné, onze ans plus tard, d'avoir réussi à en sauver un sous deux mètres de neige de printemps. Et encore Helen n'était-elle pas allée fouiller dans les mésaventures de mon adolescence : elle aurait trouvé des arguments convaincants à l'appui de sa thèse. Il faut admettre que la liste de mes coups durs et de mes diverses blessures était aussi déroutante qu'impressionnante. C'était si inhabituel, si peu logique, si contraire à notre conviction profondément enracinée de la fragilité de la condition humaine, que j'en suis resté un moment ébranlé.

J'ai recouvré ma lucidité, et cette mise en scène habile, à la limite du trucage et de la manipulation, m'a donné la nausée. On allait me cracher dessus, me traiter d'imposteur, tous ces gens me crieraient leur dégoût et leur mépris. Je me suis demandé si je ne devais pas inventer une excuse quelconque pour quitter la salle et m'enfoncer dans la solitude de la nuit londonienne. J'ai tourné la tête et j'ai vu comment Helen suivait son œuvre, le regard rivé sur l'écran, l'air épanoui. Sa lèvre frissonnait, son profil passait de l'ombre à la clarté, reflétant les nuances successives de l'image, et cet éclairage imprévu la faisait paraître plus belle. Je la contemplais secrètement dans le noir quand j'ai été rattrapé par le film. Le camion s'éloignait sur la piste de sable, et les premiers accords se sont élevés, tellement inattendus, mais imposant leur irrésistible harmonie. Pour la musique de fin, sur ce plan large montrant un camion qui s'évanouissait dans l'immensité du désert, elle avait choisi de faire entendre *Brothers in Arms*. Jamais je ne lui avais parlé de l'importance que cette chanson avait eue pour moi, ni des échos qu'elle éveillait en moi. Cela faisait quinze ans que je n'avais plus réécouté ni chantonné cet air magique. J'étais fasciné et bouleversé. Je replongeais dans la musique de Knopfler, m'immergeais dans mes souvenirs :

Laissez-moi vous dire adieu
Tout homme doit mourir
Mais c'est écrit dans la lumière des astres
Dans chaque ligne de ta main
Nous sommes des idiots de faire la guerre
À nos frères d'armes.

La lumière est revenue imperceptiblement. J'avais les larmes aux yeux. Helen m'a fixé avec intensité. J'ai vu qu'elle était aussi remuée que moi. Elle m'a pris la main et l'a serrée. Susan et Helen ont salué la foule en s'inclinant plusieurs fois. Voyant que j'étais affaissé dans mon fauteuil, Helen m'a tendu la main et je me suis appuyé sur elle pour me redresser. Elle a levé nos bras, comme si nous étions deux vainqueurs, et les applaudissements ont redoublé. Susan s'est mise à applaudir, puis Helen. Comme je ne voulais pas me singulariser, j'ai fait comme elles. La salle applaudissait à tout rompre. Un roulement de tambour a déferlé dans ma tête et j'ai baissé le son de mes oreillettes avec la molette de l'amplificateur. La productrice a tendu le bras vers moi, je me suis incliné à mon tour. De chaque côté de la salle, les spectateurs étaient debout, criaient bravo. J'ai salué comme un comédien récoltant les vivats du public à la fin d'une représentation. C'était la première fois qu'on m'applaudissait et je dois reconnaître que, même si je n'en saisissais pas les raisons, c'est vraiment agréable d'être applaudi, on se sent régénéré, comme lavé et tout propre, et on oublie le reste.

Dans la salle attenante, la production offrait un cocktail. Des gens sont venus me féliciter et me témoigner leur sympathie, plus nombreux qu'avant la projection. Pour beaucoup, j'étais le héros dont l'Angleterre avait besoin, plusieurs ont voulu savoir s'il y aurait une suite, certains espéraient que je continuerais ma mission pour sauver le pays. Une blonde très maquillée, qui ressemblait à une actrice connue, m'a demandé si j'envisageais une carrière politique. Comme je ne répondais pas immédiatement, cherchant vainement à mettre un nom sur son visage, elle a souri et susurré qu'elle avait parfaitement compris, un bel avenir m'attendait au parti conservateur et elle s'en réjouissait. Chacun voulait trinquer avec moi, on m'a offert du vin rouge, du vin blanc, puis du champagne, et moi qui n'étais pas habitué à boire, j'avais la tête dans le brouillard.

Helen discutait avec un homme d'une quarantaine d'années en smoking et au crâne rasé, elle me l'a présenté. C'était Alayn Bale, un producteur gallois émigré à Hollywood qui voulait porter mon histoire à l'écran, une aventure comme il n'en avait pas vu depuis *Apocalypse Now* et qui ferait un succès planétaire, il voyait Johnny Depp dans mon rôle, oui ce serait fabuleux, il connaissait bien son agent et en discuterait avec lui à son retour à L.A. Il était persuadé que Johnny serait intéressé car il n'avait jamais tourné de film de guerre hyperréaliste, avec des putains de larmes et du putain de sang, ce serait mieux que les débilités pour ados dégénérés dont il nous abreuvait. De sa voix nasillarde, il n'arrêtait pas de répéter que nous étions en panne de héros, que c'était ce qui nous manquait le plus, que le public en avait marre des rock stars droguées et des footballeurs capricieux et qu'il lui fallait un héros anglais et blanc. « *Understood?* » Pour le metteur en scène, il allait y réfléchir : pourquoi pas Coppola ? Et il avait plein d'idées pour le scénario. Quant aux acteurs, il n'aurait que l'embarras du choix. Il voulait les droits, les droits de je ne sais pas quoi, et m'engager comme consultant. Me prenant au dépourvu, il m'a demandé le nom de mon agent. Helen est venue à mon secours, elle a dit qu'elle allait s'en occuper.

– Ça va être un film superbe, Helen ! a affirmé le producteur en me décochant un petit coup de poing sur l'épaule avec un chaleureux sourire, avant de faire demi-tour.

Le directeur de la BBC est venu me saluer à son tour. Lui aussi a gardé ma main dans la sienne plus longtemps que nécessaire. Il parlait d'une voix douce : il avait adoré, positivement a-do-ré ce documentaire, et il voulait m'inviter à l'émission qu'il produisait, *Today or Tomorrow*, pour un débat qu'il allait organiser sur le rôle de l'armée britannique, parce que je faisais partie de ces « vrais gens » qu'il avait tellement de mal à trouver. Il en avait assez de ces pseudo-experts qui rasaient les téléspectateurs : ce que les Anglais voulaient voir, c'étaient des Anglais, comme eux, qui parlaient comme eux et qui vivaient comme eux. Il est tombé des nues quand je lui ai dit que je n'avais pas de téléphone portable, que je venais seulement de rentrer d'Irak et que je ne connaissais personne à qui téléphoner. Finalement, il a lâché ma main, m'a dit que j'étais un sage, sa secrétaire me contacterait la semaine suivante pour que nous programmions un déjeuner. Puis il a rejoint un groupe près du buffet, et je l'ai entendu s'exclamer qu'il avait enfin mis la main sur un homme qui méritait d'être écouté.

– Tom, puis-je vous poser une question indiscrète ? dit Helen en se penchant vers moi.

Il se dégageait d'elle un parfum suave.

– Vous ne devez pas hésiter, Helen.

– Êtes-vous gay ?

Son demi-sourire m'a glacé.

– Moi ?… Non, pas du tout, ai-je réussi à murmurer.

– C'est ce que je pensais, mais mon patron doit espérer que vous l'êtes.

Les spectateurs venus lui dire tout le bien qu'ils pensaient de son film en profitaient pour se faire photographier avec moi, probablement pour prouver à leur entourage qu'ils avaient croisé la route du ressuscité ou dans l'espoir que cela leur porterait chance le moment venu. Une dame d'âge mûr m'a palpé la peau du visage, comme pour s'assurer que j'étais là, en chair et en os.

Tous me demandaient si je me souvenais de certains détails. Comment c'était là-bas, de l'autre côté ? Était-ce au-dessus des nuages ou au fond d'une caverne ? Y avait-il cette lumière blanche, presque insoutenable, dont certains avaient parlé ? Y avait-il de la musique ? De l'orgue ou de la trompette ? Avez-vous vu Dieu, Jésus, Moïse ou des anges ? Il ne peut pas ne rien y avoir ! Faites un effort ! Ils me fixaient avec un regard interrogateur d'enfant perdu. J'étais déçu de les décevoir. Je n'avais rien vu, c'était un trou noir, et, si j'avais vu, je ne me souvenais de rien. Cette dernière hypothèse faisait l'unanimité. Après un choc si violent, il était compréhensible que tout se soit effacé. Une psychiatre, qui affirmait que la peur de la réalité nous amène à la repousser et à la dissimuler dans les limbes de notre cerveau, m'a donné sa carte et proposé des séances d'hypnose. Les gens ont défilé durant une heure, chacun attendant sagement son tour de m'être présenté. Pour certains, ce documentaire allait faire trembler le gouvernement, qui aurait du mal à s'en remettre, et pour leurs adversaires, il s'inscrivait dans la ligne de notre politique militaire. Les plus nombreux pensaient que l'Église devait prendre position. À une femme maigre et ridée qui craignait qu'Helen se soit fait des ennemis supplémentaires en le tournant, cette dernière a confié, c'était un secret absolu, qu'Hollywood allait en acquérir les droits d'adaptation pour le cinéma et que Johnny Depp faisait le forcing pour obtenir le rôle.

– Tu me connais, Helen, j'attendrai ton feu vert pour faire mon papier, a-t-elle répondu, avant de prendre congé avec un sourire imperceptible.

– C'est la critique télé du *Times*. Elle est très influente, elle va lancer le buzz et ce sera idéal pour nous.

Je ne voyais pas en quoi ce serait bénéfique, mais j'étais décidé à lui faire confiance ; le plus important à mes yeux était qu'elle m'inclue dans le « nous », que je fasse partie de ses idées et de ses projets, qu'on soit ensemble dans le même bateau, que je la laissais conduire avec plaisir. Elle m'a entraîné vers le buffet et m'a offert un verre de vin blanc.

– Le documentaire vous a-t-il plu, Tom ? Vous ne m'avez rien dit.

Cela m'était difficile d'être le seul à exprimer une opinion négative et d'affirmer que je n'étais pas fana de sa présentation, ni convaincu par son montage. Je n'avais pas envie de la décevoir, de rompre ce « nous » qui avait scellé notre alliance. Je ne voulais pas en discuter avec elle, je cherchais des mots qui ne venaient pas.

– Je n'ai pas aimé la manière dont vous m'avez présenté. Les gens vont s'imaginer des choses qui sont fausses. J'ai eu de la chance, c'est tout. Je suis juste un soldat qui a eu plusieurs fois de la chance.

– Vous êtes trop modeste, Tom, c'est ce que j'apprécie chez vous. Vous ne vous en rendez pas compte mais vous êtes un héros, un vrai. Et tout le monde vous aime pour ça.

*

Helen m'a demandé si j'aimais la cuisine asiatique, et nous nous sommes retrouvés à douze dans un somptueux restaurant chinois des docks. Quand le maître d'hôtel m'a tendu le menu, j'ai eu un instant de stupeur, effaré par le montant de chaque plat, mais je me suis efforcé de n'en rien laisser paraître. Pensaient-ils que j'allais les inviter ?

Helen, qui me faisait face, discutait à voix basse avec sa productrice. Susan était la meilleure amie d'Helen, elles se téléphonaient dix fois par jour et, le reste du temps, s'envoyaient des textos. Elles travaillaient en binôme depuis plus de quinze ans et avaient obtenu plusieurs récompenses. J'ai été soulagé d'entendre Susan lancer que nous étions les invités de la production. Grande, un peu massive, elle avait une cinquantaine d'années. À chaque fois que je l'avais vue, elle avait une couleur de cheveux différente. En Irak, elle était d'un roux cuivré qui allait à ravir avec sa peau blanche, et maintenant, elle avait les cheveux teints en vert anis et cela s'accordait avec les teintes vives et multicolores des vêtements qu'elle portait. Susan affichait crânement son excentricité un brin provocatrice et elle avait raison, j'ai entendu des réflexions lors du cocktail : tous trouvaient son apparence amusante ou délicieuse. En attendant les taxis, à la sortie de la salle de projection, elle m'avait confié à l'oreille que nous devions nous voir prochainement pour discuter de certains détails et tout mettre au point. Après m'avoir toisé de la tête aux pieds, elle avait ajouté que je ressemblais à un pasteur anglican et que, Londres n'étant plus une base militaire, je ferais mieux de changer de tailleur.

À côté de moi se trouvait un journaliste américain de CBS aux cheveux en brosse. Dans le taxi, il m'avait harcelé de questions sur le moral des troupes en Irak et avait insisté pour savoir si j'avais le sentiment que l'Irak allait être un nouveau Vietnam. Il pianotait à toute vitesse sur son téléphone. Quand le maître d'hôtel s'est approché de mon voisin de table pour prendre sa commande, celui-ci, qui répondait à un texto, a eu un geste d'agacement : il ne fallait pas le déranger. Il fixait son téléphone avec intensité, dans l'attente d'une réponse qui tardait à venir. Soudain, son appareil a émis un bip, il a lu son nouveau message, a poussé un cri de victoire en brandissant le poing, puis il a tendu le bras pour montrer l'écran de son téléphone à Susan, qui lui faisait face.

– En dollars ? a-t-elle dit.

– Toujours.

– Uniquement pour les États-Unis.

Il a considéré son écran avec une moue sceptique et a fait oui de la tête. Susan avait le regard vide, puis elle s'est levée lentement, a affiché un visage radieux, et a tendu sa main vers le journaliste, qui la lui a serrée avec énergie.

– C'est OK, James. Mes amis, j'ai le plaisir de vous annoncer que nous venons de vendre notre documentaire à CBS News, c'est une bonne affaire et nous allons fêter cette grande nouvelle de la meilleure des manières : on dînera au champagne.

Les convives les ont tous félicités pour la conclusion de ce contrat. James pensait que le film passerait d'ici trois mois lors de *60 minutes*, le magazine d'information le plus populaire des États-Unis, diffusé le dimanche à dix-neuf heures. Il voulait que j'intervienne lors de cette émission, je lui ai répondu qu'étant militaire, même en convalescence, il ne m'était pas possible de me déplacer à ma guise. Susan a haussé les épaules, c'était un détail secondaire. Elle solliciterait une autorisation directement auprès du ministre.

– Ils n'ont plus besoin de vous en tant que soldat, a-t-elle poursuivi. Vous leur serez plus utile en participant à leur stratégie de communication.

Un problème obsédait James, il y revenait sans cesse. Il n'admettait pas l'enlisement de cette guerre. Pourquoi la plus puissante armée du monde piétinait-elle et semblait-elle sur la défensive ?

— Vous qui l'avez vécue, pensez-vous qu'on se donne assez de moyens pour gagner cette guerre ?

— S'il y avait deux fois plus d'hommes et de matériel, cela ne changerait rien. Ils vont gagner parce qu'ils se fichent de mourir. Nous, nous avons peur de disparaître, nous essayons de nous protéger par tous les moyens et nous accordons à nos vies une valeur incommensurable. Pour eux, c'est une guerre de religion. Leur sacrifice sera un honneur et une gloire pour leur famille, et l'entrée garantie au paradis. Nous faisons la guerre avec des pincettes, assis face à nos écrans d'ordinateur.

— Que faudrait-il faire selon vous ?

— Le mieux que nous puissions faire serait de rentrer à la maison et d'élever un mur infranchissable pour les empêcher de nous suivre, puis de tirer sur tout ce qui se présentera à nos frontières, mais ça ne retardera l'échéance que de quelques années... Tôt ou tard, ils viendront nous chercher pour nous bouffer, eux se contrefoutent de mourir... Cette idée nous terrifie, et les fait jouir...

— Je vous trouve un peu dur, Tom. On va s'en tenir à la diffusion de ce documentaire.

*

Il était tard quand nous sommes sortis du restaurant. Le dîner avait été joyeux, arrosé d'un champagne servi à profusion, puis d'un armagnac hors d'âge. J'avais trop bu et la tête me tournait. Une longue file de taxis s'était formée devant le restaurant. Les convives entraient dans les berlines noires qui s'éloignaient rapidement. James m'a serré la main en affirmant qu'il m'avait compris. Helen et moi sommes restés les derniers. Elle m'a demandé ce que j'avais prévu, j'ai consulté ma montre, il était une heure du matin.

– Je vais prendre un taxi pour la gare d'Euston, je ne sais pas s'il y a encore des trains pour Birmingham.

Elle a saisi son téléphone portable dans son sac, elle avait le nouveau smartphone qui servait d'ordinateur. Après avoir tapé sa recherche sur le clavier et vu s'afficher les résultats, elle a pris une mine soucieuse.

– Le prochain train part demain matin à... 5 h 34. C'est un omnibus. Le 6 h 23 est direct.

– Il faut que je me cherche un hôtel du côté de la gare... Ce fut une soirée magnifique, Helen.

Elle s'est rapprochée de moi, je ne l'avais jamais vue de si près. Le reflet rouge de l'enseigne au néon du restaurant chinois éclairait son visage et ses yeux clignaient d'une drôle de manière. Elle s'est collée à moi, sur la pointe des pieds ou est-ce moi qui ai baissé la tête ? Elle m'a enveloppé dans ses bras et attiré vers elle, nos lèvres se sont rejointes. À mon tour, je l'ai prise dans mes bras, je sentais son corps ferme contre le mien. Nous nous sommes embrassés, longtemps, nous nous sommes détachés en entendant le taxi qui s'immobilisait près de nous. Elle m'a tendu la main, elle a donné son adresse au chauffeur et nous sommes partis.

*

Étant militaire, et d'après ce qui m'avait été révélé, avec un aspect de pasteur anglican, je n'étais pas d'un tempérament extraverti, je ne vais donc pas entrer dans des détails qui relèvent de ma vie intime et raconter par le menu ce qui s'est passé avec Helen. Je dirai simplement que ce fut une nuit merveilleuse comme je n'en avais pas connu auparavant et, d'une certaine façon, j'ai découvert le véritable amour sexuel à l'âge de trente-deux ans, perdant jusqu'au souvenir des femmes que j'avais croisées avant elle. Helen et moi avons vécu une nuit dont je me souviendrai toujours tant elle fut exceptionnelle de fougue et d'intensité, d'amour partagé et épanoui. Cette première nuit aurait pu être un accident, dû à la rencontre inattendue de deux corps perdus qui se trouvaient enfin, ce ne fut pas un hasard mais une révélation et une extase mutuelles, une communion sexuelle. La nuit du samedi fut tout aussi épatante, et je ne dirai rien de la nuit du dimanche, ayant décidé de conserver à ce récit une certaine élévation et par crainte d'attiser la concupiscence et la jalousie.

Ce que j'aimais, c'était sa peau frissonnante, j'ignorais qu'une peau pût frissonner à ce point, et ce que j'aimais par-dessus tout, c'était la faire frissonner. Son nombril, par exemple, me mettait en joie : il était sublime, une bille parfaite et moelleuse que je ne me lassais pas de contempler. Cette première nuit a été suivie d'une journée, ou plutôt de deux journées tout aussi miraculeuses. Par chance, en effet, c'était un samedi, Helen ne travaillait pas, ni le dimanche non plus.

Elle a sorti du garage son 4×4 Dodge avec pare-buffle, elle a absolument tenu à conduire et nous sommes partis pour Brighton. Il faisait une météo de Riviera. Helen raffolait de Brighton, elle y allait petite avec ses parents. Pendant le trajet, elle m'a raconté l'histoire compliquée de sa famille, de son salaud de père parti sans prévenir avec la serveuse italienne de la trattoria où il allait déjeuner et qui avait vingt-deux ans de moins que lui. Ces deux-là vivaient aujourd'hui à Sienne, où ils tenaient un commerce de glaces artisanales florissant. Il lui avait fait quatre enfants, Helen n'avait jamais rencontré ses demi-frères et demi-sœurs. Bien qu'ils aient fait de timides tentatives pour nouer des liens familiaux inexistants, elle s'était juré, en souvenir de sa mère, qu'elle les ignorerait toujours. Sa mère, qui était la dignité incarnée, avait repris son travail de comptable et, restée seule, les avait élevées, elle et sa sœur cadette, leur permettant de faire des études supérieures. Sa sœur s'était mariée à un marchand de bestiaux de Winnipeg, un abruti fini, de sorte qu'Helen et elle ne se voyaient plus, leurs dernières retrouvailles remontaient à quatre ans, lors de l'enterrement de leur mère, décédée à la suite d'une longue maladie. Depuis, Helen se forçait à téléphoner à sa sœur au moins une fois par an mais elles n'avaient rien à se dire. J'aurais pu rester près d'Helen indéfiniment, quand elle me parlait de sa vie, me confiait ses histoires de famille et d'innombrables anecdotes tirées de sa carrière.

La nuit venue, sa main effleurait mon corps inlassablement, ses doigts couraient sur ma peau, le long des éraflures, des entailles, des coutures, des marques de vieilles bagarres de rade pourri ou de bordel qui en bosselaient ou en tachaient la surface, traces que ce frôlement transformait en une constellation de scarifications glorieuses, comme si ces cicatrices témoignaient de mon courage alors qu'elles me faisaient ressembler à une momie rapiécée ou à ces monstres qu'on exhibait dans les foires et qui faisaient frémir les jeunes filles, sauf elle : «*Et celle-là, c'était quoi ? C'était où ?*» L'origine de la plupart d'entre elles s'était effacée de ma mémoire. Helen prenait cette amnésie pour de la discrétion ou pour de la pudeur et ne m'en admirait que davantage. C'était la preuve que j'étais un guerrier et que je méritais son amour. Ses caresses, d'une douceur infinie, me chatouillaient un peu, c'était délicieux. J'adorais qu'elle m'explore. Je la laissais découvrir la moindre parcelle de mon corps, détectant à chaque passage des témoignages oubliés de mon courage.

– Et ça, c'est quoi ?

Elle avait disparu sous mon bras, je sentais son index de velours sous mon aisselle, alors que les premières lueurs du dimanche rougissaient les plis des rideaux.

– C'est le tatouage de mon groupe sanguin. Dans le Royal Marines, ce genre de détail peut changer ton destin.

– Oh… Mon chéri !

*

Helen a été la première femme à m'appeler «*Mon chéri*». Quand elle prononçait ces mots, je vibrais comme un alto. Elle aurait pu me réclamer n'importe quoi, je l'aurais fait pour l'unique plaisir de la satisfaire, mais elle ne me demandait rien.

– Et toi, tu ne me parles pas de ta famille ?

– Les miens ? Ils sont tous morts. Je suis seul.

– C'est triste, mon chéri.

Nous sommes allés nous balader sur la jetée, main dans la main, comme si nous avions seize ans. Elle m'a raconté son premier mariage. Âgée de vingt ans, elle avait eu un coup de foudre pour un journaliste-vedette qui avait vingt ans de plus qu'elle et qui l'avait embauchée comme stagiaire. Ils avaient cru au Grand Amour, avant de se séparer. Elle ne m'a pas donné de détails, elle a seulement dit qu'ils évoluaient sur des chemins divergents, et que c'était le défi de notre époque. Ce qui m'a le plus surpris, c'est le ton qu'elle a employé, j'ai senti dans ses propos une forme de fatalisme.

– Comment pouvais-tu être certaine que votre aventure était condamnée à l'échec ?

Elle a contemplé la mer, puis a soupiré et nous avons repris notre marche. C'est ce jour-là, sur le coup de treize heures, que j'ai découvert le goût d'Helen pour le vin blanc en général, le sancerre en particulier, et sa propension à élaborer des théories pas toujours orthodoxes. Elle avait tenu à m'emmener au Pirate, un restaurant chic tenu par deux Français qui l'accueillirent en habituée. Sans qu'elle eût rien commandé, ils déposèrent sur la table une bouteille de son vin préféré. Elle commanda pour moi, elle connaissait la carte par cœur. Le repas fut savoureux. Helen buvait le sancerre comme si c'était de l'eau.

– Vois-tu, à un moment, on s'entend bien, c'est enfin une rencontre qui nous comble de bonheur et on espère que ça va durer... Seulement, on change, on se recompose en permanence, on évolue, mais rarement dans des directions parallèles, c'est cela le véritable problème des couples ; on oublie ce qu'on avait aimé chez l'autre, on se lasse de ce qui nous charmait avant, on a des idées nouvelles, on découvre des envies jusque-là inconnues, des goûts différents de la veille, on n'avance plus ensemble avec des objectifs identiques. Peu à peu nos chemins s'éloignent et se séparent inexorablement. On se dit : qu'ai-je pu lui trouver de si intéressant ? Combien de temps ça peut durer, l'amour ?

– Il y a des gens qui s'aiment, qui vivent ensemble toute leur vie.

– Un jour, j'ai réalisé que la gent masculine avait inventé le mariage pour asservir la gent féminine et conçu l'amour unique pour écarter les concurrents. Ce sont des notions périmées, l'héritage de siècles de tutelle, aujourd'hui, les femmes n'en ont plus besoin.

Après son mariage, Helen n'avait eu que des histoires sans intérêt. Aucune n'avait duré. Elle avait donné la priorité à son métier. J'avais l'impression qu'elle récitait une argumentation bien rodée, la chanson de la fille blasée qui en a bavé et qui se blinde face aux coups du sort. Son sourire forcé, son regard d'oiseau inquiet et ce verre qu'elle ne reposait jamais, cette insistance qu'elle mettait à affirmer que l'amour ne pouvait être que passager et qu'il ne servait à rien de se lamenter contre sa fugacité, comme si elle voulait s'en convaincre, me la firent paraître plus désirable encore.

*

Nous avons attendu sur le quai de la gare d'Euston le départ du train pour Birmingham. Helen avait tenu à m'accompagner, affirmant qu'elle trouvait romantiques les adieux sur un quai de gare. Je n'allais pas la contrarier en ce dimanche soir tristounet où nous allions nous séparer, où nous repartions vers nos vies respectives si dissemblables, sans savoir quand nous allions nous revoir. Je n'avais pas voulu aborder cette question pendant notre voyage de retour, et j'imagine que ça devait lui trotter dans la tête. Nous avions mis près de quatre heures à revenir de Brighton, à croire que tous les Londoniens y avaient passé leur week-end. Helen avait piloté son tout-terrain au milieu d'une file ininterrompue de voitures qui avançaient au pas. Elle ne s'énervait pas. Elle avait parlé de son métier, de son amitié pour Susan, en qui elle avait une confiance absolue, et de leurs nombreux projets. Elle pouvait recevoir à tout instant un appel qui l'enverrait en Asie ou en Afrique. Malgré mon insistance, elle n'avait pas voulu m'en révéler plus, se bornant à préciser qu'un de ces projets aboutirait à un scoop mondial. « *Ce n'est pas que je n'aie pas confiance en toi, mais ça porte malheur d'en parler trop tôt.* »

Un haut-parleur a annoncé que le 22 h 23 pour Oxford et Birmingham partirait du quai 5. La foule qui patientait devant le panneau indicateur s'est ébrouée. Helen, me souriant avec insistance, a extirpé une carte de visite du fond de son sac à main, un fourre-tout gigantesque en cuir rouge vif qui pesait une tonne et dans lequel elle fouillait souvent à la recherche d'un objet introuvable en le posant sur son genou, debout en équilibre instable.

– Là, tu as le téléphone de la production. Je te mets le numéro de la maison et celui de mon portable. Ne le donne à personne.

– Ne t'inquiète pas, je ne connais personne.

– Et toi ? Je fais comment pour te joindre ?

– Moi ? Il faut appeler l'hôpital militaire.

– Ce n'est pas pratique, Tom. Il te faudrait un portable.

– Je ne reçois aucun appel, tu sais.

Nous avons rejoint le quai 5 et j'ai composté mon billet. Nous sommes restés face à face, embarrassés, ne sachant plus quoi nous dire. J'ai entendu le bruit mou de son sac qui tombait sur le sol, elle a jeté ses bras autour de mon cou, mes mains ont agrippé sa taille et nous nous sommes embrassés. Ce fut un baiser fougueux et inhabituellement long, surtout dans ce pays où on les expédie à toute vitesse. Au bout d'une minute, ou de deux, nous avons entendu des réflexions goguenardes. Des étudiants qui regagnaient Oxford se foutaient de nous. Très vite nous les avons oubliés, eux et tout ce qu'il y avait aux alentours. La foule nous évitait, la terre tournait et nous nous laissions entraîner dans cette ronde. Helen s'est légèrement écartée de moi et je l'ai entendue murmurer :

– Ton train. Il s'en va.

– En effet.

– Embêtant si tu ne le prends pas, non ?

– M'en fous.

Reposant mes lèvres sur les siennes, je sentais son cœur qui tambourinait ou peut-être était-ce le mien. Le bruit du train a fini par s'éteindre dans le lointain. C'est ainsi que nous avons eu droit à une nuit d'amour supplémentaire.

*

Les vrais amants sont des voleurs, quand ils ont trouvé la clé du coffre, ils prennent tout ce qu'il y a dedans et le dépensent sans compter, sans rien mettre de côté en prévision des jours de disette amoureuse. Ils dérobent sans vergogne tout et tout de suite, et s'arrêtent seulement avant de mourir d'épuisement.

Le lundi matin, je prenais une douche glacée et me frottais le dos avec mollesse en songeant que j'étais certainement le soldat le plus heureux du monde. Je me sentais dans l'état d'un homme en train de rire en apesanteur. Normalement, j'aurais dû être anxieux et mal dans ma peau, inquiet pour mon avenir, car j'étais un officier en situation de désertion. Or, loin de craindre le déshonneur et l'infamie, loin de m'effrayer d'une probable sanction, je me sentais léger et désinvolte. Si on m'avait dit que je finirais, moi aussi, par mépriser le règlement en manquant gravement à la discipline, j'aurais haussé les épaules devant une telle absurdité. La veille, j'aurais juré sur la Bible que je serais le dernier à déserter mon poste, et je me serais damné plutôt que de trahir mon serment... À présent, cette perspective ne m'effrayait plus, et pis, je ne regrettais pas une seconde d'avoir failli, je n'aurais pas hésité à recommencer, à me faire dégrader et fusiller pour l'exemple, si cela avait pu me rendre digne de mériter un seul regard d'amour de cette femme. Quatorze ans plus tôt, j'étais entré dans l'armée comme un moine en religion ; en tant que soldat, j'avais tout accepté, avec constance et professionnalisme, conscient de servir un idéal plus grand et plus important que moi-même, et voilà qu'en une nuit, j'avais changé au point d'être prêt à renoncer à mes galons et à mes décorations sans états d'âme, sur un seul mot qu'elle prononcerait ou pour un seul sourire qu'elle m'accorderait.

Soudain, la porte vitrée de la douche s'est ouverte, j'ai vu Helen s'encadrer dans l'ouverture et me fixer d'un œil noir. J'ai coupé l'eau, étonné de la sentir en colère. Elle paraissait crier. Ce n'était pas qu'une impression. Elle criait bel et bien :

— Tu n'entends pas ? Ça fait une heure que j'appelle. Tu pourrais répondre, non ?

— J'ai une perte auditive de cinquante pour cent à l'oreille gauche et de trente pour cent à l'oreille droite. Quand je prends une douche, j'enlève mes prothèses et j'entends à peine l'eau qui me tombe dessus.

– Oh, mon chéri, pardonne-moi. Je suis désolée, je n'y pensais plus.

Je lui ai tendu la main, elle a posé un pied dans le bac de la douche, puis l'autre. J'ai fait tomber son peignoir et j'ai rouvert le robinet.

– C'est glacé ! s'est-elle écriée en trépignant sur place, tandis que sa peau, devenue chair de poule, était parcourue de ces frissons qui me rendaient fou.

Jamais je n'avais pris une douche plus agréable. Ç'aura été la douche la plus longue de ma vie, nous ne sommes sortis de la cabine qu'après avoir épuisé l'eau chaude du cumulus.

J'ai fini par prendre le train pour Birmingham, le direct de 13 h 23. Sur le quai de la gare, elle m'avait dit : «*Reviens vite, je t'en prie.*» Sur le marchepied du train, je lui avais répondu : «*Deux trois détails à régler, et je suis de retour !*» J'affichais de la décontraction alors que j'étais persuadé d'aller au-devant de gros ennuis et que nous ne pourrions pas nous revoir avant longtemps. Mais je ne voulais pas l'inquiéter. Auparavant je n'avais pas remarqué à quel point cette campagne verdoyante était sinistre et cette ville lugubre. J'ai pénétré à 15 h 24 dans l'hôpital militaire, prêt à assumer mes responsabilités, à présenter mes poignets pour qu'on y accrochât les menottes de l'infamie, m'attendant à être méprisé par tous mes compagnons et jeté en prison pour y subir le châtiment de ma désertion. J'avais préparé un discours, avec des arguments pitoyables, décidé à implorer la clémence des juges militaires pour qu'ils tiennent compte de mes états de service et ne m'envoient pas croupir dans une geôle ignoble.

Il m'a été impossible de présenter ma défense car

personne, absolument personne, ne s'était rendu compte de mon absence. Voilà qui donne à réfléchir sur la déliquescence où s'abîme aujourd'hui notre malheureux pays, sur les ravages causés par la réduction forcée des effectifs et sur l'état de décrépitude avancée des hôpitaux britanniques en général et du service de santé des armées en particulier. Tous ceux que j'ai croisés sur mon chemin, à commencer par mon commandant, m'ont demandé comment j'allais, ont ajouté que j'avais une mine splendide, et que la vie était plus belle quand le soleil brillait, n'est-ce pas ?

*

Nous n'avons rien décidé, nous n'avons discuté de rien, ni de notre présent, ni de notre avenir. Les choses se sont faites sans que nous ayons eu à les formuler, comme si nous avions suivi une pente naturelle, avec la conviction que ç'aurait été une absurdité sans nom de ne pas le faire, attisés par la promesse de nuits magiques, incapables de résister à la tentation et, quant à moi, poussé à l'indiscipline par l'absence de contrôle. J'avais eu de la chance en atterrissant dans cet hôpital ouvert, car, dans mon état d'esprit, si j'avais été confronté à la discipline habituelle, j'aurais déserté pour de bon et serais devenu un fugitif.

J'essayais de prendre le train de 10 h 23, c'était difficile : nos nuits étaient si agitées... Je prenais plus facilement le 13 h 23, faisais acte de présence, me montrais à tous les étages, bavardais de tout de rien avec les collègues et revenais par le 16 h 49 pour retrouver Helen. J'avais donné à Kevin, mon voisin de chambre et ami, un Gallois qui avait perdu la jambe gauche, le numéro du téléphone portable d'Helen, au cas où on m'aurait réclamé, il n'a jamais eu besoin de s'en servir.

Quand je suis arrivé un mercredi sur le coup de quinze heures, Kevin m'a informé d'un air inquiet qu'on me cherchait depuis le matin. Il avait raconté au gradé que j'étais allé faire une course en ville. Je devais me présenter au médecin-colonel dès mon retour. Persuadé que j'avais été démasqué ou trahi par quelque jaloux, je n'étais pas rassuré en allant frapper à la porte du bureau du patron.

– Mon ami, a-t-il dit en me tendant la main avec une mine d'enterrement, j'ai une mauvaise nouvelle à vous annoncer.

Il a hoché la tête avec gravité. Pensant que, cette fois, je ne couperais pas au conseil de guerre, je m'attendais à être arrêté d'un instant à l'autre. Pourtant, il m'a fait signe de m'asseoir en face de lui et demandé comment j'allais. Comme je ne répondais pas, il a réitéré sa question avec insistance. Je restais sur mes gardes, attendant qu'il m'attaque sur mes absences nocturnes, et je ne comprenais pas pourquoi il m'interrogeait sur mes projets d'avenir. Il a ouvert un mince dossier bleu et a murmuré :

– C'est terrible... Vraiment, quel dommage !

Il m'a informé d'une voix éraillée, que mon contrat allait être résilié. La mort dans l'âme, il avait signé l'avis d'incapacité médicale. Mon dossier serait examiné par la commission d'indemnisation, qui me ferait rapidement une proposition financière. Il avait évalué mon incapacité physique à quarante-deux pour cent, ce qui était extrêmement généreux. Mon état de santé consolidé n'aurait pas dû entraîner un taux de reconnaissance d'incapacité supérieur à vingt-cinq pour cent, mais il avait intégré le fait, désolant il en convenait, que la résiliation intervenait alors que j'avais quinze ans d'ancienneté, avant que j'eusse atteint le seuil fatidique des seize ans de service. Je ne toucherais donc pas de demi-pension militaire. Le médecin-colonel a sous-entendu qu'en haut lieu on avait approuvé cette surévaluation qui compenserait l'absence de retraite, ajoutant que ce n'était que justice.

– Je dois quitter l'armée ?

– Vu votre état, vous ne pouvez plus servir dans l'active.

J'ai fermé les yeux, essayant de réaliser ce que cela signifiait. Normalement, pour un soldat, il s'agit d'une catastrophe et, hormis la dégradation publique, il n'existe pas de pire sanction que la résiliation du contrat sans pension. J'aurais dû m'effondrer, être abattu. Je dois préciser qu'il n'en était rien. Au fond de moi je jubilais, j'avais envie de hurler ma joie : j'allais être tout le temps avec Helen, nous n'aurions plus à nous cacher ou à nous préoccuper des horaires des trains. Nous allions pouvoir passer nos journées à nous balader et nos nuits à faire l'amour sans autre préoccupation que notre plaisir. Je me suis retenu de me lever pour chanter et danser et sauter au cou de mon pauvre médecin-colonel. À aucun moment, je n'ai pensé que l'armée me larguait après m'avoir essoré, qu'elle se dépêchait de me chasser avant d'être obligée de me payer une petite pension, non, je n'ai pensé qu'à Helen et aux millions de frissons à venir, à l'immensité de ce que nous allions vivre : une vie entière au lit, autant dire au paradis.

Malgré l'ouragan qui me traversait, je n'ai pas exulté, j'ai gardé un calme imperturbable. Tout à mon bonheur

futur, je n'ai ni protesté, ni plaidé ma cause. Mon médecin-colonel a dû se méprendre sur cette retenue et, pour
me récompenser de mon attitude si digne, marque de
fabrique des militaires anglais, il a rayé quarante-deux
pour cent sur mon avis d'incapacité et a inscrit cinquante.

*

Le documentaire d'Helen a été diffusé un lundi soir.
Nous l'avons regardé avec une flopée d'amis, ceux d'Helen et de Susan, dans un restaurant français de Camden
qui était comble et où un téléviseur avait été posé sur
le comptoir. J'ai été le premier surpris par cette projection. Je m'attendais à éprouver de l'ennui en revoyant le
film, et je m'étais promis de n'émettre aucune critique.
Je n'ai pas eu à me retenir ou à me forcer : cette fois, je
l'ai trouvé passionnant, exaltant même, de bout en bout,
meilleur, bien meilleur que la première fois. Je me suis
fait avoir, comme les autres, j'ai fini par croire à ce que
je voyais, à cette histoire de surhomme qui ne voulait pas
mourir et qui défendait les valeurs éternelles de l'Empire britannique, avec honnêteté et humilité. J'ai compris alors le parallèle qu'Helen avait vu entre ce pays qui
gardait la tête haute, refusant de disparaître malgré ses
ennemis, et ce soldat qui l'incarnait à merveille, qui se
relevait toujours malgré les coups du sort, et je me suis
senti comme investi d'une parcelle de la dignité immé-
moriale de notre nation.

À nouveau, j'ai eu droit à des compliments répétés, à des
tapes sur l'épaule, à des embrassades. J'ai eu beau affirmer
que je n'étais pour rien dans ce film, que tout le mérite en
revenait à Helen, personne ne me croyait. Au contraire, on

voyait en moi un brave à l'ancienne, un modeste comme on n'en faisait plus. Chacun voulait trinquer à ma santé, me demandait mon secret et refusait de me croire quand je soutenais n'en avoir aucun. Susan a réclamé le silence, elle avait son téléphone collé à l'oreille, et, soudain, elle a poussé un cri comme si on venait de lui écraser le pied :

— Mes amis, on a fait 12,7 % d'audience et on a niqué le deuxième épisode de *FBI* ! C'est le plus gros succès de la chaîne sur cette tranche horaire !

Cette déclaration a eu un effet dévastateur. Ils sont tous entrés en transe, ç'a été un moment d'hystérie collective, comme si l'équipe nationale venait de remporter la Coupe du monde de foot. Les gens s'embrassaient, se félicitaient, le patron a sorti trois magnums de champagne et les bouchons ont sauté. Susan et Helen ont fait un discours, chacune remerciant l'autre et me remerciant ensuite.

Quand Helen m'a tendu le micro, je ne voyais pas autour de moi à qui je devais le donner. Ils se sont mis à scander : « *Thomas, un discours !* » J'ai porté le micro à mes lèvres, ils se sont tus, je cherchais mes mots, rien ne venait. J'ai regardé Helen, elle m'a encouragé d'un sourire et d'un signe de tête et j'ai réussi à balbutier :

— Ça m'a beaucoup plu, on aurait dit du cinéma !

À en juger par la clameur et les applaudissements qui ont suivi, je venais de formuler une réflexion d'un niveau exceptionnel.

*

Dès qu'un aide-soignant était venu me prévenir, je m'étais précipité, mais, avec ma jambe raide et les nombreux escaliers à descendre, il m'avait fallu cinq minutes pour rejoindre le hall d'entrée de l'hôpital, où était situé le standard. Helen n'avait pas pu attendre et avait laissé un message.

Je l'ai retrouvée pour dîner au Prince Albert, son pub favori. Sur la table, il y avait une bouteille de sancerre bien entamée et, posée sur mon assiette, une boîte enveloppée dans un papier rouge glacé. Elle me l'a donnée.

– C'est pour toi. Un cadeau.

C'est ainsi que j'ai reçu mon premier téléphone portable. Un appareil superbe, avec une foule de fonctions dont, me promit-elle, je ne pourrais désormais plus me passer, et un mode d'emploi aussi épais qu'indigeste. Avec Helen, j'ai pris un cours accéléré :

– Quand le téléphone se met à vibrer puis à sonner, tu appuies sur le bouton vert. Pour arrêter, c'est le bouton rouge. Si tu veux me joindre, je t'ai programmé les touches : le 2 pour mon portable, le 3 pour la maison, le 4 pour la production et le 5 pour le portable de Susan, elle saura toujours où me trouver.

– Et je peux téléphoner à qui je veux ?

– Tu composes le numéro puis tu presses la touche verte.

– Formidable !

Elle m'a encouragé à lire le manuel à tête reposée et elle a commandé une deuxième bouteille de sancerre. Elle s'est servi un verre et m'a considéré avec sérieux.

– Tom, cela ne peut pas continuer comme ça !

Il n'y avait rien d'étonnant à ce qu'Helen eût si bien réussi dans son métier. Quand elle parlait, on n'imaginait pas de l'interrompre : on l'écoutait, subjugué par la conviction avec laquelle elle s'exprimait, par son visage lumineux, par la façon gracieuse qu'elle avait de vous convaincre par K-O en éliminant à l'avance les objections que vous pourriez formuler et en ne vous donnant à choisir qu'entre le oui et le non. Comme elle vous amenait exactement là où elle l'avait prévu, vous répondiez selon sa volonté, et elle avançait ainsi jusqu'à la conclusion, qui s'imposait à vous avec autant d'évidence que si vous l'aviez vous-même choisie. Elle a conclu sa démonstration comme s'il s'agissait d'un théorème mathématique.

– Ce n'est pas la meilleure solution ?

– Ben si.

Je me suis donc installé chez Helen. Elle n'avait plus vraiment vécu avec un homme depuis son divorce. Elle en avait gardé un si mauvais souvenir, ce mariage s'était si mal terminé, qu'elle était persuadée de ne plus jamais pouvoir récidiver. À présent, elle se sentait assez forte pour tenter à nouveau l'expérience. J'étais ravi que ça tombe sur moi. Elle m'a expliqué que je ne pouvais pas aller à l'hôtel : ils étaient d'un rapport qualité-prix exécrable et ce n'était pas le moment pour moi de faire des dépenses inutiles. Je suis retourné à Birmingham chercher mes affaires : elles tenaient dans deux valises et un gros sac de voyage.

Voici quel a été le principal problème entre nous : il y avait de la place dans son cœur mais pas dans ses placards. Helen avait hérité d'une petite demeure blanche de deux étages située dans une rue tranquille de Belsize. Sur l'arrière, elle avait un bout de pelouse qui s'étendait en longueur et lui permettait de profiter de la vue sur les autres jardins. De chaque côté, on ne voyait que des arbres, on n'apercevait aucune construction et on n'entendait pas la circulation. Helen était très fière de cette vue, elle lui donnait l'impression d'habiter la campagne au cœur de Londres. La maison était étroite, avec une pièce à chaque niveau. Elle était pleine de charme, parfaite pour une célibataire qui se prépare juste un petit déjeuner. Pour y vivre à deux, c'était moins pratique. Je n'avais pas été prévu dans les plans d'origine : ses armoires étaient déjà saturées mais j'ai dégoté un espace libre à l'entresol pour poser mes valises. Ce qui m'a le plus surpris dans cette habitation, ç'a été le désordre indescriptible dans lequel elle vivait, on se serait cru au lendemain d'un déménagement.

– La pagaille est mon art de vivre, affirmait-elle avec flegme.

On a fini par s'arranger tant bien que mal. Helen a fait de gros efforts pour faciliter la cohabitation, notamment en vidant une partie de son armoire à chaussures du deuxième étage (il s'agissait de chaussures et de bottes tombées en disgrâce). Elle m'a permis d'installer mes vêtements dans le réduit aménagé sous l'escalier et, petit à petit, j'ai fini par me sentir chez moi chez elle.

*

La diffusion du documentaire a eu un énorme retentissement. Je me suis retrouvé en couverture d'un journal de télévision et nous avons obtenu un nombre inhabituel d'articles dans la presse. Les gens me reconnaissaient dans la rue. Certains me présentaient à leurs amis qui n'avaient pas vu le film : «*C'est Trompe-la-Mort!*» Les autres répondaient presque toujours : «*Ah oui, on m'a parlé de lui.*» J'entendais des réflexions : «*Pourtant, il n'est pas grand*»; ou : «*Il n'a pas l'air si terrible.*» Des enfants mal éduqués faisaient mine de pointer un revolver sur moi et de me tirer dessus et leurs parents riaient de leur facétie. J'ai vu plusieurs individus me dévisager d'un air mauvais. Une punk livide au physique de déménageur de pianos, les yeux cernés de khôl, a fait claquer un cran d'arrêt sous mon nez. Elle est partie d'un éclat de rire criard en me voyant sursauter, puis elle s'est passé le fil de la lame sous la gorge et m'a désigné de l'index, avant de s'évanouir dans la foule. Une autre fois, un skinhead au visage couvert de boutons a brandi un marteau effilé de couvreur, et a fait des moulinets dans ma direction. Je n'étais pas rassuré d'être à la merci de n'importe quel dingue. Quand j'attendais le bus, il se formait un attroupement, les chauffeurs râlaient parce que je leur faisais perdre du temps. Sinon, les gens affichaient une attitude bon enfant, ils voulaient se faire photographier à mes côtés ou sollicitaient un autographe. Beaucoup de femmes, et quelques hommes, en ont profité pour me glisser dans la main leur numéro de téléphone avec un clin d'œil ou un sourire complice.

Cette effervescence a duré un gros mois puis, lentement, comme une rivière qui se tarit, on m'a moins regardé, moins interpellé, et j'en ai été soulagé. Il m'arrive encore de sentir dans le regard d'inconnus qui me croisent une interrogation insatisfaite : ils se demandent quelle figure familière je leur rappelle. Ils cherchent dans leur mémoire mais ne trouvent rien. Mon visage a été effacé, balayé, recouvert par ceux de milliers d'autres individus qui ont connu leur moment de gloire médiatique.

*

Un soir, Helen est rentrée plus tôt que d'habitude. Elle a jeté violemment son gros sac rouge sur le canapé, il est tombé, et son contenu s'est répandu sur le sol. J'ai voulu l'aider, elle m'a apostrophé avec une certaine agressivité; je venais de commettre un acte d'une gravité extrême. Elle m'a mis en garde : je ne devais jamais, sous aucun prétexte, toucher à son sac ou à ce qu'il y avait dedans. Il s'agirait d'une violation inqualifiable de sa sphère intime. Je l'ai laissée ramasser ses affaires éparpillées. Elle a fini par tout remettre à l'intérieur, en vrac. Elle a attrapé la bouteille de sancerre; apparemment, elle avait soif. Puis elle m'a fixé d'un œil noir. J'ai pensé qu'elle était rancunière. Pourtant, j'avais à peine effleuré son sac.

– Dis-moi, Tom. As-tu de la famille?

Cette question m'a pris au dépourvu. Nous avions vaguement abordé le sujet lors de notre premier séjour à Brighton.

– Je te l'ai déjà dit, je suis seul.

– Alors, qui est ce type qui téléphone à la production et qui prétend être ton père?

Il m'a fallu quelques secondes pour comprendre et pour renouer le fil de l'histoire, un fil qui s'était brisé il y avait plus de quinze ans.

– Ton père est-il vivant? a-t-elle insisté, agacée par le peu d'empressement que je mettais à lui répondre.

– Je n'ai plus aucun contact avec lui depuis que j'ai quitté le domicile familial, quand je suis devenu majeur. Qu'il soit mort ou vivant, je m'en fiche, ce n'est pas mon problème. Pour moi, mon père a disparu il y a longtemps.

Elle a farfouillé dans son sac rouge pendant une minute en râlant, avant d'en extraire un post-it froissé qu'elle a déchiffré avec peine.

– Un type du nom de… Gordon Larch a hurlé après

l'assistante de Susan en jurant qu'il était ton père, que tu l'avais abandonné et ne lui avais jamais donné de tes nouvelles. Qu'il était gravement malade et voulait te revoir avant de mourir.

Elle m'a donné le post-it, qui portait un nom et un numéro griffonnés dessus, je l'ai rangé dans mon portefeuille.

Chaque soir, Helen me demandait si j'avais contacté mon père, je lui répondais que je n'en avais pas eu le temps et que je le ferais le lendemain.

*

J'ai reçu mes nouvelles prothèses auditives : deux petites boules fabriquées sur mesure qui se glissaient dans les oreilles, deux miracles de technologie, et j'ai eu la sensation d'entendre comme avant. J'ai été convoqué devant la commission d'indemnisation.

Helen a insisté pour que je voie son avocate, la meilleure de Londres, affirmait-elle, qui pourrait défendre mes intérêts et tirer le meilleur parti de ma situation. Je n'en avais pas envie, elle revenait constamment à la charge, j'ai traîné et je me suis présenté à la caserne de Northwood.

Ils étaient quatre face à moi, dont un civil. Seul le général aux cheveux blancs qui présidait s'est exprimé, les gradés prenaient des notes. Durant vingt minutes, il a lu un rapport sur ma carrière. En l'écoutant, j'ai eu l'impression qu'il parlait d'un inconnu, j'ai été ébranlé par cette liste de blessures, de citations et de décorations, il a terminé avec le long rapport du médecin-colonel de Birmingham concluant à une incapacité physique de cinquante pour cent.

— Avez-vous un conseil qui s'occupe de votre dossier ? a-t-il poursuivi.

– Je suis un soldat et j'ai confiance dans l'armée.

J'ai attendu dans le couloir. J'étais décidé à accepter la somme qu'ils me proposeraient, quelle qu'elle fût. Je n'allais pas me livrer à une bataille contre moi-même.

Le général m'a annoncé que la commission entérinait le rapport médical ; mon indemnisation s'élèverait donc à un montant de 343 635 livres sterling. C'était une somme phénoménale : ne s'étaient-ils pas trompés ? Je venais d'obtenir une indemnisation d'un montant inespéré, comme en obtiennent ceux qui ont perdu leurs deux jambes, leurs deux bras et toutes leurs illusions. Il m'a fait signer la notification de cette décision et m'a indiqué que je disposais d'un délai de deux mois pour engager un recours gracieux auprès du ministère. À compter de ce jour, j'étais rendu à la société civile. Il m'a souhaité bonne chance et m'a serré la main avec une chaleur inhabituelle pour un général.

C'est à la sortie de la caserne, en dévisageant le drapeau, que j'ai réalisé pleinement ce qui venait de se produire. Dans ma tête, j'étais un officier de l'armée de Sa Majesté et, malgré mon état, je savais que, tôt ou tard, j'allais me remettre à marcher sans boiter, convaincu que je reprendrais ma vie d'avant, peut-être pas en première ligne mais à l'arrière, là où il y avait tant à faire. Désormais, ma surdité me gênait peu. Durant les longs mois de ma convalescence, je n'avais pas imaginé qu'on m'oblige à quitter l'armée et qu'on puisse ne pas avoir besoin de mes compétences et de mon expérience.

En passant sous le porche de la caserne, j'ai considéré l'Union Jack effiloché qui pendouillait tristement sur sa hampe. Tout d'un coup, je me suis senti comme effacé, je n'existais plus. Le lieutenant Thomas Larch avait disparu !

J'ai été pris d'une sorte de vertige, j'ai dû m'appuyer au mur. J'avais été si heureux de cette existence de soldat et j'étais persuadé qu'elle durerait toujours. Je n'aurais jamais cru que l'armée me virerait. Je suis parvenu à faire quelques pas. Il fallait que je retrouve ma respiration. Je suis parti droit devant moi et j'ai mis un moment à comprendre que je me trompais de chemin, au lieu de repartir vers Londres, j'étais en train de remonter sur Watford. J'ai hélé un taxi pour qu'il me ramène à Belsize, il y avait une forte circulation et nous avons mis une heure pour rentrer. Le chauffeur me jetait de fréquents coups d'œil, le sourcil froncé.

Quand nous avons atteint Brent Cross, à un feu rouge, il s'est tourné vers moi en ouvrant la vitre de séparation.

– Il y a un problème, monsieur ?

Je n'ai pas compris le sens de sa question. J'ai haussé les épaules. Il a hoché la tête et m'a tendu une boîte de mouchoirs en papier. Je ne m'étais pas rendu compte que je pleurais. Mes joues étaient humides de larmes. Je me suis mis à hoqueter et j'ai chialé, comme un môme, je m'en fichais que le chauffeur me dévisage dans son rétroviseur. J'ai vidé sa boîte de mouchoirs, puis je lui ai demandé de me déposer à l'endroit où nous nous trouvions.

L'air de la rue m'a fait du bien, j'ai continué jusqu'à Belsize Park et il y a eu un rayon de soleil. Pour la première fois, j'ai pénétré dans la petite église anglicane Saint-Peter, elle était dans la pénombre, éclairée seulement par la faible lumière qui traversait les vitraux. Elle était vide. Je me suis assis sur un banc du fond et j'ai attendu. Il faisait frais. Une musique oubliée s'est mise à résonner dans ma tête. Dans un mois, j'aurais trente-quatre ans. On venait de me foutre à la porte de l'armée, je n'étais plus bon à rien. Qu'y a-t-il de plus inutile qu'un militaire au chômage ? Je n'avais aucune idée de ce que j'allais faire de ma peau. Je n'avais jamais été croyant et je ne me voyais pas commencer aujourd'hui à prier et implorer une puissance divine. Je n'avais rien à quémander à personne, et personne ne me rendrait le moindre service. À quoi cela avait-il servi de me sauver tant de fois et de m'épargner sur tant de champs de bataille, si c'était pour faire de moi un être démuni et perdu ? Je n'étais qu'un imposteur, un individu de trop, qui avait eu cent occasions de mourir, et j'aurais tellement préféré tomber en Irlande ou en Irak, au milieu de mes frères d'armes.

Voilà que les arpèges magiques de Knopfler revenaient me hanter, ou était-ce la réapparition de mon père qui les faisait remonter à la surface de ma mémoire ?...

Un jour vous rentrerez dans
Vos vallées et vos fermes
Et vous ne brûlerez plus
D'être frères d'armes

*

Je me souviens des mois qui ont suivi comme des plus beaux et des plus désespérants de ma vie. Helen et moi étions comme deux célibataires qui vivaient ensemble et ne cherchaient qu'à profiter de leur liberté et à s'amuser. Elle travaillait énormément, partait en reportage pendant une ou deux semaines d'affilée. Quand elle était à Londres, nous sortions tous les soirs dans les meilleurs restaurants et, le week-end, nous descendions sur la côte. Nous dormions dans de beaux hôtels, ou nous rejoignions des amis qu'elle me présentait. Les gens étaient épatés de rencontrer Trompe-la-Mort, me posaient des questions, toujours les mêmes, je jouais le jeu et leur parlais de mes aventures avec désinvolture. On sollicitait mon avis sur les derniers événements politiques, et mes commentaires étaient accueillis avec la plus grande considération. Je pouvais proférer n'importe quelle banalité : nul ne la relevait.

Un soir, sans l'avoir prémédité, j'ai modifié légèrement les faits pour me donner le beau rôle. Mon contrat n'avait pas été résilié par l'armée, c'était moi qui étais parti : entre nous, la politique militaire du gouvernement était catastrophique, il fallait arrêter de suivre bêtement les Américains comme des toutous aveugles, nous devions tirer les leçons des échecs répétés de notre politique étrangère et redevenir autonomes, et puis nous attaquer enfin aux vrais terroristes, ceux qui nous menaçaient, et leur rendre coup pour coup, quitte à utiliser leurs propres méthodes. Je parlais et on m'écoutait. Helen m'écoutait. À deux reprises, on m'a demandé si je n'avais pas l'intention de me présenter aux élections et j'ai assuré que non, cela ne m'intéressait pas, j'avais de meilleurs projets. À chaque fois que je mentionnais l'existence de ces fameux projets, je baissais la voix comme s'il s'agissait de secrets ne pouvant être révélés, particulièrement à des civils. Ce prétendu devoir de réserve m'a évité d'avoir à expliquer que mon unique projet était de trouver un boulot et qu'à ce jour, je n'avais rien en vue.

Je n'avais pas de soucis d'argent. Entre mes économies et mon indemnité de départ, je pouvais rester de nombreuses années à regarder passer les nuages. Il n'était pas dans mon intention de rester inactif, mais que peut faire un militaire qui retourne à la vie civile, quand il n'a ni métier ni spécialisation ? À quoi peut-il servir ? Poser une bombe sous un bateau, manipuler des explosifs et faire sauter un pont, lancer une grenade d'assaut à soixante-dix mètres, utiliser de nuit un fusil à visée laser, égorger en deux secondes un ennemi, ces choses-là s'avéraient finalement peu utiles à Londres. Helen a voulu m'aider. Si elle ne l'a jamais dit ouvertement, elle pensait qu'avoir été pris en charge à chaque instant par sa hiérarchie et avoir passé quinze ans à crier : « *Oui, chef !* » en claquant des talons était un handicap qui vous empêchait de vous servir de votre tête. D'une certaine façon, elle n'avait pas tort, et je voulais lui prouver que je n'étais pas un de ces bourrins écervelés qu'on voit dans les films d'action et que je pouvais me reconvertir sans difficulté. Mais quoi faire ? J'épluchais les petites annonces, rien ne m'attirait.

Un après-midi, Helen m'a téléphoné. Elle seule me téléphonait, cela n'arrivait pas souvent, elle n'avait pas beaucoup de temps libre, elle voulait que je note le nom et le numéro de téléphone d'un ami qui avait un job formidable à me proposer.

– C'est quoi comme job, Helen ?

– Je n'en sais rien. Appelle-le et vois ça avec lui. Il dirige une grosse boîte.

– C'est sérieux ?

– Je l'ai interviewé ce matin pour mon reportage sur les failles de sécurité dans les aéroports... Susan me dit qu'il est formidable.

Wayne Wegan était un ancien militaire, c'est ce qu'il me déclara d'emblée en m'accueillant au cinquante-cinquième étage de la tour où il avait installé les bureaux de sa société. Immédiatement, j'ai détesté ce type qui me tapait sur l'épaule. En réalité, il n'avait fait que deux ans d'armée, avant d'entrer dans la police et d'y faire carrière. Puis il avait quitté la police pour créer son entreprise, ce dont il n'avait pas à se plaindre. Avec son bagout et son sourire, ce gars-là vous aurait vendu votre portefeuille. Il régnait à présent sur une société de sécurité qui s'était hissée au quatrième rang de son secteur en Grande-Bretagne. Treize mille salariés travaillaient pour lui, dans des supermarchés et des aéroports. Souhaitant développer sa filiale de protection pour VIP, Wayne Wegan était sans cesse en quête d'éléments de valeur. D'habitude, il ne s'occupait pas du recrutement. Quand Helen lui avait dit que son compagnon, le célèbre Trompe-la-Mort, cherchait une activité dans laquelle se reconvertir, il avait sauté sur l'occasion. Le boulot était à la fois complexe et facile, il s'agissait d'accompagner et de protéger dans leurs déplacements des personnalités connues. Ce pouvait être des patrons étrangers, des sportifs, des vedettes du cinéma ou de la chanson, des particuliers qui se sentaient menacés et voulaient s'offrir une protection haut de gamme. Le marché était en plein boom. Comme il ne réussissait pas à satisfaire toutes les propositions, Wegan m'a demandé si j'étais prêt à me déplacer à l'étranger, aux États-Unis ou dans le Golfe, j'ai dit : « *Faut voir.* » Il a répondu que c'était génial. D'après lui, seules les moules ne se déplaçaient pas. Normalement la formation durait un mois, il savait qui il avait en face de lui : pour moi, une semaine suffirait. Il s'est arrêté de parler et a laissé s'établir un silence embarrassant.

— … C'est formidable, vous savez écouter ! C'est rare de nos jours. C'est comme ça qu'on obtient des informations et… et… et qu'on n'en donne pas aux clients. Je suis certain qu'on va s'entendre tous les deux. Les clients vont se battre pour vous avoir. Vous verrez, c'est un job super et vous allez vous faire des couilles en or.

Il m'a fallu expliquer à Helen que je n'envisageais pas de me lancer dans la protection rapprochée, que cette activité me déplaisait au plus haut point et que j'aurais eu l'impression de me vendre. Il fallait vraiment en avoir besoin pour accepter de jouer les costauds à lunettes noires et j'avais la chance de pouvoir attendre de trouver ce qui me convenait.

Helen n'a pas admis mes arguments ou est-ce moi qui n'ai pas su m'expliquer ? Elle revenait à la charge : j'allais laisser passer une chance unique, un emploi hyper bien payé, offrant de belles perspectives d'avenir, surtout que Wayne m'avait à la bonne et qu'il était persuadé que j'allais accepter, il l'avait dit à Susan. On pouvait faire monter les enchères.

– Je n'ai pas envie de travailler pour ce gros con !

Helen était la femme de ma vie. Certainement. Elle n'a pas été découragée par mon refus et ne m'en a pas tenu rigueur. C'est à cela qu'on reconnaît les gens qui vous aiment, non ? Ils veulent vous aider malgré vous. Elle allait activer ses réseaux. Pour me le prouver, elle a fouillé dans son sac rouge, en a sorti un monstrueux agenda. Derrière le cuir rouge de la couverture, des dizaines de pochettes en plastique débordaient de cartes de visite qu'elle s'est mise à éplucher comme si c'était le bottin.

– Cela fait vingt ans que je suis dans ce métier. J'ai

rencontré tous les Premiers ministres et tous ceux qui comptent. Je dois avoir les coordonnées de mille cinq cents personnalités, et quand j'appelle quelqu'un, on me prend tout de suite ou on me retéléphone vite. Susan en a autant, et chacune de nous a des amis un peu partout. Ce serait invraisemblable qu'en s'y mettant toutes les deux, on ne te procure pas un boulot.

L'ennui était que je ne voulais pas travailler dans la sécurité et que je ne connaissais rien à la finance. Helen a tellement insisté que j'ai fini par accepter de faire un bilan de compétences auprès d'une de ses amies, une DRH qui m'a consacré une semaine de son précieux temps pour parvenir à la conclusion que mes connaissances étaient d'une profonde inutilité pour l'ensemble des entreprises de ce pays.

– Et les relations publiques, ça ne te dirait pas ?

J'ai passé deux entretiens : un dans une célèbre entreprise qui vendait des chaussures de sport, un autre dans une usine de barres chocolatées ; et j'ai failli obtenir un emploi dans une société liée à l'industrie nucléaire, mais ils m'ont finalement décommandé.

Helen et Susan ont ensuite mis le paquet sur l'intelligence économique. Trois entreprises de ce secteur m'ont accordé un rendez-vous. Mes interlocuteurs ont dû sentir que je n'étais pas chaud pour me transformer en espion ou en agent secret, même si c'était dans une société privée. Ils m'avaient reçu sur l'injonction du grand patron et, hormis une responsable qui semblait persuadée que j'étais doué pour travailler dans l'espionnage industriel, les autres ont tout fait pour me décourager.

Mais Helen était persévérante. Un dimanche où nous nous promenions sur la jetée de Brighton, elle s'est arrêtée net et a tapé dans ses mains comme Sherlock Holmes quand il vient de trouver la solution de l'énigme.

– Je sais ce qu'il te faut, Tom.

– Oui, à quoi penses-tu ?

– Il faudrait que tu crées ta propre entreprise.

– Une entreprise ? Pour quoi faire ?

– Ne t'inquiète pas, on va s'en occuper.

Elle a téléphoné à Susan pour lui faire part de son idée, et elles ont commencé à passer en revue les différents domaines dans lesquels je pourrais exercer mes talents. Il leur a fallu une heure pour se mettre d'accord.

– Susan pense comme moi que le négoce de vin est un boulot d'avenir. Susan a un ami à Bordeaux chez qui tu pourrais aller faire un stage. Avec notre réseau, ça pourrait vite s'avérer rentable.

– Tu as dû te rendre compte que je bois peu d'alcool, Helen. Et je n'y connais rien. De plus, je crois que je ne suis pas fait pour le commerce.

Il en fallait davantage pour la démonter. Elle soupira mais ne voulut rien laisser paraître du désarroi qui la gagnait.

– Ce n'est pas un problème, mon chéri, il y a forcément une solution.

Trois jours plus tard, alors que je faisais les courses au supermarché, j'ai reçu un appel. Cela n'arrivait jamais ; le numéro m'était inconnu.

– Allô ?

C'était une voix d'homme, assez grave. Il se présenta comme étant le général Davies et ajouta :

– Ça fait une paye. Comment allez-vous, mon vieux ?

Davies ! Je l'avais connu en Irlande dans les années 90. À l'époque, il n'était que colonel. C'était lui qui dirigeait mon secteur. Il était devenu général avant de prendre sa retraite. Depuis un mois, il espérait me retrouver. En désespoir de cause, il avait téléphoné au patron de la BBC, qui lui avait donné mon numéro. Il a fini par me demander ce que je faisais.

– En ce moment, je cherche du travail.

– Ça tombe bien, mon vieux. J'ai quelque chose à vous proposer.

*

L'après-midi, William G. Davies donnait ses rendez-vous au Brook's Club, rue Saint-James. Il était impossible d'y pénétrer sans en être membre, et cette qualité ne pouvait s'acquérir que par la naissance. Pendant qu'un majordome en queue-de-pie vérifiait à l'entrée si je figurais sur la liste des invités, j'ai laissé errer mon regard, admirant ce repaire d'aristocrates avec ses portraits de gentlemen-farmers du XIXᵉ siècle, ses marbres antiques, ses menuiseries sculptées, ses trophées, son mobilier en cuir grenat patiné et son épaisse moquette bleu marine sur laquelle s'étalait l'emblème du club. Il y régnait une ambiance raffinée et désuète, conçue pour le délassement de privilégiés qui lisaient, fumaient ou discutaient à voix feutrée. Le majordome m'a conduit à travers les salons luxueux et j'ai aperçu Davies, accoudé au manteau d'une cheminée.

Davies était un de ces officiers supérieurs qui s'étaient battus pour la paix en Irlande. Refusant de céder aux ultimatums des ultras de chaque camp, y compris le nôtre, il avait permis d'instaurer dans le secteur Nord et dans la poudrière de Londonderry un début de dialogue entre les communautés. Il nous avait répété cent fois que nous ne devions pas répondre aux provocations, aux insultes, aux manifestations de haine et de mépris et je n'oubliais pas que c'était grâce à lui que j'étais passé lieutenant. Davies m'a reçu comme si nous nous étions quittés la veille, avec une familiarité de vieux militaire pour qui les grades ne comptent pas. Nous sommes allés nous asseoir dans un salon particulier attenant. Je ne l'avais pas revu depuis huit ans, il n'avait pas changé. Le serveur lui a apporté sa bouteille, un malt d'exception qu'il buvait sec avec un glaçon. J'ai commandé un thé. Il m'a posé de nombreuses questions sur l'Afghanistan et l'Irak, et il a pesté contre les crétins qui nous gouvernaient. Connaissant personnellement les membres de l'état-major affecté sur le terrain, il a été surpris quand je lui ai avoué que je n'étais pas intime avec Dannatt et Jackson. Puis il m'a interrogé longuement sur mes accidents et mes blessures.

– Dites-moi, Larch, comment avez-vous fait pour ne pas mourir ?

– J'ai eu de la chance, mon général. Ce sont les journalistes qui exagèrent.

– Appelez-moi Bill, mon vieux, comme tous mes amis.

– Je n'oserai jamais, mon général.

Davies, comme presque tous les membres de ce club, avait fait ses études au Magdalen College. Il s'exprimait en pur produit de cette redoutable institution oxfordienne, sans bouger les lèvres, avec cette voix qui venait du ventre et qui seule permet d'exprimer les timbres du véritable accent britannique. Il tenait pour acquis que je partageais sa détestation de ce gouvernement d'abrutis, il s'est enquis de mon opinion sur la situation économique et les moyens de sortir de la crise. Il avait une manière débonnaire de bavarder, de me faire oublier que j'étais un ancien subordonné, et parvenait à me faire croire que nous étions de vieux amis, pour autant qu'un Larch pût être ami avec un Davies, descendant des Davies de Beresby dans le Kent, dont les ancêtres avaient suivi Guillaume le Conquérant, avaient combattu lors des croisades, avaient fourni un nombre considérable de ministres et de généraux, ainsi que deux lords de l'Amirauté à Sa Gracieuse Majesté, et laissé quinze des leurs sur les champs de bataille, dont James Davies, tué sous les yeux de Wellington, et Edmond Davies, qui avait été l'adjoint de Montgomery. Chez les Davies, l'aîné était général et pair du royaume et William G. Davies était aussi simple qu'il était concevable à un magdalénien de l'être. En fin de journée, il a consulté sa montre.

– Oh, il se fait tard, je dois rentrer. Je suis malheureusement de ballet ce soir. Mon épouse en raffole. Êtes-vous marié, Larch?

– Non, mais j'ai une compagne.

– Il faudra que vous veniez tous les deux passer un week-end à la campagne.

– Avec grand plaisir... Excusez-moi, mon général, vous ne m'aviez pas parlé d'une proposition?

– Où avais-je la tête? Accompagnez-moi.

Nous avons quitté le Brook's et pris la direction de Kensington. Il s'arrêtait souvent et traînait comme s'il souhaitait rater le début du ballet. Nous avons mis une heure pour traverser Hyde Park.

– Avec des amis, il y a cinq ans, j'ai créé une association

qui s'est beaucoup développée, Les Enfants de Gulliver. Vous connaissez ?

– Pas du tout.

– Nous nous occupons des jeunes des banlieues, ceux qui traînent dans les cités, qui se sentent en marge de la société et ont des problèmes d'intégration. Ils n'ont pas de métier, ne savent rien faire et n'ont aucun avenir. Avec Gulliver, nous essayons de leur donner le goût de l'effort. Nous les aidons à développer des projets en leur apprenant à respecter chaque citoyen. Nous travaillons à leur donner des objectifs dont ils pourront être fiers et qui leur permettront de devenir des citoyens responsables, pas des marginaux ou des assistés.

– Mais, concrètement, vous procédez de quelle façon ?

– Pour amener quelqu'un à donner le meilleur de lui-même, mon vieux, on n'a rien inventé de mieux que le sport. Nous organisons des événements de sport nature, en formant des équipes et en leur procurant les moyens d'y parvenir. Il n'y a rien de tel que la traversée d'une forêt inconnue pour développer l'entraide et la nécessité de se dépasser. Ajoutez à cela des randonnées en VTT, des parcours en montagne, des descentes en canyoning... Bref, on essaye de leur filer un coup de main. Nous avions un directeur grâce à qui ça marchait formidablement, un ancien d'Irlande aussi. Vous n'avez pas connu Stratton ?... Hélas, il nous quitte à la fin du mois.

– Pour quelle raison ?

– Vous ne le croirez jamais. Ce brave garçon suit sa femme qui a été mutée à Baltimore. À son âge ! Incroyable, non ? Du coup, nous cherchons quelqu'un pour le remplacer. Vous avez le profil idéal pour ce poste, c'est une certitude. Il n'y a qu'un problème : ce n'est pas bien payé. Vous comprenez, c'est une association. Nous n'avons pratiquement pas de subventions et vivons grâce à la libéralité de généreux donateurs. Nous ne pouvons pas vous proposer un gros salaire.

Il s'est arrêté une fois de plus et m'a fixé d'un œil interrogateur qui aurait pu être cerclé d'un monocle.

– Alors, mon vieux, qu'en pensez-vous ?

*

Le soir, Helen et moi dînions avec Susan au restaurant. Quand j'ai appris à Helen que j'avais trouvé un boulot, elle a été folle de joie, m'a embrassé avec chaleur, puis a commandé une bouteille de sancerre pour fêter la nouvelle. Je lui ai répété dans le détail ce que Davies m'avait expliqué et elle a remarqué que le projet m'emballait. Sachant qu'il y aurait un moment délicat, je m'étais préparé à affronter la partie désagréable de la discussion.

– Et c'est bien payé ?

Je lui ai révélé le montant de mon salaire, elle a paru inquiète.

– C'est par semaine ?

– Non, par mois. En revanche, tous mes frais sont pris en charge.

– Tom… c'est très mal payé !

– C'est la première fois qu'on me propose un job qui m'excite vraiment, qui me donne envie de me défoncer. Je ne pourrais pas rester derrière un bureau, en face d'un ordinateur. En plus, je connais Davies, c'est un type formidable.

Elle a esquissé un sourire, s'est resservi du vin blanc. Susan a fini par nous rejoindre. Elle avait les cheveux d'un blanc cendré, ce qui, paradoxalement, la rajeunissait. Elle était en colère. Elle attendait d'obtenir un rendez-vous pour une interview qui promettait d'être explosive et devait passer par un intermédiaire qui faisait monter les enchères. Helen lui a annoncé que je venais de dégoter un travail comme responsable d'une association qui s'occupait de jeunes. Susan a paru passionnée.

– Ça pourrait nous faire un bon sujet de documentaire, a-t-elle conclu. Il y a de l'action, des enjeux, des personnalités. Qu'en penses-tu ?

– Pourquoi pas ? a répondu Helen, distante.

– Et puis, Gulliver est un héros fondamentalement anglais, a poursuivi Susan en me fixant.

– Ah bon ? J'ai vu le film quand j'étais môme, j'en ai conservé un vague souvenir.

*

C'est ainsi qu'a commencé ma nouvelle existence. Pour moi, travailler avec Davies était une aubaine. Nous nous entendions bien car nous nous voyions peu. Il passait la semaine dans son château du Kent et ne venait à Londres que le lundi. Nous avions une brève réunion où je l'informais de l'état d'avancement des projets. Quand j'avais besoin de lui pour résoudre une difficulté, il sollicitait d'abord mon avis et ce que je proposais lui paraissait toujours une excellente solution. Il s'occupait de l'administration et veillait à l'équilibre des comptes, je me chargeais de tout le reste ; cette répartition des tâches me convenait parfaitement. Stratton avait fait du bon boulot et je n'ai eu qu'à poursuivre son travail avec les collectivités locales et les conseils de district.

Helen n'a jamais accepté ma décision. Pour elle, j'occupais ce poste en attendant de trouver mieux, c'est-à-dire mieux rémunéré. Elle considérait que c'était un emploi provisoire, une étape obligée pour un militaire qui se reconvertissait dans le civil, qui devait se réacclimater au monde réel et récupérer l'usage de son cerveau. Régulièrement, elle me parlait d'un tel que je devrais voir et, qui sait, pourrait me proposer quelque chose, ou elle organisait un dîner pour me faire rencontrer un patron. Après trois questions, la plupart concluaient que j'avais de la chance de faire ce boulot, ils souffraient de devoir vanter les mérites d'un déodorant ou de fabriquer des croquettes pour chiens, mouraient d'ennui à analyser des rapports Excel à longueur de journée ou paniquaient pour une variation de quelques pence des cours de la Bourse. Lorsque certains proposaient qu'on se revoie pour discuter, je répondais invariablement : « *Plus tard, actuellement, je prépare la traversée de l'Écosse en VTT pour des jeunes de Croydon ou un trekking dans le Connemara pour des gars de Leeds.* »

Helen a été épatée quand Harry Clarks de Bennett, Clarks et Collidge m'a proposé de lui organiser un parcours aventure pour les trois cent quinze cadres de son agence : il voulait qu'ils suent, qu'ils souffrent et qu'ils « s'ouvrent le cul », pour reprendre son expression. Je ne savais pas si c'était possible, nous n'avions jamais travaillé pour des entreprises. J'en ai parlé à Davies, il a sauté sur l'occasion.

Un jour, Alayn Bale, le producteur gallois, s'est manifesté et nous a invités dans un restaurant de cuisine italienne moléculaire aux prix extravagants. Nous l'avions complètement oublié. Il avait vu l'agent de Johnny Depp, ce dernier avait adoré le documentaire et donné son accord de principe pour qu'il joue mon rôle à l'écran. Susan a poussé un cri de joie qui nous a fait sursauter et Helen s'est mise à applaudir frénétiquement. Johnny voulait me rencontrer pour travailler son personnage. Alayn faisait monter les enchères entre deux gros studios de Hollywood, la MGM tenait la corde, nous allions disposer d'un budget assez pharamineux !

Une fois l'émotion retombée, Alayn a tourné la tête de part et d'autre pour s'assurer que personne ne l'écoutait, il a pris une mine de conspirateur. Susan, Helen et moi-même nous sommes avancés vers lui.

— Cinq cent mille, a-t-il murmuré, menton en avant.

— C'est génial ! s'est exclamée Helen.

— Ils achètent les droits du documentaire, a-t-il poursuivi, et le titre surtout, *Trompe-la-Mort*, ça leur a beaucoup plu. Il y aura un billet de cent mille pour toi, Susan.

— Fabuleux !

Puis tous les trois m'ont fixé, surpris que je reste de marbre et ne participe pas à l'enthousiasme général.

— Cinq cent mille livres ? ai-je osé demander.

Helen m'a dévisagé avec des yeux ronds.

— Dollars. Pour les droits cinématographiques, chéri ! C'est magnifique.

— Ah bon.

— Il y aura certainement moyen d'obtenir un pourcentage après amortissement, a précisé Alayn en voyant mon peu d'empressement. On n'est qu'au début de la négo.

— Faut que je réfléchisse.

Helen m'a trouvé géant. C'est le terme précis qu'elle a utilisé, dans le taxi qui nous ramenait à la maison. Et quand la femme de votre vie vous trouve *géant*, vous ressentez une fierté inconnue, même si vous vous efforcez de n'en rien laisser paraître.

– Tu as eu raison, mon chéri, de faire grimper les prix. Tu as réagi avec un à-propos exceptionnel.

– Faut que je réfléchisse, Helen.

Je n'arrêtais pas de décevoir Helen. Elle me l'a dit une semaine plus tard. Et elle n'avait pas l'air aimable. Je venais de lui annoncer que je ne signerais rien parce que je n'en avais rien à fiche de Johnny Depp et d'Hollywood.

– Rends-toi compte, Tom, cinq cent mille dollars ! Tu imagines ce que ça représente ? Tu vas mettre vingt ans à gagner cette somme avec ton job pourri ! Tu dois penser à ton avenir, à tes vieux jours, mettre de l'argent de côté… T'as une idée de la retraite de merde que tu vas avoir ? Je suis persuadée qu'on peut discuter et obtenir plus.

– Je suis désolé, Helen. Pour moi, cette histoire est un mauvais souvenir, je ne veux pas qu'elle devienne un film. Crois-moi, là-bas, dans le désert, ce n'était pas du cinéma. Mes potes y sont restés. Je pense à eux et je n'ai pas envie de les vendre. Et puis, il faut que je tire un trait sur cette histoire de Trompe-la-Mort, sinon elle me poursuivra toute ma vie. Je repars dans une nouvelle direction. Je veux en finir avec cette légende stupide.

– Décidément, Tom, tu n'as aucune ambition.

*

J'ai mis un moment à comprendre qu'Helen n'était pas une femme d'argent. Elle était généreuse, elle soutenait deux amies en difficulté sans aucun espoir de récupérer ce qu'elle leur donnait et, sans s'en vanter, elle finançait aussi avec Susan un dispensaire en Ouganda. Si elle insistait tellement, ce n'était pas pour son profit, elle voulait uniquement m'aider, elle ne pensait qu'à mon intérêt. Je pense qu'il s'agissait d'un réflexe de protection ; le départ de son père avait plongé sa famille dans le plus grand dénuement, et elle avait ancré en elle cette angoisse lointaine que sa réussite n'avait pas effacée. Il ne fallait pas se fier aux apparences, dans la vie quotidienne Helen était facile à vivre, agréable et drôle, mais son travail prenait le pas sur tout le reste. Elle était toujours en train de monter des reportages difficiles, de guetter des réponses, de batailler pour obtenir des interviews et être la première sur un coup. Le quotidien se résumait à son métier et elle avait du mal à s'en abstraire. Nos brouilles ne duraient jamais car elle n'était pas rancunière et jamais elle ne me tenait rigueur de nos disputes. Nous nous réconciliions le soir venu et nos nuits effaçaient nos jours.

Nous n'étions pas plus doués l'un que l'autre pour vivre en couple. Absorbés par nos activités respectives, entre ses reportages qui l'amenaient à partir dans n'importe quel pays pour une durée indéterminée et les déplacements que m'imposaient les raids de l'association, nous passions peu de temps ensemble, ce qui est, à coup sûr, le meilleur moyen de ne pas se disputer. Elle s'éclipsant sans préavis, et moi filant au fin fond de la Cornouaille ou du Cotentin, nous pouvions rester une ou deux semaines sans nous croiser ni nous téléphoner.

Chaque nuit, à 3 h 45, une horloge interne réveillait Helen et elle se levait. J'ai la chance d'avoir un sommeil immédiat. Je m'endors dès que je ferme les yeux, quel que soit le moment de la journée, et je m'éveille tout aussi facilement. Probablement le résultat de ma formation à Lympstone, où j'ai appris à récupérer rapidement de fatigues extrêmes pour repartir de plus belle au premier cri de rassemblement. Helen se dressait brusquement et allumait son ordinateur. Je croyais qu'elle répondait à ses messages. Cela durait une heure, puis elle revenait se coucher et se rendormait jusqu'à ce que sonne le réveille-matin. Souvent, elle se plaignait de manquer de tonus, de se lever aussi fatiguée qu'elle s'était couchée. Elle avalait un cocktail de vitamines au petit déjeuner, mais ces pilules n'étaient d'aucune efficacité.

Un jour, je lui ai demandé si elle était obligée de se lever au milieu de la nuit, elle a été étonnée de découvrir que j'avais remarqué son manège.

– Ce n'est pas le bruit, Helen. La nuit, j'enlève mes appareils et je n'entends rien. C'est l'instinct qui me réveille. Si tu restais couchée, tu finirais par trouver le sommeil. Ce n'est pas indispensable de relever ta messagerie en pleine nuit.

– Tu te trompes, Tom, je ne consulte pas mes mails. J'écris.

– Tu écris ? Tu ne m'en avais pas parlé. Tu écris quoi ? Un roman ?

– C'est un objet littéraire non identifié. Je n'arrive pas à en parler.

C'était son jardin secret et j'ai respecté sa volonté. Elle a continué à se lever chaque nuit et à travailler ; c'est elle qui, un matin, alors que je faisais griller les toasts, est revenue à la charge :

– Tu n'es pas très curieux, Tom. Tu ne t'intéresses pas à ce que je fais.

Elle me parla de son livre pour la première fois. Elle avait déjà évoqué devant moi, à plusieurs reprises, certaines de ses idées dans le cours de la conversation, mais sans approfondir. Je n'aurais pas imaginé que ses pensées étaient le fruit d'une réflexion organisée et le résultat d'un travail formel auquel elle se consacrait depuis des années. Un long chemin intérieur. Malgré des périodes de blocage, la machine ne cessait de tourner. Elle analysait les objections, développait les solutions qui se présentaient, n'hésitait jamais à explorer des pistes nouvelles, fausses ou dangereuses, lumineuses parfois, revenant en arrière et ressentant chaque avancée comme une victoire. Puis je m'étais installé dans sa vie, comme elle disait, et le processus s'était débloqué, sans qu'elle ait compris la relation de cause à effet. Son ouvrage avait enfin trouvé sa logique interne, ses dimensions propres, et elle avait envie de savoir ce que j'en pensais.

L'amour, m'expliqua-t-elle (mais je ne suis pas sûr d'avoir tout bien compris), n'avait rien, strictement plus rien à voir avec les vieux sentiments de nos parents, c'était devenu une notion purement darwinienne qui relevait d'une métamorphose décomplexée de la théorie de l'évolution. Durant des millénaires, l'homme s'était focalisé sur sa reproduction plus que sur sa propre conservation. Or, au XXe siècle, et sans lui demander son autorisation, la femme avait fait irruption dans le jeu de la sélection sexuelle, jusque-là l'apanage des mâles, qui avaient toujours lutté entre eux pour la possession des femelles. Ce postulat immémorial ayant été balayé, la femme avait désormais pris le pouvoir. Elle avait dû subir, pendant des siècles, l'hégémonie masculine, elle venait de s'en affranchir grâce aux progrès de la science. Depuis que la femme arrivait à maîtriser la procréation, à pourvoir à sa subsistance et à celle de sa progéniture, l'homme n'était plus utile qu'à une chose : l'amour, le vrai, qui durait long-temps, et qu'il était chimérique de vouloir atteindre, tant était faible la probabilité que deux êtres évoluent simulta-nément et harmonieusement dans le même sens, sauf au prix de renoncements, de concessions désolantes, chacun des partenaires acceptant de se contenter de peu pour évi-ter la solitude et ne pas vieillir seul.

Du fait du nouveau statut des femmes, seuls les hommes les plus évolués étaient choisis. Les plus évolués, c'est-à-dire les plus beaux, les plus stables, les plus travailleurs, les plus compréhensifs, les plus capables d'empathie et d'adaptation.

La nuit a été longue. Nous ne nous sommes pas recou-chés, nous avons parlé jusqu'au matin. En vérité, Helen a parlé et je l'ai écoutée, l'interrompant quelquefois pour lui demander de préciser un point. Helen adorait élaborer des théories. Je n'étais pas capable de les juger et j'étais trop proche d'elle pour être impartial. Certaines de ses réflexions me paraissaient pertinentes et d'autres farfelues. Mais cela n'a aucune importance. Peut-être, parce qu'elle était jour-naliste dans l'âme, essayait-elle d'expliquer le monde et de le rendre plus compréhensible, quitte à se planter ou à répéter autrement ce que d'autres avaient énoncé avant elle. Ou peut-être le monde n'était-il pas compréhensible pour nous. Quand le réveil a sonné, elle m'expliquait que les femmes allaient gagner le combat de l'évolution parce que les hommes étaient une espèce incapable de s'adapter rapidement. La femme s'adaptait aujourd'hui plus vite que l'homme, car la femme avait muté et pas l'homme.

– Sauf toi, mon chéri.

*

Helen était sur des charbons ardents. Elle passait son temps à contempler l'écran de son téléphone portable, elle appelait Susan vingt fois par jour : « *Tu as des nouvelles ?* » Et, à voir sa mine dépitée, je devinais que sa productrice n'était pas mieux renseignée qu'elle. Quand je lui parlais, elle ne m'écoutait pas ou m'envoyait promener. Elle a fait trois allers-retours entre l'Angleterre et l'Italie, partant à l'aube et rentrant, épuisée, par le dernier avion, une fois à Milan et deux fois à Rome.

Une nuit, je me suis réveillé à quatre heures du matin, respirant une odeur de tabac. Helen n'était plus à côté de moi. Quand elle se levait la nuit, Helen ne fumait jamais. Un rai de lumière s'échappait par la porte entrouverte du salon. Helen s'y trouvait, recroquevillée sur le canapé, en train de fumer une de ses cigarettes mentholées, son téléphone à la main.

– Ça ne va pas, Helen ?

Elle m'a observé d'un air vaguement inquiet que je ne lui connaissais pas. Elle a ouvert la bouche, ses lèvres se sont mises à bouger, je n'ai perçu qu'un bruit indistinct, je suis remonté à toute vitesse dans la salle de bains et je suis redescendu après avoir mis mes appareils auditifs.

– J'ai un problème, Tom, un gros problème, et je ne sais pas quoi faire.

Elle m'a fait promettre de ne parler à personne de ce qu'elle allait me révéler. Seule Susan était au courant. Toutes deux venaient d'en discuter longuement et n'avaient pu trouver la moindre solution. Je me suis assis en face d'Helen, elle a continué à fumer, allumant chaque cigarette au mégot de la précédente.

Grâce à un informateur qu'elle espérait fiable, elle était entrée en contact avec une femme d'honneur, selon l'expression employée pour désigner les femmes de la mafia calabraise qui ont pris la place des hommes, dirigeant le clan pendant que leur père, leur frère ou leur mari purge une peine de prison, se révélant aussi efficaces et violentes que l'étaient ces derniers. Pasqualina, c'était le prénom que la femme lui avait donné la veille lors d'une rencontre éclair dans la banlieue de Naples, avait trente-huit ans et quatre enfants. Personne, en la croisant, n'aurait pu imaginer une seconde que cette paisible ménagère empâtée, aux cheveux filasse, avec son cabas en plastique et son tablier à fleurs, dirigeait une famille de la mafia d'une poigne de fer. Son fils aîné, âgé de dix-sept ans, suivait les traces de son père, lequel avait été condamné à douze ans de prison suite à la saisie d'une tonne de cocaïne dans un container du port de transit de Gioia Tauro dont il était propriétaire. Pasqualina ne supportait pas l'idée de devoir revivre avec son fils l'enfer qu'elle avait connu après l'incarcération de son mari. Elle voulait en finir, mais on ne quittait pas le clan sans s'exposer à de gros ennuis. Elle avait reçu des menaces. Il fallait respecter les règles ancestrales ou s'attendre au pire. Depuis deux mois, elle vivait dans la clandestinité avec ses enfants. Son mari, qui avait été poignardé en prison, était suspendu entre la vie et la mort. Elle connaissait les mafieux, les sociétés-écrans, les flics pourris, les politiciens corrompus, les banques qui blanchissaient, les juges véreux, et elle n'avait confiance en personne.

La seule solution était de mettre un coup de pied dans la fourmilière et de tout étaler au grand jour. Helen lui avait proposé une interview qui serait diffusée dans cinq ou six pays, et Susan avait obtenu l'accord de principe de plusieurs chaînes de télévision. Mais, au moment d'obtenir cette interview qui aurait des répercussions considérables dans le monde entier, Helen s'interrogeait. Elle redoutait de mettre en danger la vie de Pasqualina et de ses enfants, ainsi que celle de son mari que Dieu et diable se disputaient âprement à l'hôpital de la prison. Tôt ou tard, on lui ferait payer très cher d'avoir trahi. Peut-être valait-il mieux que Pasqualina renonce ou aille à la police et s'adresse au service de protection des repentis.

– D'après toi, que dois-je faire ? Je n'ai pas le droit de lui faire prendre tous ces risques… Tu ne penses pas ?

– Et si tu faisais les deux ? Tu mets d'abord en boîte l'interview, puis tu attends pour la diffuser que Pasqualina balance aux flics tout ce qu'elle sait, et quand ils la protègent, elle et sa famille, tu diffuses l'entretien.

À cinq heures du matin, elle a fait part à Susan de mon idée. Puis, les yeux rivés sur l'écran de son smartphone, elle a attendu. Mais son contact restait muet.

Au bout de plusieurs jours, elle a pris le risque de lui téléphoner, pour l'entendre expliquer qu'il n'avait aucune nouvelle de Pasqualina et qu'il était inutile de le rappeler. Ce serait lui qui la recontacterait.

À la fin de la réunion hebdomadaire, Davies m'a rejoint pour me dire qu'il nous invitait, Helen et moi, à passer le week-end dans son château de Beresby, dans le Kent, une invitation au débotté ; il n'y aurait que quelques amis. Sachant qu'elle était dans l'attente de son rendez-vous, j'ai appelé Helen, elle m'a répondu qu'elle ne l'espérait plus avant une ou deux semaines et que cela lui changerait les idées. Elle était aux anges, et j'étais ravi : c'était la preuve qu'il n'y avait pas que le salaire qui comptait ; l'amitié et l'estime des autres existaient aussi. Et quand je lui ai appris que mon patron avait invité ses copains Travis et Mulligan, dirigeants de multinationales, avec leurs épouses respectives, elle a fait : « *Whaouh !* » Elle qui ne portait jamais de robe, et n'en avait aucune de mettable dans son dressing, a couru chez Deacon, le nouveau styliste dont tout Londres parlait. La robe, les chaussures, le sac à main et l'étole lui ont coûté une fortune. Elle a refusé de me révéler le montant précis et s'est contentée de me dire qu'il était indécent.

Le samedi matin, grâce à l'intercession de Susan, elle est parvenue à décrocher un rendez-vous chez Stuart Philips. Celui-ci l'a coiffée en personne, puis elle s'est fait manucurer dans son salon. Elle est revenue avec une tête inhabituelle. Ses cheveux avaient été coupés en biseau, mi-longs devant, courts derrière, « en carré plongeant », me précisa-t-elle. C'était la grande mode. Elle a dégoté une petite jupe noire qui se cachait au fond d'un de ses placards et qui, avec un corsage en soie blanche, ferait l'affaire pour la journée. J'ai sorti le Dodge du parking et, pour une fois, elle m'a laissé conduire le monstre.

Nous venions d'atteindre Bromley quand le téléphone d'Helen a sonné. C'était le fameux contact. Il venait de recevoir un appel de « qui vous savez ». La rencontre aurait lieu le lendemain, après la messe. Helen n'a pas tardé à prendre sa décision :

– Dépose-moi à Heathrow, vite !

Elle a pris un vol pour Milan. Sur place, elle aviserait, quitte à louer un avion privé pour atteindre sa destination finale. Elle est partie avec la valise qu'elle s'était préparée pour le week-end. Je doutais qu'une robe de chez Deacon pût lui être utile là où elle se rendait. Je suis allé seul chez les Davies.

Le départ précipité d'Helen les a étonnés, j'ai essayé de l'excuser, mais madame Davies n'a pas eu l'air d'apprécier.

– Ce n'est pas grave, mon vieux, m'a dit Davies. Le boulot avant tout ! Nous remettrons ça avec elle.

Contrairement à sa promesse, nous n'avons jamais été réinvités au château de Beresby, qui, par ailleurs, est somptueux et où j'ai passé un excellent week-end. Les deux patrons redoutés du Stock Exchange se sont montrés éminemment sympathiques, notamment Mulligan, qui connaît un nombre de blagues irlandaises hallucinant.

Lorsqu'elle partait en reportage, Helen ne me téléphonait pas. Elle m'avait dit ne supporter aucune contrainte et vouloir rester concentrée sur son travail. Lors de ses nombreux déplacements, elle ne m'avait jamais appelé pour me donner de ses nouvelles. Mais le mercredi suivant à 21 h 47, cet improbable événement est arrivé. Au son de sa voix, j'ai deviné qu'elle n'avait pas le moral. Elle patientait dans un hôtel minable de la banlieue de Caserte, dans l'attente d'une rencontre sans cesse différée. Elle s'ennuyait à mourir et avait éprouvé le besoin de m'entendre. Elle avait hâte de rentrer et de passer un week-end à Brighton avec moi. Elle m'a demandé si mon séjour chez les Davies avait été agréable. Pour ne pas ajouter à son désarroi, j'ai affirmé que je n'avais trouvé à Beresby qu'une bande de vieux ronchons et qu'elle n'avait rien manqué. Je lui ai conseillé d'aller prendre l'air mais il ne fallait pas y songer : son contact lui avait demandé de ne sortir sous aucun prétexte, il devait la joindre à son hôtel pour lui indiquer l'heure et le lieu du rendez-vous. L'appel ne venait pas, elle n'en pouvait plus de tourner en rond et, pour couronner le tout, il n'y avait aucune chaîne en anglais. Helen a attendu près d'une semaine pour rien, elle a repris l'avion sans avoir obtenu le moindre rendez-vous.

Elle était tourneboulée, au point d'émettre trois opinions en une seule phrase : à la fois dépitée d'être passée à côté d'un scoop, furieuse d'avoir été baladée si longtemps et soulagée de savoir que Pasqualina avait préféré protéger sa famille, bien que ce fût au prix du respect de l'omerta. Pendant plusieurs semaines, à chaque fois que son téléphone vibrait, Helen le saisissait avec une rapidité fulgurante, puis réprimait une pointe de déception en découvrant qui l'appelait. On n'a plus jamais entendu parler de Pasqualina.

*

Un soir, en rentrant, Helen a posé sur le radiateur de l'entrée une enveloppe qui m'était adressée et qui avait été envoyée à la production. Elle l'a laissée en évidence, sans m'en parler. Je n'y ai prêté aucune attention.

Deux jours plus tard, elle m'a rappelé qu'elle m'avait apporté une lettre.

J'ai reconnu l'écriture de mon père immédiatement :

Thomas,

Je ne sais pas si on t'a transmis mes messages, j'ai téléphoné à plusieurs reprises et je me trouve face à un mur, nul ne veut me renseigner et on me considère comme un importun parce que je veux parler à mon fils. Que puis-je faire d'autre que d'appeler encore, et maintenant de t'écrire ? Ou alors il me faudrait renoncer et tirer un trait sur ma vie et je ne peux m'y résoudre. Je t'écris donc à cette adresse, je n'en ai pas d'autre. Je pense que la production sait où te joindre et j'espère que mes messages te sont parvenus.

Thomas, il faut qu'on se voie, je t'en supplie, il y a urgence, réponds-moi. J'ai un méchant problème cardiaque et j'attendais de te revoir pour me faire opérer, mais je ne vais plus pouvoir tergiverser, le pronostic empire à chaque jour qui passe, je dois me faire opérer rapidement. Ces dernières années, j'ai accumulé les pépins de santé, le professeur m'a prévenu qu'il y avait un vrai risque. Une chance sur deux, a-t-il dit. Je suis prêt à l'assumer mais je suis terrifié à l'idée que nous ne nous revoyions jamais, et de partir sans que l'on se soit parlé et retrouvés. C'est pour cela que j'ai décidé de ne pas me faire opérer tant que je n'aurais pas eu de tes nouvelles. Pourquoi s'acharner à rester, s'il n'y a personne autour de vous ?

Je t'en supplie, Thomas, contacte-moi, je ne te demande qu'une ou deux heures, appelle-moi, je suis à la maison, le téléphone n'a pas changé, je ne bouge pas, j'attends. Je t'embrasse.

Gordon, ton père

Je n'aurais pas dû lire cette lettre, son histoire ne m'intéressait pas, ses soucis, encore moins. Ce qu'il voulait, moi je ne le voulais pas. Je n'avais aucun désir d'évoquer le passé et de me rapprocher de lui, qu'on se pardonne et qu'on oublie nos rancœurs, qu'on s'embrasse et qu'on pleure en murmurant : « *C'était moins une.* » Il voulait probablement me raconter ses angoisses, ses regrets, avant le grand saut. Il ressentait le besoin de faire le ménage dans sa conscience et de recoller ce qu'il avait brisé. Mais c'était trop tard. Moi, j'avais perdu mon père il y avait bien longtemps, je n'avais pas envie de retrouver son fantôme, je me contrefichais de sa maladie, de son opération et de ses états d'âme. S'il éprouvait des remords, eh bien tant mieux pour lui, cela signifiait que son cœur battait toujours. Son sort m'indifférait. Je n'ai pas hésité une seconde. J'ai remis la lettre dans son enveloppe et je l'ai déchirée méthodiquement, je me suis arrêté quand les morceaux ont ressemblé à des confettis et je les ai jetés dans la poubelle.

J'ai reçu deux autres lettres à la production, qu'Helen a déposées dans l'entrée et que j'ai déchirées sans les lire. Helen ne m'a posé aucune question à ce sujet.

*

Nous avons fêté les quarante ans d'Helen deux jours durant. Le matin fatidique, je l'ai réveillé avec un bouquet de quarante pivoines blanches, elle adorait ces fleurs, et je lui ai offert un bracelet en or torsadé et incrusté de perles des années 20.

« *Qu'il est joli !* » s'était-elle exclamée en s'immobilisant un soir, deux semaines auparavant, devant cette pièce de collection exposée dans la vitrine d'un antiquaire de Notting Hill, alors que nous allions dîner chez des amis à elle.

C'était un des plus beaux bijoux qu'on puisse voir, l'antiquaire m'avait juré qu'il avait appartenu à Isadora Duncan, ce qui justifiait son prix astronomique ; peut-être avait-il senti que j'ignorais qui était cette artiste et, pour me convaincre, il m'avait montré un livre d'art qui lui était consacré et s'était arrêté à une page où on la voyait attablée à la terrasse d'un café de Montparnasse, elle portait effectivement ce bracelet à son poignet. J'avais pris le livre également.

Je craignais que le bracelet soit grand pour son poignet si fin mais il lui allait à ravir. Je lui ai donné le livre et je me demande lequel de ces deux cadeaux lui a fait le plus plaisir.

– Comment connaissais-tu ma passion pour Isadora Duncan ?

– C'est un coup de chance.

Elle a longuement feuilleté le livre, n'a pas remarqué la page où Isadora portait le bijou, j'allais le lui faire observer quand elle m'a dit avec sérieux :

– Je suis à la moitié de mon existence, je n'ai pas vu passer la première partie, tu es la meilleure chose qui me soit arrivée, Tom. Je crois que je suis très amoureuse de toi. Nous allons évoluer ensemble, non ?

Elle avait estimé que c'était une occasion unique de faire la fête, qui ne se représenterait pas de sitôt, elle voulait s'assurer qu'elle tenait le coup comme avant, c'est-à-dire en rentrant au petit jour, vérifier que les années n'avaient eu aucune influence sur sa vitalité et que cette nouvelle décennie se présentait sous les meilleurs auspices.

C'est cette nuit-là que nous avons conçu Sally, c'est une quasi-certitude : à cause de son sac rouge qui s'était renversé dans la rue, elle avait perdu sa boîte de pilules. C'est ce genre de hasard qui rend nos vies si captivantes. Ce samedi, il était presque midi quand nous avons pris notre petit déjeuner, elle m'a fixé, les yeux plissés et avec un sourire pincé, ce qui annonçait qu'elle cherchait le meilleur angle d'attaque.

– Tom, nous n'en avons jamais parlé, aimerais-tu avoir un enfant ?

– Jusqu'à présent, je n'étais pas dans la situation idéale pour fonder une famille, maintenant que ma vie est plus tranquille, pourquoi pas ? Il faudrait que je trouve la femme à qui faire un enfant.

– Ah ah ah, a-t-elle émis sans desserrer les lèvres. Je vais arrêter de prendre la pilule.

Sally a été conçue cette nuit-là ou dans l'après-midi, ou la nuit suivante, ou celle d'après. Comment savoir ?

*

Il n'était pas né, nous ne savions pas si ce serait une fille ou un garçon mais le bébé était déjà présent, avec nous, et nous occupait complètement. On en parlait sans arrêt, on savait que ce serait l'événement le plus important de notre vie, on avait conscience, surtout Helen, que nous allions laisser notre empreinte dans l'histoire de l'évolution et nous avions envie que ce soit un chapitre avec un happy end. J'ai fait comme tous les pères, je présume, j'ai commencé par aménager un endroit pour recevoir dignement le nouveau venu, on avait un problème de place et peu de possibilités, à moins de creuser ou d'ajouter un étage. Ce que je n'avais pas réussi à faire, le bébé à venir l'a obtenu : Helen a consenti à sacrifier le dressing du deuxième étage, la moitié en tout cas. Ç'a été un déchirement pour elle de se séparer des affaires qu'elle ne mettait plus et qu'elle gardait pour le cas où la mode subirait un de ces revirements miraculeux et lui permettrait de ressortir ces « *vieilleries* ». Elle n'a rien voulu donner, j'avais acheté une douzaine de caisses, il a fallu en acquérir une douzaine supplémentaire. Nous avons transporté le tout chez une amie de Susan qui avait une cave où nous avons stocké les cartons.

J'ai pu commencer les travaux au deuxième étage, j'ai scié, raboté, tapissé, peint et nous avons attendu le résultat de l'échographie pour décider de la couleur du papier peint. Helen a estimé que des motifs jaunes seraient plus joyeux. Elle était sûre que sa fille adorerait le jaune. La chambre de la petite mesurait sept mètres carrés et ne disposait que d'un vasistas. Comme Helen l'a relevé, cela lui permettrait de regarder les étoiles.

J'avais eu l'occasion de réfléchir aux théories formulées par Helen, je les trouvais non seulement pertinentes mais évidentes, j'étais donc décidé à me métamorphoser, à accompagner le changement de nos vies, à dérouler le tapis moelleux de l'évolution, bref à accéder au statut d'homme moderne et responsable. Cela passait par le mariage, une sacrée révolution pour nous. J'avais décidé de demander sa main à Helen et, si j'avais un doute sur la réponse, je devais, au moins, le lui proposer. Avec Helen, rien n'était banal et la moindre péripétie pouvait prendre un sens historique. Elle avait à plusieurs reprises évoqué le calvaire de son premier mariage, cette affligeante erreur de jeunesse et son soulagement d'en être débarrassé.

Je revenais d'un parcours archéo éprouvant dans le comté du Wiltshire, à Stonehenge et à Avebury avec quinze ados en échec scolaire. Ils avaient été déçus de la balade et avaient râlé pendant cinq jours, dont trois sous la pluie, persuadés que j'allais les emmener visiter Jurassic Park et dépités de ne trouver aucune attraction. Il y avait à peu près les mêmes tas de cailloux sur un chantier près de chez eux. J'avais eu l'impression de traîner des boulets, avec ma jambe raide j'avançais deux fois plus vite qu'eux et je m'en voulais de n'avoir pas réussi à leur faire partager ma passion pour ces sites néolithiques.

Le quatrième soir, dans le gîte situé près du cromlech d'Avebury, j'avais fait la connaissance du professeur Graham Mahoney, qui dirigeait un chantier de fouilles à proximité. Il développait une théorie révolutionnaire sur l'extinction des dinosaures, ce fut la seule occasion où les quinze abrutis qui m'accompagnaient furent intéressés par quelque chose. Mahoney s'inscrivait en faux contre tout ce qui avait été écrit, leur disparition n'aurait pas été due à une météorite géante ou à un virus foudroyant ni à un quelconque changement climatique mais uniquement à leur appétit sexuel délirant qui les amenait à se battre à mort des journées entières pour la possession des femelles, comme en témoignaient les os déchiquetés et brisés non par l'érosion du temps mais par les combats répétés pour leurs coïts incessants. Il possédait mille preuves de ce qu'il avançait ; cependant, la communauté scientifique refusait de l'admettre. Si je n'ai pas saisi ou retenu tous les détails de la démonstration de Mahoney, une phrase a claqué comme un coup de cymbales et s'est gravée dans ma mémoire :

– Ma découverte est en totale adéquation avec la théorie de l'évolution, avait soutenu Mahoney. Alors que mes adversaires en sont toujours à chercher des traces de leur pseudo-météorite.

J'attendais avec impatience de retrouver Helen pour lui faire part de cette théorie nouvelle qui corroborait plus ou moins, à mes yeux en tout cas, ses idées à elle. Peu confiant dans mes capacités démonstratives, j'avais, dans le train du retour, préparé un exposé où je lui prouvais que les dinosaures avaient disparu de la surface de la Terre parce que les mâles étaient des polygames lubriques, alors que s'ils avaient été monogames, ils auraient été à présent les maîtres du monde, et l'espèce humaine ne se serait pas développée.

Lorsqu'elle m'a demandé comment ça s'était passé avec mes sauvages, j'ai pensé que le moment était venu. Helen n'a pas écouté ma réponse ; épuisée, elle s'est effondrée dans le canapé en me réclamant une bière. Quand je suis revenu dans la pièce, elle dormait. Elle a ouvert un œil lorsque je me suis assis près d'elle.

– Helen, ai-je insisté, j'ai rencontré un professeur qui travaille sur l'évolution et…

– Mon chéri, pas ce soir, je ne tiens plus debout.

– Helen, veux-tu qu'on se marie ?

– Ça va pas ? Quelle idée bizarre ! Qu'est-ce qui te prend ?

Elle a secoué la tête comme si je venais de proférer une grosse bêtise, et elle s'est rendormie.

Le lendemain, il n'en fut pas question. Je n'ai jamais

su si elle faisait semblant de ne pas s'en souvenir ou si ma demande avait été effacée par la fatigue. Finalement, que l'on se marie ou non n'avait pas d'importance. C'était moi qui m'en étais fait toute une histoire, Helen s'en fichait et moi aussi.

*

Nous n'avons pas vu s'écouler ces mois de grossesse. Au lieu de se ménager, Helen travaillait de plus en plus, même les week-ends. Avec Susan, elles menaient de nouveaux projets, deux ou trois de front. Helen boucla plusieurs reportages mémorables, l'interview d'Horacio Pacheco, le baron de la drogue mexicain du redoutable cartel de Tijuana, un des trois hommes les plus recherchés de la planète; celle de Kenan Moore Monroe, écrivain mythique américain dont beaucoup pensaient qu'il était décédé car il n'avait plus accordé d'entretien ni rien publié depuis près de cinquante ans; un documentaire hallucinant sur les tunnels de Gaza, et enfin une enquête sur un de nos otages assassinés en Irak, qui avait été particulièrement pénible à réaliser et qui lui avait rappelé ses sept mois de séquestration au Liban, onze ans auparavant. Malgré le risque, pas une seconde elle n'avait hésité à s'y rendre, n'écoutant aucun de mes conseils de prudence.

Helen n'était jamais fatiguée et elle était heureuse ainsi. Elle avait à peine grossi et peu de gens se rendaient compte qu'elle était enceinte. Sally se mit à prendre du volume seulement au septième mois.

Nous avons eu avant son départ pour la Palestine une semaine de répit. J'avais acheté *Un bébé pour les Nuls* et on a passé plusieurs soirées à feuilleter ce livre. Peu à

peu, on a mesuré l'immensité de la tâche qui nous attendait. Il n'y avait personne pour nous aider, pas de grand-
mère, pas de tante Susan avait des nièces et des neveux,
elle savait vaguement de quelle façon s'y prendre, malheureusement elle n'avait ni le temps ni la volonté de
pouponner.

— Et ta sœur ? suggéra-t-elle.

C'était la seule famille qui restait à Helen et l'occasion
rêvée de renouer des liens évanouis avec sa sœur émi-
grée au Canada. Helen tergiversa durant deux semaines :
« *Oui, je vais l'appeler demain, j'ai tellement envie de la
revoir* », et le lendemain, « *Non, je ne la supporte pas, et
elle risquerait de venir avec son mari.* »

— Après tout, conclut-elle, c'est l'occasion de s'y mettre.
Ça ne doit pas être compliqué. Casse-pieds probablement,
mais pas si terrible.

— Tu as raison, ai-je confirmé, et ça nous servira pour
le suivant.

— Oh, mon Dieu, un seul suffira ! Tom, tu sais, je
compte sur toi. Tu imagines : huit biberons par jour, comment on va faire ? Moi, je ne suis pas sûre d'y arriver.

— Tu vas prendre un congé maternité ?

— Avec le boulot qu'on a, il ne pourra pas être très long.
Un mois maxi. Mais je vais m'y mettre, ne t'inquiète pas.

Cela ne valait pas une grand-mère ou une tante mais
on devait être dans la même situation que des millions de
couples avant nous. Helen affirma que, statistiquement,
on allait s'en tirer, on avait tous deux surmonté des obstacles plus difficiles. N'ayant pas le temps d'aller aux cours
collectifs d'accouchement sans douleur, elle s'était offert
une coach à domicile. L'accouchement étant prévu autour

du 12 mars, on avait décidé de rester à Londres à partir du 2 pour se préparer dans le calme. Le 3 février 2006, Helen est retournée à Gaza pour boucler une interview. Le 5 à trois heures du matin, elle m'a réveillé avec une voix joyeuse, elle m'appelait de l'hôpital Al-Shifa.

– Ça y est, Tom, Sally est là. Tout s'est bien déroulé.

On avait tout prévu sauf Sally, qui déjà avait décidé de n'en faire qu'à sa tête, minuscule avec ses deux kilos deux et sa voix haut perchée. La petite avait décidé de débarquer dans une des villes les plus déshéritées du monde, histoire de se rendre compte par elle-même de ce qui s'y passait.

*

Helen a fait un effort dont je ne l'aurais pas crue capable. Le projet d'interview d'un chef taliban étant tombé à l'eau, elle est restée deux mois et demi à Londres pour s'occuper de sa fille, le matin à la maison et les après-midi en salle de montage pour finir son documentaire. Elle avait un problème de timing et trop de pellicule, elle ne parvenait pas à réduire aux cinquante-deux minutes réglementaires. De mon côté, je m'étais arrangé à l'association pour me faire remplacer. On s'occupait du bébé à tour de rôle et je n'avais jamais été aussi épanoui.

Sally a été le plus grand bonheur de mon existence. J'avais du mal à imaginer que j'étais le père de cette chose rose, chevelue, menue et hurlante, Helen avait lu que cette prise de conscience était le point de démarrage des sociétés humaines. Durant des milliers d'années, les hommes avaient célébré la déesse de la Fertilité, la remerciant de leur apporter des héritiers, et puis un jour, ils avaient compris que la déesse n'avait rien à voir dans cet événement et qu'ils étaient les seuls responsables de ce prodige. Quand on y réfléchit, la relation de cause à effet n'est pas évidente à déterminer. Nous, on le sait car on nous l'a dit, l'aurait-on deviné tout seuls ?

Sally avait une voix à réveiller tout le quartier, et elle avait du mal à s'endormir, on a tout essayé pour la calmer, nous avons chanté tour à tour, ç'a été pire, nous l'avons portée dans nos bras en dansant ou en la berçant, nous avons vérifié la température du biberon, son débit, la lumière de la chambre, le taux d'humidité et deux douzaines de paramètres qui n'ont eu aucune influence sur son volume sonore. La pédiatre restait impuissante, nos oreilles, nos nerfs souffraient autant que nos voisins.

Et puis un soir, il y a eu un miracle. Épuisé de l'entendre hurler, je me suis étendu sur mon lit, je l'ai posée sur mon ventre, et tout d'un coup, Sally s'est arrêtée de brailler. Par le plus heureux des hasards, je venais de trouver le remède magique qui la calmait. Nous sommes restés longtemps dans cette étreinte, depuis, elle ne dormait que sur moi. Ce fut une bénédiction de demeurer ainsi pendant des mois avec l'autre femme de mon cœur.

*

Nous avons eu la chance d'embaucher Mikala, qu'aurions-nous fait sans elle ? Elle est devenue notre nourrice attitrée rapidement, quand il a été indéniable qu'il nous serait impossible de nous occuper seuls de Sally.

Mikala était arrivée du Nigeria depuis cinq ans et, à vingt-quatre ans, avait déjà trois enfants et sa dernière avait cinq mois. Au début, elle venait chez nous pour faire le ménage deux fois par semaine. Mais quand elle a vu que nous n'étions pas au point pour les biberons, les langes, les crèmes et tout le reste, elle nous a donné un coup de main et puis il y a eu un coup de foudre entre elle et Sally. Cette dernière, qui hurlait dès que quelqu'un la prenait dans ses bras, gazouillait quand Mikala s'occupait d'elle. Désormais, Sally est devenue sa vocation. Le matin, je déposais Sally chez Mikala, qui habitait sur Highgate Road, ce qui était assez pratique, je la récupérais le soir ou Mikala la ramenait ; quand Helen ou moi étions trop occupés, elle la gardait chez elle, parfois Sally y passait la semaine. C'était une vie un peu agitée, pas moyen de faire autrement mais on s'en fichait. Une vie de Londonienne, quoi.

*

Helen pestait contre le désordre incroyable qui régnait à chaque étage, l'éparpillement des effets personnels de la petite, les jouets qui traînaient, l'impossibilité où elle était de pouvoir ranger ses acquisitions qui s'empilaient ou demeuraient dans leurs emballages d'origine. Je savais à quel point elle aimait son quartier, alors j'ai commencé à chercher une habitation plus vaste autour de Belsize. J'ai examiné les annonces des agences immobilières et j'ai failli avoir une crise cardiaque en découvrant les prix effarants qui se pratiquaient.

J'ai fait des calculs rapides, j'avais économisé sur ma solde durant quinze ans, reçu une substantielle prime de départ, si on y ajoutait le prix de vente de l'habitation d'Helen, plus un crédit sur une vingtaine d'années, on pouvait prétendre à une belle demeure sur Belsize Park avec un joli bout de gazon ou à une charmante maison dans une allée privée sur Primrose.

Par le passé, j'avais commis des impairs regrettables en abordant certaines questions au mauvais moment. J'avais donc décidé d'attendre qu'Helen soit dans de bonnes dispositions pour évoquer le sujet. Le moment approprié s'est présenté début octobre, Helen est rentrée plus tôt que d'habitude dans un état d'excitation que je ne lui avais jamais connu.

– Ça y est ! Je lui ai parlé ! C'est pour demain soir ! Yaaaeee !

Helen s'est mise à rechercher le dossier Paul McCartney. Cette interview était un véritable serpent de mer, programmée et différée pour des raisons byzantines. Elle redevenait d'une actualité urgentissime, Helen devait présenter dans les plus brefs délais au grand Paul un synopsis détaillé de l'entretien. Ce n'était pas un travail considérable, même si elle devait faire preuve de beaucoup de diplomatie dans les thèmes à aborder ou à éviter.

– Tu n'as pas vu le dossier McCartney ? Il est rouge !

Nous avons consacré notre soirée à essayer de mettre la main sur une pochette cartonnée contenant des coupures de presse des années 60 et 70 et une interview jamais publiée accordée par George deux mois avant sa mort à une journaliste argentine, et qui n'était pas aimable pour ses collègues. Nous avons méthodiquement défait les piles de vêtements, journaux, livres, pochettes de DVD et CD, photos... et après une fouille systématique, il a fallu se résoudre à considérer qu'il s'agissait d'un dossier porté disparu sans explication.

Quand Helen a reçu un appel d'une assistante pète-sec s'étonnant de ne pas avoir réceptionné son projet, elle a commencé à s'énerver sérieusement. Nous avons retourné à nouveau les premier et deuxième étages, plongeant dans les penderies, les placards et le dressing, j'ai perquisitionné la totalité de la bibliothèque, sous les lits, derrière les radiateurs, sur les armoires, soulevé les coussins des fauteuils et du canapé. Nous avons retrouvé, comme si nous les avions extraits d'un puits de mine, des objets oubliés pour toujours, des dossiers perdus, des lettres jamais ouvertes, des livres jamais lus, des pantalons jamais mis, la coupe de cristal reçue pour son reportage sur les Farc, quatre billets de cent francs dans une chaussure, des photos de jeunesse, un paquet de lettres enveloppé d'un ruban en soie bleue qu'elle a soustrait prestement à ma vue et, à quelque chose malheur est bon, la bague dorée avec un rubis qui avait valu à son ancienne femme de ménage d'être virée sur-le-champ, la pauvre. Mais pas de dossier rouge.

Susan avait procédé à la même recherche, chez elle c'était plus facile, elle avait des armoires à ne plus savoir quoi acheter et, au bureau, elle classait tout avec méthode.

Sur le coup d'une heure du matin, il a fallu admettre que McCartney était perdu corps et biens, laisser un message dépité à sa peste d'assistante et se résoudre à accepter que c'était foutu râpé. Helen était désorientée comme un boxeur K-O debout, j'ai senti à quel point elle était meurtrie et j'ai réalisé pourquoi Vatel s'était suicidé.

Nous avons continué à discuter, fini la bouteille de tequila, puis celle de gin, cela faisait longtemps que nous ne nous étions pas autant parlé. La nuit étant perdue, nous sommes sortis faire un tour, un froid humide nous enveloppait, nous avons marché dans les rues désertes jusqu'à

Victoria Park, quand nous sommes revenus le jour commençait à poindre et, lentement, la ville se réveillait. Helen ne réussissait pas à faire le deuil de son interview et passait en boucle les hypothèses les plus invraisemblables pour expliquer la disparition de ce dossier.

Et puis, il y a eu un signe du destin, un de ces clins d'œil comme il s'en produit dans les films américains, nous nous sommes arrêtés au croisement de Rowland et de Haverstock Hill, et là, Helen s'est immobilisée devant la vitrine de l'agence immobilière qui faisait le coin.

– C'est fou les prix ! ai-je lancé.

– Complètement délirant.

Nous avons examiné les annonces.

– Je pense, ai-je poursuivi, que ce ne serait pas mal si on déménageait pour être plus à l'aise.

– Que veux-tu dire ?

– C'est petit pour nous trois. On étouffe. On n'arrive plus à poser quoi que ce soit, ça devient épouvantable, et quand Sally va grandir, on fera comment ? Il lui faudra une chambre. Et toi, tu pourrais avoir un bureau pour ranger tes dossiers. Tu ne perdrais plus rien.

– C'est une excellente idée, malheureusement on n'a pas les moyens, Tom, il faut être riche pour s'acheter une résidence dans le secteur.

– Écoute, j'ai réfléchi : moi, j'ai pas mal d'argent de côté, si j'ajoute ma prime de départ, le montant de la vente et un crédit, c'est jouable. J'ai vu à Belsize une maison de cent vingt mètres carrés avec un jardin à un prix acceptable, on pourrait aller la voir ?

– Tu veux que je vende ma maison ?

– Si on veut en acheter une plus spacieuse, c'est obligé.

Helen s'est figée, elle ne bougeait plus, seules ses paupières se fermaient et s'ouvraient. Elle avait les traits tirés et le visage livide, la fatigue probablement. Ou la lumière blafarde de l'éclairage public. Sa lèvre s'est animée de plus en plus vite comme si elle était soudain prise d'un tic incontrôlable.

— Tu es fou ! s'est-elle écriée. Je ne la vendrai jamais. Jamais ! C'est là où vivait ma mère ! Tu te prends pour qui, hein ? Qui a proposé qu'on vive ensemble, toi ou moi ?

– C'est toi qui...

– Est-ce que je t'ai demandé une contrepartie ?

– Non, mais...

– C'est comme ça que tu me remercies ? Hein ? C'est comme ça ?

– Je ne vois pas le rapport, Helen.

– Ah oui ! Eh bien, moi, je le vois ! Je ne partirai pas de chez moi ! Même contre un palais ! J'ai reçu cette maison de ma mère. Tu comprends ce que ça veut dire ? Personne ne me la prendra, tu entends ? Et certainement pas toi !

Ce fut notre première grosse dispute et j'ai fait ce que font les hommes dans ces cas-là, j'ai laissé tomber, je voulais résoudre un problème, pas en créer un, je n'en ai plus parlé, me disant qu'avec le temps, et la fillette grandissant, la raison finirait par s'imposer.

Helen a fait comme si elle avait oublié et la vie a repris. Elle a continué à aligner reportages et interviews et moi, j'ai baladé des centaines de jeunes paumés et de cadres stressés sur les chemins d'Écosse et du pays de Galles, et j'ai fini par connaître le Lake District comme ma poche.

*

200

À deux ans, Sally ne parlait pas, on attendait avec impatience son premier mot. Il ne venait pas. On essayait de la faire parler, de la faire répéter, elle nous considérait de ses yeux bleus étonnés, souriait et ne disait rien. Je rêvais de l'entendre prononcer « *Papa* ». Elle gardait les lèvres closes. Mikala jurait qu'à plusieurs reprises, notre fille s'était exprimée, des mots distinctement formulés comme : gâteau, bobo, doudou ou Mika. Sally tenait, paraît-il, de courtes conversations avec Mimi, sa fille, et elle avait de plus en plus de vocabulaire. On voulait bien la croire, mais de notre côté nous ne l'avions jamais entendue balbutier que des sons incompréhensibles.

Notre voisine pédiatre examina une nouvelle fois Sally et fut catégorique : celle-ci était tout à fait normale, à cet âge les retards d'expression étaient fréquents, peut-être ne voulait-elle pas s'exprimer devant nous ou avec nous, elle communiquerait quand elle en aurait envie, il ne fallait ni s'inquiéter ni la forcer, ni en faire un drame.

Helen vivait mal le mutisme de sa fille et s'était mis en tête qu'elle refusait de s'adresser à nous pour nous punir de ne pas nous occuper assez d'elle et de la laisser en permanence à une nounou. Depuis deux semaines, elle passait tous les soirs la prendre chez Mikala, puis lui préparait son repas et lui donnait à manger, elle lui parlait, lui posait des questions qui restaient sans réponse, lui racontait une histoire avant qu'elle s'endorme, attendant que survienne ce premier mot. Sally avait décidé de se taire et on commençait à être inquiets.

Sur la recommandation de la pédiatre, nous avons organisé une fête pour son troisième anniversaire, nous avons invité les enfants des amis et ceux de Mikala. Ce fut une épreuve que de débarrasser le rez-de-chaussée, nous avons tout transporté dans les étages et avons dressé un buffet comme Helen en avait vu dans *Vanity Fair* avec des montagnes de gâteaux, d'entremets et de bonbons. Nous n'avions pas prévu que chaque parent se défilerait immédiatement après nous avoir déposé son bambin, nous laissant seuls face à la meute. Les enfants se sont jetés sur le buffet comme s'ils étaient affamés. Sally a reçu deux douzaines de cadeaux totalement inutiles et les enfants se sont occupés avec.

Nous avons profité de ce moment de répit pour déguster à notre tour un de ces gâteaux vert et bleu si délicieux. C'est alors que, Helen et moi, nous avons entendu Sally s'adresser à Mimi en bredouillant des mots inintelligibles, nous avons d'abord cru qu'il s'agissait d'un jeu, mais Mimi lui a répondu. C'était une discussion.

– Nwata kiri nwanyi enyi zoputa edo biko, a dit ma fille, même si je ne garantis pas la prononciation.

– Obele tolotolo kporo mgbu umu aka, a répondu Mimi.

Elles ont continué à discuter tranquillement en jouant avec la console. On ignorait ce que cela signifiait mais elles se comprenaient fort bien. Notre fille parlait effectivement, elle parlait l'igbo, l'idiome natal de Mikala, très courant dans son pays. Nous avons essayé de savoir si Sally parlait aussi un peu l'anglais, elle a continué à s'exprimer en igbo, c'était difficile pour nous car nous ne connaissions pas cette langue et elle avait l'air de nous prendre pour deux débiles qui ne comprenaient rien à rien.

La première réaction d'Helen a été de vouloir se séparer de Mikala et de chercher une Anglaise authentique, quel

qu'en soit le prix. La pédiatre lui a dit que ce serait une
ânerie sans nom, qu'il fallait au contraire garder la nounou
qui faisait parler notre fille, le plus important, affirmait-
elle, c'était l'expression, peu importait le langage. C'est
ainsi que Mikala a conservé son boulot.

Nous en avons profité pour lui faire promettre sur la
Vierge qu'elle et Mimi ne s'adresseraient plus à notre fille
qu'en anglais. Il y eut une période transitoire qui dura plusieurs mois avant que Sally ne daigne converser avec nous,
et cela nous permit d'apprendre quelques mots d'igbo.

*

Je ne suis pas doué pour les chiffres, les calculs m'ont
toujours ennuyé. Mais ce jour-là, je devais m'occuper de la
comptabilité de l'association. Davies, dont c'était le rôle,
était cloué au lit par une opération du genou et ne voulait laisser à personne d'autre qu'à moi le soin de préparer
le prochain budget. C'était, disait-il, l'occasion ou jamais
pour que je m'y mette. L'horreur. Je me perdais entre les
postes, mélangeais les dépenses courantes, les subventions, les provisions, la trésorerie et les recettes prévision-
nelles. Cynthia, notre secrétaire, a voulu m'apprendre à
me servir d'un tableur informatique, je n'en avais ni le
temps ni l'envie et, comme elle affirmait que c'était d'une
simplicité enfantine, je l'ai laissée faire toutes les mises en
pages sous forme de diagrammes et de camemberts.

Pour la deuxième fois, on finissait l'année avec un excédent étonnant, résultat des lucratives formations destinées
aux entreprises et de l'ouverture de la via ferrata dans
le Cumberland qui rencontrait un succès considérable
auprès des cadres de la British Petroleum. Je regrettais

l'absence de Davies car j'avais l'intention de lui réclamer une augmentation. En cinq ans, mon salaire n'avait pas bougé, je n'avais rien exigé et rien obtenu, maintenant, mes résultats me permettaient de tenter ma chance. Surtout que l'argent était devenu un problème avec Helen, elle ne supportait pas que je stagne avec une rémunération si faible, même si c'était pour la bonne cause. On partageait les frais mais quand j'en avais payé la moitié, j'étais en déficit, d'où l'obligation d'obtenir cette augmentation.

On était en pleine réunion de clôture du budget en vue du prochain conseil d'administration, lorsque j'ai reçu un appel d'Helen. Elle quittait Amsterdam et voulait absolument que je vienne la chercher à l'aéroport. Cette exigence tombait mal, j'en avais pour tout l'après-midi avec le comptable, je lui ai dit que je ne pouvais pas me libérer, elle a tellement insisté que j'ai abandonné la réunion et pris un taxi pour Heathrow. Avec les encombrements, je suis arrivé juste avant elle.

Helen n'avait pas besoin de moi. Elle avait pris le Dodge, elle a tenu à conduire et nous sommes repartis vers Londres. Il y avait foule sur l'autoroute. J'ai commencé à lui raconter la préparation du budget, j'allais évoquer le surprenant bénéfice réalisé cette année et les perspectives que j'en escomptais quand elle m'a interrompu :

– Tom, il faut qu'on parle.

Sa voix était calme, presque détachée, elle n'a pas quitté la route du regard et moi, je l'ai écoutée tout le long du trajet.

– Toute cette semaine, j'ai longuement réfléchi et je suis parvenue à une seule conclusion : c'est fini tous les deux. Je crois, je suis persuadée, que c'est terminé entre nous depuis des mois. Nous ne voulons pas l'admettre et en tirer les conclusions. Il ne se passe plus rien entre nous. Je ne t'aime plus, Tom. On a évolué différemment et je ne veux pas qu'on s'enferme dans la routine habituelle des couples. Tu occuperas toujours une place particulière dans mon cœur, parce que tu es le père de ma fille. Nous avons connu le bonheur mais le moment est venu où nos chemins se séparent. Nos cinq années de vie commune ont été magnifiques et nous devons nous montrer à la hauteur de cette histoire. Il faut que nous réussissions notre séparation, pour nous et pour la petite. Elle est très jeune et nous ne devons pas la traumatiser. Tout doit se dérouler sans heurt, tu pourras la voir comme tu voudras, on s'arrangera pour les détails. Nous sommes deux adultes responsables, nous devons être raisonnables et nous allons agir dans son intérêt.

Elle a continué à s'exprimer sans m'accorder un coup d'œil jusqu'à ce qu'elle s'arrête à Belsize. J'étais tétanisé, muet comme un enfant giflé, avec le cœur qui battait, je la connaissais, il était strictement inutile de discuter, d'essayer de négocier ou de plaider ma cause, je n'avais pas envie de la supplier et de m'abaisser devant elle, elle avait pris sa décision sans solliciter mon avis, je n'avais pas d'alternative. Elle a freiné en face de chez elle.

— Je te demande de partir aujourd'hui, le pire serait de tergiverser et de s'enliser, je souhaite que tu aies quitté la maison avant que Mikala ait ramené Sally ce soir.

Elle parlait comme si elle maîtrisait tout, pourtant elle a raté son créneau et heurté la voiture de derrière.

— Ce sera difficile au début, pas seulement pour toi, Tom, pour moi aussi. Bientôt, tu réaliseras que cette séparation était l'unique solution et l'occasion d'un nouveau départ pour chacun de nous.

J'étais K-O debout, incapable de réagir, de trouver les mots, les idées pour la contredire, lui prouver que c'était une absurdité et que notre couple n'était pas fini mais elle m'avait vaincu, anesthésié comme l'araignée qui immobilise sa proie avant de la dévorer. J'acceptai l'inéluctable, prêt à monter sur le tapis roulant qui me conduirait à l'abattoir.

J'ai dégagé en une heure, mes affaires personnelles tenaient dans trois valises.

– Veux-tu que je te dépose quelque part ? a-t-elle dit.

J'ai appelé un taxi, il a chargé mes valises, Helen m'a fait un signe d'adieu de la main et a refermé la porte.

*

J'ai continué à vivre avec Helen dans ma tête. Avant cette rupture, on ne se voyait pas beaucoup, on restait une ou deux semaines loin l'un de l'autre, passant le week-end en famille avant de repartir pour nos activités respectives. Finalement, ma vie sans elle a continué d'une façon quasi identique, mais sans nos week-ends. Elle était là, avec moi, partout.

Trois semaines plus tard, nous avons fêté les quatre ans de Sally comme si de rien n'était, aucun des parents ne savait qu'on était séparés.

On se téléphonait pour Sally, pour les détails du quotidien, Helen me demandait si je pouvais l'emmener chez Mikala ou jouer chez une copine, elle était toujours débordée, on se voyait quand je venais la chercher ou la ramener et on bavardait comme au bon vieux temps, parfois on prenait un verre, elle faisait cela pour que sa fille réalise qu'on n'était pas ennemis et que rien n'avait changé, même si nous ne vivions plus sous le même toit. C'était des instants agréables.

Malgré la séparation je n'arrivais pas à rompre le cordon, j'étais satisfait comme ça, avec elle dans un coin de mon cœur, une illusion d'existence à deux, et j'ai mis des années à me détacher d'Helen et à l'admettre. J'ai traversé une sale période, la pire de mon existence, je restais des heures à contempler l'écran de mon téléphone portable, attendant qu'elle m'appelle, qu'elle murmure : «*Écoute, Tom, j'ai réfléchi, tu me manques tellement, j'ai besoin de toi, je t'en prie, reviens chez nous.*» Quand elle appelait, c'était qu'elle était coincée au studio ou à Manchester ou à Paris, elle ne pouvait pas récupérer Sally et je devais me débrouiller pour la prendre ou la lui amener. Et moi, j'étais tellement content de l'entendre et de la promesse de la revoir que je répondais : «*Pas de problème, je m'en occupe.*» Elle me balançait : «*Ça n'a pas l'air d'aller trop mal pour toi. Pour moi, c'est plus dur que je ne l'aurais cru.*» Et c'était moi qui devais lui remonter le moral.

Une fois, elle m'a téléphoné de Riga où elle était en reportage pour prendre de mes nouvelles, savoir comment j'allais, elle avait attaqué les bouteilles du minibar, on a discuté longtemps, comme avant. C'est ce soir-là qu'elle a ajouté une pierre à ses théories fumeuses, un nouveau chapitre à son livre insaisissable, c'était bizarre cette tendance à rationaliser notre univers, à vouloir l'expliquer ou l'organiser à tout prix, à ne pas admettre que nous étions comme des oiseaux dans le ciel, on se croisait dans l'immensité et on se séparait au gré des courants d'air, on se posait où on pouvait, il n'y avait pas de logique dans nos existences, aucune raison, que du hasard. C'était sa manière à elle d'essayer de comprendre cette société incompréhensible, de lui donner un sens qui la rendrait supportable. Certains contemplent les cieux et récitent des prières, Helen inventait des théorèmes avec une conviction irrésistible. J'avais eu le tort d'affirmer que notre séparation n'était qu'une épreuve qui rendrait notre couple plus fort, que c'était ridicule de continuer à souffrir chacun de son côté alors que nous étions si heureux tous les deux et que le moment était peut-être venu d'envisager de reprendre notre vie commune.

– Ce n'est pas possible, Tom, ce serait une erreur monstrueuse, quand les continents se séparent, ils ne reviennent pas en arrière. Nous sommes nous aussi soumis à cette dérive inexorable, nous allons rencontrer d'autres continents, nous emboîter quelques années, nous séparer à nouveau et ainsi de suite, il y aura des chocs redoutables, des séismes, des tsunamis affectifs et nous continuerons à dériver. On se rapproche, on s'éloigne, soumis à des forces mystérieuses qui se jouent de nous. C'est l'érosion du temps qui nous sépare, malgré nous et nos foutus sentiments, et nous ne pouvons y résister, sauf à nous encroûter définitivement, à renoncer à l'essentiel et à nous opposer à l'évolution. Nos destins ne sont pas soumis à notre volonté, ils obéissent aux lois basiques de la tectonique de l'amour. Il n'y a que des convergences, des divergences et des décrochements. Toute notre éducation, toute notre culture religieuse a voulu gommer ces failles irrésistibles, les canaliser, les annihiler ; autant s'opposer à la marée en soufflant sur les eaux.

Je l'ai écoutée dériver pendant un long moment, je ne pouvais rien rétorquer, j'avais de sérieux doutes sur le bien-fondé de cette thèse. Helen habillait la condition humaine à sa façon et lui donnait une apparence qui la rassurait. La réalité était plus prosaïque. Avec le recul de la séparation, j'ai pris conscience qu'Helen était à la recherche d'une chimère qui la laisserait éternellement insatisfaite, elle s'était fabriqué un héros comme dans les contes, un Lancelot d'aujourd'hui, je n'avais pas compris que pour la garder, je devais jouer le jeu du chevalier courageux et immortel, j'avais refusé de devenir un personnage de fiction dans un film hollywoodien, j'avais décliné une proposition de tournée dans les universités américaines, je m'étais trouvé un job que j'aimais mais avec un salaire minable et son héros s'était transformé en Monsieur Tout-le-monde qui partait et rentrait à peu près à la même heure tous les jours.

Depuis que nous vivions ensemble, je n'avais plus eu à affronter ces accidents terribles qui m'attiraient la sympathie des hommes et faisaient chavirer le cœur des femmes. À l'exception d'une chute risible sur le verglas à l'arrêt du 135 lors de l'hiver 2009, il ne m'était plus rien arrivé de redoutable et j'avais perdu de mon prestige, je l'avais senti au ton qu'elle employait pour me parler et surtout à ses silences et à ses regards qui étaient comme des couteaux. À l'époque, je me demandais quelle faute j'avais commise qui me valait cette distance et ces soupirs apitoyés. Helen m'avait supporté parce que je m'occupais beaucoup de la petite, je l'amenais chez Mikala, je faisais les courses, le frigo était toujours rempli, j'apportais ses affaires au pressing et j'entretenais sa maison. Elle pouvait vaquer à ses nombreuses occupations, partir où elle voulait quand elle voulait et sortir avec sa cohorte de copines. Lorsque j'émettais l'hypothèse qu'on puisse sortir ensemble, je sentais chez elle une incompréhension totale, comme si j'avais proféré une bassesse ou une insanité.

Longtemps, j'ai été son trophée, aucune de ses copines n'en avait un aussi beau et original. Et puis un jour, elle s'est lassée, je n'avais plus rien qui pouvait l'exciter, sauf que je lui avais fait un bébé magnifique et qu'on formait une famille. Il est vrai que j'étais la première personne qu'elle rencontrait capable de démonter et remonter à l'aveugle un fusil-mitrailleur, qui maîtrisait à la perfection les techniques du close-combat pour tuer n'importe qui en moins de sept secondes, et d'autres choses qui ne sont pas forcément d'une utilité immédiate pour une Londonienne mais qui peuvent vous sauver la vie dans plein de pays.

Au début, Susan avait affirmé que j'étais un peu bas de plafond, Helen m'avait rapporté, un soir de dispute, que Susan m'avait trouvé *rustique*, mais cela n'avait pas empêché que nous devenions amis et, après notre séparation, ses amis ne m'ont pas rejeté. Dans cette bande de coupeurs de cheveux en quatre, je ne constituais une menace pour personne, j'étais une pièce rapportée, j'étais Tommy les Biscotos. Oui, c'était ça qui l'avait attirée, j'en suis sûr, le baroudeur couturé de partout avec son franc-parler et sa philosophie binaire. Ajouté au fait que nous avions une entente physique assez phénoménale.

Pour en finir, je suis persuadé que la cassure est survenue cette nuit où nous avons marché dans Londres et où je lui ai proposé de déménager dans une habitation plus grande et de vendre la sienne, je n'avais pas saisi combien elle y était viscéralement attachée. Cela ne se discutait pas.

Sur ce point précis, Helen n'avait pas voulu évoluer et, sur ce point, sa théorie était fondée, c'est quand on n'évolue pas ensemble que l'on finit par s'éloigner. J'avais osé formuler une revendication inacceptable, je voulais la chasser de chez elle, j'étais devenu un danger, un ennemi tapi au cœur de son univers. Tôt ou tard, le problème se serait de nouveau posé, elle avait pris les devants. Entre Helen, la petite et moi il y en avait un de trop. Elle avait tranché, nous nous étions séparés cette nuit-là, même si nous n'en avions pas eu conscience.

J'avais de quoi m'acheter un appartement, mais il aurait fallu que je déménage dans une lointaine banlieue. J'ai déniché un deux-pièces à Brondesbury, un cinquième sans ascenseur, le loyer n'était pas exorbitant et Sally était à dix minutes. Les années qui ont suivi, j'ai servi de babysitter, j'étais disponible et corvéable à merci, Helen avait confiance en moi pour m'occuper de la petite, aller la chercher, jouer avec elle, la nourrir, lui passer sa maman qui lui téléphonait de l'autre bout du monde. Quand elle revenait de reportage, pendant qu'elle montait son émission, on avait à nouveau un semblant de vie familiale ; pourtant elle n'avait qu'un espoir, c'était que ça pète quelque part, et elle n'était jamais déçue, elle pouvait repartir en courant en nous laissant tous les deux.
J'étais la variable d'ajustement pour la garde de sa fille, elle ne disait pas « notre fille », Sally était sa fille à elle, j'avais juste été le géniteur. Helen avait raison, nos amours sont des continents à la dérive.

*

Ma vie a basculé le jeudi 19 décembre 2013 à 7 h 43 précisément, j'allais quitter l'hôtel où j'étais descendu à Édimbourg quand j'ai reçu un appel de Davies sur mon téléphone portable. J'étais en Écosse afin de préparer le raid VTT du jour de l'an pour la Barclays. Il voulait qu'on se voie de toute urgence. Comme j'avais deux rendez-vous dans la journée, je lui ai proposé qu'on se retrouve le lendemain. Mais soudain, son intonation a changé, ce n'était plus l'ami Davies qui me donnait du «*mon vieux*» à tout bout de champ, c'était le patron qui formulait un ordre à un subordonné et qui plus est un général à un lieutenant :

– Prenez l'avion ! Il y a de la place dans celui de 9 h 25. En vous dépêchant, vous pouvez l'attraper, je viendrai vous prendre à l'aéroport.

J'étais à la fois soucieux et détaché, préoccupé par son ton comminatoire et par l'inquiétude que j'avais décelée dans sa voix, annonciatrice d'une mauvaise nouvelle ; par ailleurs, j'avais la conscience tranquille, jamais l'association ne s'était si bien portée, on avait été obligés de recruter de nouveaux animateurs pour répondre à la demande et je ne voyais pas quelle faute j'aurais pu commettre qui m'aurait valu une sanction, mais si cela devait être le cas, tant pis, j'avais traversé suffisamment d'épreuves pour relativiser.

Davies m'attendait à l'arrivée à Gatwick et me gratifia d'un sourire forcé.

– Alors, mon vieux, comment va ? Beau temps, non ? Allons prendre un verre.

Il m'entraîna dans un des cafés de l'aérogare, à une table à l'écart, attendit qu'on prenne notre commande et qu'on nous apporte nos consommations. Il râla contre la serveuse qui lui avait rappelé l'interdiction de fumer en le voyant sortir son paquet de cigarettes de sa poche.

– Si je vous ai fait revenir rapidement, c'est qu'il y a une urgence... Malcolm Reiner, cela évoque quoi pour vous ?

– Le milliardaire ?

– Oui.

– Je le connais de nom.

– Moi, je le connais depuis toujours. Nos familles sont très proches depuis longtemps. On a fait nos études ensemble à Oxford. C'est mon meilleur ami, comme un frère. Il y a quarante ans, il a hérité de la vieille banque familiale, il a créé un fonds de pension, il en a fait une entreprise colossale, et la plus rentable qui soit. Il a pris les bons virages au bon moment, c'est un visionnaire, le roi de l'anticipation, le plus habile des financiers. Quelqu'un de respecté et de redouté. Il parle d'égal à égal aux puissants de la planète. Il possède une des plus grosses fortunes du monde, la onzième je crois, la première du Royaume-Uni en tout cas. Mais mon ami Reiner a un souci, un gros problème, nous en avons discuté et votre nom a émergé dans la discussion.

*

Malcolm Reiner habitait sur Kensington Palace Gardens dans un palais victorien, plus imposant et aussi bien gardé que la Banque d'Angleterre. Jusqu'à la seconde où les grilles en fer forgé se sont ouvertes pour nous laisser entrer, je croyais, à tort, que seule la famille royale pouvait posséder une résidence pareille. Je n'ai pas pu me retenir d'interroger Davies :

– Combien y a-t-il de pièces ?

– Je ne sais pas. La demeure mesure dans les cinq mille mètres carrés. C'est la plus grande de Londres, après Buckingham Palace.

– Waouh !

– Malcolm n'y vit plus beaucoup, il préfère la campagne, il a un manoir dans le Kent, non loin de Beresby.

Après avoir passé plus de contrôles de sécurité que dans un aéroport et mis en dépôt nos téléphones portables éteints, nous avons pénétré dans une annexe de la National Gallery. Je ne saurais décrire autrement l'amoncellement de tableaux, vases, armures, bibelots, meubles précieux et tapisseries qui recouvraient les murs, comme si le propriétaire avait voulu ne laisser aucun espace disponible. Nous avons suivi un majordome en livrée et traversé des pièces en enfilade, il y avait la salle des épées et des dagues, celle des fusils et pistolets anciens, celle des trophées et celle des instruments de musique, et deux consacrées aux maîtres flamands. Nous avons gravi un escalier en marbre somptueux bordé de tableaux d'aristocrates en costumes d'apparat. Au premier étage, il nous a fait entrer dans une salle de bal gigantesque qui m'a fait penser à la pièce principale du château de Windsor. Une fresque mythologique couvrait tout le plafond. Il y avait douze fenêtres de front et Hyde Park s'étendait à perte de vue comme s'il s'agissait d'un jardin privé. Le majordome a disparu et nous avons attendu en regardant les toiles sur des chevalets. Davies m'a rejoint. Je contemplais le portrait d'une femme au visage pâle avec de longs cheveux noirs, un visage d'une incroyable finesse qui me fixait avec un sourire mystérieux.

– Vous avez le privilège de découvrir *La Vierge à la*

rose, c'est une des toiles qu'il ne prête jamais, c'est un Raphaël sublime, vous ne trouvez pas ?

J'ai hoché la tête d'un air connaisseur.

– Elle ne ressemble pas à une Vierge.

– C'est pour cela qu'elle est si belle.

– Ah, vous admirez ma bien-aimée.

En entendant cette voix de basse dans notre dos, nous nous sommes retournés. Malcolm Reiner traversait le salon et venait vers nous. C'était un homme imposant qui semblait plus jeune que Davies. Peut-être parce qu'il était mince ou qu'il avait refusé de vieillir, ses cheveux étaient de jais, son visage bronzé et un peu figé, son regard me scannait.

– Malcolm, je te présente Thomas Larch.

Il avança le bras et me serra la main avec énergie.

– Comment vas-tu, mon vieux ? dit-il à Davies sans cesser de m'examiner.

– Ça commence à tirer sur l'autre genou, je vais devoir y passer.

– Si tu perdais vingt kilos, tu te sentirais mieux. Vous ne croyez pas, monsieur Larch ?

Je ne sus quoi lui répondre.

– Je vais vous laisser faire connaissance, dit Davies. On se voit toujours ce week-end, Malcolm ?

Reiner hocha la tête et fit demi-tour.

– Venez avec moi.

Je lui emboîtai le pas et nous traversâmes le salon. Je me retournai et aperçus mon patron qui disparaissait dans la salle de musique. Reiner ouvrit une porte et nous montâmes par un escalier en colimaçon à l'étage supérieur, il me fit entrer dans une bibliothèque qui occupait la même superficie que l'immense salon du premier. Des dizaines de milliers de livres anciens s'alignaient sur des rayonnages, du sol au plafond, dans un ordre parfait. Au centre de la pièce, il y avait un billard immense, et près d'une fenêtre, six fauteuils en cuir de couleur vermeille tournés vers le billard. Je fis un tour sur moi-même, admirant la magnificence des lieux.

– C'est extraordinaire.

– Oui, j'ai quelques belles pièces. Faites-moi penser à vous montrer la bible de Gutenberg. Il n'en reste plus que onze.

Il se dirigea vers une table basse qui supportait une douzaine de bouteilles.

– Que buvez-vous ?

– Ce que vous voulez, un jus d'orange, un tonic.

– Avec un peu de gin, quand même ?

– Pourquoi pas.

Il remplit les verres, me rejoignit près de la fenêtre et me tendit le mien, ses mains étaient couvertes de petites taches brunes. Il parlait lentement en détachant les syllabes comme s'il pesait chaque mot.

– Je suis enchanté de vous rencontrer, monsieur Larch, ce n'est pas tous les jours qu'on a l'occasion de côtoyer un héros.

– Je vous en prie.

– Si, j'ai lu votre dossier. Vous êtes un vrai héros. Et j'ai vu le documentaire, encore plus impressionnant.

– C'est du cinéma vous savez, j'ai eu une sacrée chance.

– Et moi qui pensais que vous déteniez le secret de l'immortalité, j'étais prêt à vous l'acheter une fortune... Je plaisante.

Nous restâmes silencieux à siroter notre gin et à contempler Hyde Park qui nous faisait face à l'infini comme une forêt sauvage.

– Le bout de toit beige que vous apercevez dans le fond, à droite de la rangée de chênes, c'est Buckingham Palace.

– Vous avez eu accès à mon dossier ?

Il haussa les épaules comme si cela n'avait pas d'importance, retourna vers la table basse et remplit à nouveau son verre.

– Je peux savoir pourquoi ?

– Parce que je l'ai demandé. Vous pouvez vous resservir.

Il s'assit et m'invita à le rejoindre, je pris place sur le bord du fauteuil voisin.

– Davies ne tarit pas d'éloges sur vous et c'est une des rares personnes à qui je fasse confiance.

J'avais du mal à m'habituer au timbre de cette voix si lente, il donnait l'impression de retenir ses mots. Il baissa la tête comme s'il cherchait ses idées, but deux gorgées de gin et poursuivit en détachant toujours les syllabes et en fixant la pointe de ses chaussures :

– Il vous est possible de me rendre un service, un grand service.

– Moi ? À vous ?

Il releva la tête, son visage était figé comme s'il portait un masque de cire.

– J'ai un seul enfant, qui a trente-trois ans. Quand il était jeune, je n'ai pas pu m'en occuper, ce n'était pas un très bon fils et je n'étais pas un très bon père, nous n'avons jamais réussi à nous entendre. Il y a quatre ans, il a coupé les ponts. Longtemps j'ai su où il était, mais il s'est volatilisé en Inde il y a six mois. Je l'ai fait rechercher. Sans succès. Je veux que vous me le rameniez.

Il parlait d'une voix grave et lente. Certains mots restaient en suspens, indécis, puis il les finissait avec peine.

– Vous voulez que j'aille en Inde pour retrouver votre fils ?

– Exactement.

– Ce n'est pas mon métier, adressez-vous à un détective.

– C'est déjà fait, j'ai pris les meilleurs, ils ne sont arrivés à rien, ce sont des incapables.

– Pour quel motif m'avez-vous choisi ?

– Vous êtes né là-bas, non ? Vous parlez l'hindi.

– J'ai quitté l'Inde quand j'avais huit ans et j'ai oublié cette langue. Je n'ai pas l'intention d'y retourner, que ce soit pour me promener ou pour n'importe quelle raison.

– Je suis persuadé que vous pourrez le retrouver et le convaincre de revenir. Ce n'est pas forcément logique, cela relève d'une conviction profonde.

– À trente-trois ans, votre fils a l'âge de couper les ponts, non ? Il réapparaîtra lorsqu'il l'aura décidé, il faut être patient.

– J'ai suffisamment attendu comme ça.

– Il est peut-être... décédé ?

– Après son départ, il a vécu en faisant des retraits réguliers avec sa carte de paiement, l'équivalent de quatre ou cinq cents dollars par semaine, en Inde c'est énormément d'argent, la dernière fois, c'était il y a dix jours dans les environs de Delhi.

– Il est majeur, il fait ce qu'il veut, il donne de ses nouvelles, il n'en donne pas, ce n'est pas agréable, nul n'y peut rien.

– Vous devez aller là-bas, monsieur Larch, je compte sur vous. Je me suis arrangé avec Davies.

– Engagez quelqu'un dont c'est le métier.

– Mon choix s'est porté sur vous.

– Écoutez, monsieur Reiner, votre fils a disparu, je le regrette, il a ses raisons, il préfère ne plus communiquer avec vous, c'est son choix. Quand il le voudra, il reviendra.

– Cela ne vous prendra pas beaucoup de temps, l'affaire de quelques semaines, quelques mois tout au plus. Et croyez-moi, vous n'aurez pas affaire à un ingrat.

– Engagez de nouveaux détectives, mettez le paquet puisque vous avez les moyens, mais ne comptez pas sur moi.

– Vous serez bien rémunéré, vous continuerez à toucher votre salaire et vous aurez une prime... cent mille livres sterling.

– Vous m'avez mal compris, ce n'est pas une question d'argent. L'argent ne m'intéresse pas, cela n'a jamais été ma motivation.

– Je vous en prie, pas cette chanson avec moi, tout le monde est intéressé par l'argent : combien voulez-vous ?

– Je ne veux rien.

– Je peux juger les gens en parlant cinq minutes avec eux, j'ai la certitude que vous êtes la bonne personne pour le retrouver. Vous êtes l'homme qu'il me faut.

– Pourquoi n'allez-vous pas le chercher vous-même ? Qu'est-ce qui vous en empêche ? Et si c'était ce qu'il attendait de vous, que vous vous occupiez de lui et pas que vous engagiez un mercenaire pour lui manifester votre intérêt ?

– En temps normal, j'aurais pu patienter. Je ne vais

pas rentrer dans les détails, mais c'est pour moi qu'il y a urgence, monsieur Larch. Vous êtes mon dernier espoir de le revoir un jour.

Il avait parlé plus vite que d'habitude. Je me suis levé, il est demeuré assis, immobile, la tête baissée. Nous sommes restés ainsi un long moment, il a fini par relever les yeux et s'est dressé, il était plus grand que moi.

— Je suis désolé de vous décevoir, je n'irai pas.

— Je ne vous comprends pas, c'est une opportunité exceptionnelle que je vous offre, j'étais convaincu que vous accepteriez.

— Je ne veux pas retourner là-bas. L'Inde est, pour moi, un pays interdit.

— C'est une des raisons qui m'ont fait vous choisir.

Il avait touché le point sensible, j'ai senti une bouffée de chaleur me parcourir, je devais avoir les joues rouges et mon trouble devait se lire sur mon visage. Il a esquissé un léger sourire.

— Qu'avez-vous appris sur moi ? Qu'y a-t-il dans mon dossier ?

— C'est de mon héritier dont nous devons parler. Vous avez surmonté des épreuves plus terribles que celles que vous réservera un voyage en Inde. Et je serai votre débiteur, monsieur Larch, il n'y a personne sur cette terre à qui j'aie jamais demandé de me rendre un service.

— Je suis peut-être la personne adéquate, celle qui aurait pu le retrouver, mais je ne peux accepter cette mission. Non pas que je refuse de vous aider, mais votre fils n'a plus envie de vous voir et vous le savez. Je doute que vous l'aimiez un tant soit peu, je crois que le mieux, c'est de le laisser où il est.

– Comment pouvez-vous proférer une aberration pareille ? J'aime mon garçon.

– Pourtant, pas une seule fois vous ne l'avez appelé par son prénom.

Tout d'un coup, il est devenu livide.

Deux minutes plus tard, j'avais retrouvé l'air libre et je ne m'étais pas fait un nouvel ami.

*

La tranquillité tient à un rien, mon téléphone portable était éteint, ça n'a été que le lendemain, en me rendant à l'association, que j'ai pensé à le rallumer. J'avais onze messages de mon président, il y déployait la gamme la plus étendue de ses intonations, de la neutralité sèche à l'énervement et de la gentillesse doucereuse à l'incrédulité excédée. On aurait dit un comédien qui faisait ses gammes. Je décidai d'affronter sa colère ; par chance, je tombai sur son répondeur et lui laissai un message pour lui indiquer que je venais seulement d'être informé de ses appels. Nous sommes arrivés chacun d'un côté, comme si nous nous étions donné rendez-vous au pied de l'immeuble. Davies m'a aperçu le premier et m'a rejoint aussi vite que son genou le lui permettait.

– Je suis navré, je n'ai pas eu vos messages et…

– Vous jouez à quoi, Larch ? Vous ne savez pas qui est Reiner ?

Je n'avais plus droit à *mon vieux*, ni à ce *Tom* si doux à mes oreilles et qui montrait à tous en quel degré d'amitié il me tenait, qu'il m'interpelle par mon nom de famille était mauvais signe.

– Votre meilleur ami et…

— Il est le principal sponsor des Enfants de Gulliver !
Ces bureaux, le matériel, les voitures, la campagne de pub,
l'antenne de Cardiff, c'est lui, et la subvention annuelle
qui permet de boucler le budget en déficit, c'est lui.

— Pas cette année, on est encore en excédent.

— Ah, je vous en prie ! S'il décide de se retirer, on ferme.
Je n'ai pas ses moyens et je ne pourrai pas suivre, ni les
autres membres du conseil d'administration. Vous avez
une idée de ce que ça coûte, bon Dieu ? Si c'est la fin de
l'association que vous cherchez, il faut le dire.

— Pas du tout, je ne...

— Et il paraît que vous avez été insolent !

— C'est que...

— Ah, ne dites pas le contraire ! Il a dit in-so-lent ! C'est
un menteur, peut-être ?

— Je n'ai pas dit ça.

— Vous me décevez, Larch. Pour une fois qu'on vous
demande un petit service, vous en faites toute une histoire, ce n'est quand même pas le bout du monde.

Il m'interrompait sans arrêt, j'étais gêné de me faire
engueuler dans la rue, le marchand de journaux me considérait d'un air suspicieux, comme la fleuriste ou la serveuse du pub qui nettoyait les vitres. Davies n'y prêtait
aucune attention et continuait à me houspiller comme s'il
était encore **colonel** et moi sous-lieutenant.

— Franchement, je n'ai pas été sympa ? Votre augmentation, je ne vous l'ai pas accordée ?

— Ce n'est pas tout à...

— Je vous considérais comme un ami, une sorte de fils,
je vous ai invité chez moi et vous, vous me trahissez.

— Mon général !

– Vous me donnez un coup de poignard dans le dos.

– Je vous assure que…

– Il faut absolument que ce soit réglé, et vite, au plus tard avant Noël.

– La semaine prochaine ? Je ne peux pas.

– Ah oui, et pourquoi ?

– Je pars au ski avec la petite.

Mon patron m'a dévisagé d'un œil noir. Mais, entre la colère de Davies et celle probable de Sally, sans oublier celle, certaine, d'Helen si j'annulais les vacances à Morzine, il n'y avait pas d'hésitation possible.

– Samedi, je pars une semaine avec ma fille en France. Je vous promets d'y réfléchir, c'est tout ce que je peux faire, je vous donnerai une réponse définitive à mon retour.

– Merci, mon vieux.

– Je vais y repenser, mais ne vous faites pas trop d'illusions.

*

Nous avons passé une semaine merveilleuse, à nous amuser comme jamais, j'avais décidé que ce serait sa semaine et que je ferais ce qu'elle voudrait. Je n'avais posé qu'une seule condition, c'était qu'elle oublie sa console de jeux à Londres. Ici, elle pouvait traîner au lit, ne pas se brosser les dents, se coucher à pas d'heure et acheter ce qui lui chantait. Si elle voulait un gâteau, elle avait son gâteau, même si c'était dix minutes avant le repas, et si elle en voulait un deuxième, elle en avait un deuxième, et on n'allait pas déjeuner. Elle a voulu des boucles d'oreilles en strass qui lui allaient à ravir, une combinaison de ski rouge à rayures jaunes et des baskets vert anis fluo, elle a eu les trois.

On a fait en tout et pour tout dix minutes de ski, parce qu'il y avait peu de neige et une longue file d'attente aux remonte-pentes et qu'elle n'aimait pas ça. En revanche, on a fait des descentes mémorables en luge à deux, Sally n'avait pas peur quand on atteignait des vitesses impressionnantes, je la remontais assise sur la luge jusqu'au sommet de la butte et on dévalait schuss. Chaque jour, on faisait un tour en calèche et elle tenait les rênes. Nous effectuions un passage obligé à la librairie qui avait un rayon en anglais et où elle faisait provision de bandes dessinées et de revues de son âge avec plein de gadgets.

Le réveillon de Noël a été magnifique, avec la veillée, la messe de minuit et les treize desserts. Sally ne comprenait pas pourquoi nous n'étions pas catholiques ni pour quel motif elle n'allait pas au catéchisme, et elle m'a interrogé pour savoir comment il fallait faire pour changer de religion. J'ai courageusement botté en touche et affirmé que, pour ces questions, elle devait s'adresser à sa mère.

Elle est devenue copine avec Patrick, le crêpier chez qui nous allions dîner obligatoirement, il lui a expliqué que la crêpe était un art, lui a montré de quelle façon étaler la pâte avec la spatule et la retourner au bon moment. Elle venait de découvrir sa vocation : c'était le métier qu'elle voulait faire plus tard. Elle l'a annoncé à Helen qui lui téléphonait tous les soirs pour prendre de ses nouvelles, et qui lui a promis d'être sa meilleure cliente. Sally était ravie, surtout que Pat s'était engagé à lui donner sa recette secrète qu'il tenait de sa mère, une Paimpolaise.

Sally aimait ne rien faire, notre appartement était sur

le versant sud et on restait sur le balcon à se faire bronzer. Ce qu'elle adorait plus que tout, c'était emprunter la passerelle suspendue qui surplombe la Dranse et qui tremblait en son milieu, quand elle sautait à pieds joints. On a profité du beau temps pour faire une balade aux gorges du Pont-du-Diable où la rivière s'enfonce si profondément qu'on ne voit plus le ciel, Sally s'est engagée sur les poutrelles métalliques au-dessus du précipice sans la moindre crainte, elle se débrouillait si bien que j'ai envisagé de l'emmener l'été suivant faire une via ferrata avec moi, sous réserve que sa mère accepte. Sally m'a fait jurer de revenir l'année suivante, elle aurait huit ans et se mettrait au ski, promis.

J'ai peu pensé à Davies et à Reiner, ils étaient sortis de ma tête, ma décision était prise depuis le début et j'étais déterminé à refuser cette mission, quelles que soient les conséquences. Deux jours avant notre départ, Sally a voulu de nouveaux journaux et nous sommes retournés à la Maison de la Presse, j'ai aperçu la couverture d'un magazine qui proposait le palmarès des personnalités les plus riches de la planète, j'ai découvert que Reiner vivait un nouveau drame : il avait rétrogradé à la douzième place du classement, doublé par un gamin de vingt-six ans qui venait d'introduire en Bourse son site internet, et pourtant sa fortune s'était accrue de 2,2 milliards de dollars grâce à la hausse du cours de sa société. Le soir, j'ai téléphoné à Davies, je lui ai dit que j'avais réfléchi et que c'était non, je ne lui ai pas laissé le temps de discuter. Non, définitivement non.

*

Le lendemain de notre retour, je n'avais pas le moral, Sally me manquait, j'ai pensé à lui téléphoner, mais il était tard et elle avait dû retrouver ses horaires habituels. J'ai commencé à préparer le raid du jour de l'an pour les cadres de la Barclays. J'allais repartir en Écosse pour préparer le parcours VTT et je devais régler les derniers détails, il fallait que les efforts soient intenses et de courte durée, éviter les côtes pentues et les chemins caillouteux, et, surtout, que les trois nuits d'étape soient confortables. Je me suis demandé comment mes rapports avec Davies allaient évoluer. J'avais un mauvais pressentiment et la conviction que les choses n'en resteraient pas là.

J'étais en train de peaufiner le parcours par le bord de mer entre Édimbourg et Sterling quand, avant minuit, il y a eu un coup de sonnette appuyé. J'ai été surpris, nul ne venait jamais à l'improviste, j'ai pensé qu'un voisin avait un souci et suis allé ouvrir.

Malcolm Reiner se tenait sur le palier, la main appuyée contre le mur, il essayait de reprendre son souffle, respirait par saccades, il était seul et paraissait épuisé, avec des cernes sous les yeux et une barbe d'une semaine.

– Je n'ai pas trouvé l'ascenseur, murmura-t-il de sa voix grave en traînant sur chaque mot.

Je m'écartai pour le laisser entrer dans l'appartement. Il passa devant moi, les épaules courbées, il avança jusqu'au milieu de la pièce, enleva son manteau, le jeta sur le canapé et se laissa tomber sur une chaise.

– Je voudrais de l'eau.

Je lui donnai un verre, il prit une boîte argentée dans la poche de sa veste et avala une pilule verte avec une gorgée puis finit le verre.

– Je vous dérange ?

– Je préparais le prochain parcours qui doit commencer le 6 janvier en Écosse.

– Davies dit que ça marche bien, il est content.

– On a des projets importants, on va devoir embaucher des vacataires.

– Vous vous doutez de la raison qui m'amène chez vous ?

J'ai hoché la tête.

– Vous êtes toujours dans le même état d'esprit ?

– Je n'ai pas changé d'avis.

– Asseyez-vous, monsieur Larch, je ne supporte pas de vous voir debout.

Ce n'était pas un ordre, il avait prononcé ces mots d'un ton amical, j'ai opté pour la chaise en face de lui, de l'autre côté de la table. Il a esquissé un sourire, a jeté un œil sur la carte routière dépliée et a inspiré profondément à deux reprises.

– Je suis fatigué, monsieur Larch, pas seulement fatigué, je suis las, vous ne pouvez pas vous douter à quel point, je n'arrive plus à remonter la pente, à me motiver. Avant, quand j'étais dans cet état, la seule perspective de retourner au travail me redonnait le moral. Mais aujourd'hui, tout ce qui a été le sel de ma vie pendant quarante ans s'est volatilisé comme si cela n'avait été qu'une illusion, les Bourses du monde entier pourraient s'écrouler, je m'en foutrais, je suis convaincu que si, d'un seul coup, je devenais pauvre, je serais débarrassé d'un poids immense. Si cela ne tenait qu'à moi, j'entrerais au monastère et j'y resterais, j'en connais un en Ombrie où j'ai envie de me retirer, vous êtes la première personne à qui je confie cela. Si je ne le fais pas, c'est parce que j'ai encore deux trois combats à livrer. Et parmi ces batailles, il y a Alex. Vous avez vu juste, monsieur Larch, cela faisait longtemps que je ne l'avais pas appelé par son prénom, il était devenu une fonction, c'était celui qui devait me succéder, ce n'était plus Alex, le gamin si heureux de vivre, si souriant. Alex est un être humain que j'ai détruit, que j'ai écarté de son chemin, que j'ai réduit à l'état d'héritier. J'ai beaucoup réfléchi depuis notre rencontre. Au début, je vous en ai voulu de m'avoir repoussé et puis j'ai compris que j'avais tort, vous m'avez donné une grande claque et ç'a été salutaire. Nul ne me parle jamais avec franchise ou n'ose me contredire de la moindre des façons. Je me suis trompé sur tout, c'est moi qui l'ai chassé, moi et ma banque, moi et mon fric, mes tableaux, mes livres et mes propriétés. Il n'a pas voulu devenir l'homme le plus riche de notre beau pays, je n'admettais pas que ça ne l'amuse pas d'être plus riche que la reine. Vous rendez-vous compte de l'effet que ça fait à mon âge de prendre soudain conscience qu'on a fait fausse route à ce point ? J'ai choisi la mauvaise direction et ceux qui ne me suivaient pas, je les ai chassés, j'avais mille reproches à leur adresser, j'ai fait le vide autour de moi, j'ai fait fuir mon fils… Vous n'avez rien de plus fort ?

– Je ne bois pas d'alcool. Je n'ai que du jus d'orange. Attendez.

Je suis allé sonner chez mon copain Clive avec qui je regarde les matchs du Tournoi des six nations. Il bosse comme webmaster pour un site de voyages en ligne et vient parfois me demander du lait, du sucre ou ce qui lui manque, c'est plus pratique que de descendre cinq étages. Au bout de trois minutes, j'ai entendu une voix pâteuse :

– Qu'est-ce que c'est ?

Clive a ouvert la porte en pyjama, il était ébouriffé, je venais de le sortir de son lit.

– Désolé de te déranger, j'ai une visite et je n'ai pas d'alcool chez moi.

– Je vois... Elle est comment ? Je la connais ?

– Tu peux m'en prêter ? Je te rendrai tout.

– Tu sais où c'est, va te servir.

Je suis allé jusqu'au minibar sous sa télé et j'ai pris trois bouteilles.

– Ne t'inquiète pas, je te les remplacerai.

– Si tu veux, j'ai un peu d'herbe.

– Je te remercie, Clive. Ce ne sera pas utile.

Je suis rentré et j'ai déposé les bouteilles sur la table. Reiner les a rapidement examinées.

– Je vais vous faire livrer quelques flacons intéressants, à vous et à votre ami.

– Ne vous dérangez pas, ce n'est pas la peine. Vous prenez quoi ?

– Vous avez de la glace, peut-être ?

– Oui, j'en ai.

– Je boirais volontiers une vodka orange glacée.

Je l'ai servi et allais remplir mon verre de jus d'orange quand il m'a interrompu :

– Vous n'allez pas me laisser boire tout seul.

Pour l'accompagner, j'ai pris une vodka orange moins tassée.

– Que c'est bon ! a-t-il dit en vidant son verre. Vous ne trouvez pas que j'ai une drôle de voix ?

– Heu...

– J'ai une voix anormalement lente et basse, vous ne

m'avez pas connu avant, vous ne pouvez pas faire la comparaison. Mes amis, mes collaborateurs font semblant, comme si je n'avais pas changé, moi j'ai conscience que le compte à rebours a commencé. Il y a six mois, on m'a fait une greffe de la trachée, une révolution technologique, paraît-il, les toubibs affirment que je suis en voie de guérison, je suis sceptique, je veux utiliser le temps qui me reste pour faire ce que je n'ai pas fait avant, ce n'est pas pour l'argent que je veux revoir Alex, certainement pas pour lui transmettre les rênes de l'empire, il s'en fiche complètement et il a bien raison. Si j'avais eu la santé, j'y serais allé car c'est mon rôle de père de le faire mais je suis trop affaibli et je ne tiendrais pas le coup. Je veux le prendre dans mes bras, l'embrasser et faire la paix avec lui, je l'ai toujours pris pour un pauvre type avec des ambitions d'artiste foireux, des idées à la con, ses rêves de musique et de peinture, et je réalise combien il a dû souffrir de mon mépris. J'espère que ce n'est pas trop tard, qu'il acceptera de me tendre la main pour qu'on vive ensemble encore un moment et qu'on puisse se parler comme doivent le faire un père et son fils. Parce que cette brouille, c'est de ma faute, celle de mon orgueil et de ma stupidité, et je ne voudrais pas partir avec cette blessure dans le cœur.

L'homme perdu

Je me suis fait avoir. Reiner était plus malin que moi, c'est sûr. C'était un homme paumé, désespéré, un père à la dérive qui venait implorer un coup de main. Je ne saurai jamais s'il m'a joué la comédie et a voulu me manipuler, je suis pourtant convaincu qu'il était sincère quand il m'a ouvert son cœur et parlé comme à un ami. J'ai été ému par son regard perdu et touché par l'angoisse qui suintait de chacune de ses paroles, j'ai oublié sa richesse inutile et sa morgue d'aristocrate. Cela n'a plus guère d'importance maintenant que je me trouve dans le vol BA143 qui fait route vers Delhi. Des services, j'en ai rendu quelques-uns, mais celui-là est, de loin, le plus important.

Si j'ai accepté, c'était pour en finir avec cette vieille histoire qui me taraudait depuis toujours. Je m'étais stupidement promis de ne pas retourner en Inde, c'était ridicule, il fallait que je surmonte cette peur puérile, que je m'en affranchisse pour me prouver que je ne craignais plus mon passé. Je me sentais suffisamment fort à présent pour affronter mes vieux démons. Le meilleur moyen de le vérifier, c'était de retrouver Alex. C'est pour cela que j'ai accepté cette mission. L'héritier de la banque Reiner, je m'en fichais, si je le ramenais tant mieux, sinon ça ne changerait rien pour moi et ma vie reprendrait comme avant.

Paradoxalement, c'est à Sally que j'ai pensé, personne ne peut savoir quel destin sera celui de son enfant, si son chemin sera celui de nos espérances ou de nos pires craintes, et je me suis dit que, si un jour elle avait un problème, un vrai, j'aimerais connaître quelqu'un à qui je puisse demander un pareil service, et surtout quelqu'un qui accepte de me le rendre. Pour être honnête, je dois admettre que si j'ai accepté cette mission, c'est parce que Malcolm Reiner est immensément riche et qu'il peut s'amuser à acheter le monde entier avec ses milliards, sauf le salut de son fils et la paix de son âme, et que moi, qui suis de si peu d'importance dans cette société, je vais lui rendre ce service pour rien, pour le plaisir de le faire et la fierté qu'il soit mon débiteur.

Reiner s'était décidé à partir de chez moi à 3 h 20 du matin, nous avions sérieusement entamé la troisième bouteille de Clive, je n'avais pas sommeil, la tête me tournait, et je lui avais proposé de descendre avec lui, il avait accepté comme si c'était une idée formidable. Il ne comprenait pas que j'habite dans un immeuble sans ascenseur, il y avait une connexion qui ne se faisait pas, j'avais beau lui répéter que le loyer était moins cher et que ça me faisait de l'exercice, il avait l'air de me plaindre profondément.

Il bruinait lorsque nous sommes sortis, sa Rolls beige attendait au bas de l'immeuble, il a voulu faire quelques pas pour se dégourdir les jambes, le chauffeur s'est présenté avec un parapluie, Reiner lui a fait un signe négatif de la main, nous sommes partis en direction de Hyde Park, la voiture nous suivait au ralenti à une dizaine de mètres derrière nous, son moteur ne faisait aucun bruit et, par moments, je me retournais pour vérifier si elle était toujours là.

– Mon médecin n'arrête pas de me répéter que je ne fais pas assez d'exercice, dit Reiner. Vous êtes sportif, vous ?

– J'ai la chance d'avoir un métier où je dois me dépenser, je n'aurais jamais pu travailler dans un bureau. J'aimerais que vous me parliez de lui.

– Par où commencer… ? Alex était sportif quand il était jeune, aujourd'hui, je ne sais pas. À onze ans, il s'est lancé dans le patinage artistique, mais c'était trop difficile et il a laissé tomber, puis ç'a été le cricket mais il n'était pas doué, après il a eu une longue période tennis, il a été classé je ne sais plus combien, ça avait l'air de lui plaire, une année j'ai invité Pete Sampras à déjeuner et ils ont échangé quelques balles. J'avais engagé un ancien pro du circuit pour entraîner Alex. Il jouait dans des tournois ; la seule fois où il est arrivé en finale, il a perdu un match gagné d'avance face à un gamin de son niveau mais qui, lui, était prêt à mourir sur le terrain, et du jour au lendemain, il a arrêté, sans explication. Il a fait aussi des régates en équipage l'été, et puis il a laissé tomber. Il était comme ça : commencer une activité et ne jamais la finir, vouloir le succès sans se donner du mal. Il était jeune quand sa mère est morte. Pour lui, ç'a été un choc terrible. Je n'ai pas su m'occuper de lui. Il est resté des années à admirer son nombril, à chercher ce qu'il rêvait de créer. Il s'est découvert une vocation de sculpteur vidéo, je suppose que vous ignorez de quoi il s'agit, il présentait des performances dans des endroits bizarres, des abattoirs, des usines désaffectées ou des dépôts ferroviaires, avec des dizaines d'écrans de télévision qui diffusaient des bouts de films qui, réunis, formaient une sorte de film, il a réussi à en vendre deux, cela m'a épaté qu'il y ait des imbéciles capables de payer aussi cher pour ce genre d'installations. Et puis, il est passé à la peinture, rien d'artistique, il peignait sur des peaux d'animaux retournées, mal nettoyées, ça puait, franchement c'était macabre, cela plaisait aux Français, et puis il y a quatre ans, il a tout arrêté, il a brûlé tout ce qu'il avait fait.

– Il se droguait ?

– Un peu... ou beaucoup, il n'y avait pas moyen d'en discuter avec lui, il jurait qu'il maîtrisait, que c'était indispensable à sa créativité... De la cocaïne, ce qui explique son comportement cyclothymique. Il a décidé de faire un grand voyage, je me suis dit que ça lui ferait du bien, que c'était nécessaire de couper avec son milieu et les gens qu'il fréquentait, il est allé au Mexique, en Amérique centrale, en Argentine et en Australie, en Thaïlande et puis en Inde. Cela fait quatre ans que je ne l'ai pas revu.

– Il me faudrait plus de précisions.

– Mon assistant va vous préparer un dossier complet.

Reiner s'est arrêté de marcher, la pluie fine coulait sur son visage, cela ne semblait pas le déranger. Il s'est abrité sous le store d'un magasin de chaussures, il a attrapé son portefeuille et en a sorti trois photos. Des photos fatiguées, cornées, fripées à force d'avoir été manipulées. Sur l'une d'elles, Alex avait une dizaine d'années, il tenait un cheval noir par la bride, sur une autre, adolescent à l'air renfrogné, il se trouvait sur un terrain de tennis avec Pete Sampras, radieux, chacun de part et d'autre du filet, le bras du champion posé sur son épaule. Sur la dernière, Alex avait vingt-deux ans, à la réception d'une coupe pour une régate.

Reiner n'en avait pas de plus récente, cette photo datait de plus de dix ans, il n'avait pas changé, sauf qu'il s'était laissé pousser les cheveux et portait un catogan.

– La belle époque, a affirmé Reiner.

Sur cette photographie, Alex ressemblait à une caricature de surfer californien, rayonnant, bronzé, les cheveux décolorés par le soleil, il partait pour une vie de rêve avec quelques milliards de dollars d'argent de poche, ami de stars de cinéma et de la chanson, et puis il avait disparu des écrans radar. Il était si beau le petit prince. Que s'était-il passé pour qu'il prenne des chemins de traverse, s'enfonce dans l'obscurité et ne veuille plus en sortir?

Quand nous sommes arrivés à proximité de sa résidence, Reiner s'est arrêté de nouveau et m'a fixé avec intensité, droit dans les yeux.

– Je... je n'oublierai pas ce que vous faites pour moi, monsieur Larch.

– Ne vous faites pas d'illusions, monsieur Reiner, j'ai peu de chances de le ramener... Maintenant, vous pouvez me révéler ce qu'il y a dans mon dossier.

– Rien de plus que ce qu'il y a dans tous les dossiers de militaires, une enquête de moralité, une de voisinage, rien d'extraordinaire, on ne rentre pas dans le Royal Marines sans voir sa vie épluchée.

On est restés face à face sans savoir quoi se dire. Et puis Reiner a hoché la tête à plusieurs reprises, son sourire était triste, il s'est mordu la lèvre, il a empoigné mes avant-bras.

– Merci, Thomas, merci.

Deux jours plus tard, Richardson, l'assistant de Reiner, m'a déposé un épais dossier cartonné sans aucune mention dessus, avec les coupures des journaux français sur les performances artistiques d'Alex, une photo de lui devant une de ses installations dans une galerie de Lille et les différents rapports, confidentiels a-t-il précisé, obtenus après son départ de Londres quatre ans auparavant. Le père avait fait suivre son héritier, de loin, par une flopée de détectives privés, dans chacun des pays où il s'était rendu. Durant deux ans Alex avait zigzagué en Amérique latine, ne restant jamais plus de deux semaines au même endroit, se déplaçant uniquement en autobus. Puis il s'était posé : deux mois à Río Gallegos, au bout de la Patagonie, deux mois à Valparaiso, trois à Hawaï, deux à Hydra, quatre à Adélaïde, deux à Ko Phan Ngan, une île de Thaïlande, ensuite il s'était rendu en train en Inde et installé à Delhi.

Il y avait le détail de ce qu'il avait fait, les noms des personnes qu'il avait rencontrées, les titres des journaux et des livres qu'il avait achetés, le prénom de ses copines d'une nuit, le nom des clubs où il était allé boire un verre, l'herbe ou la coke qu'il s'était procurée, le relevé de ses dépenses, de ses déplacements, et des centaines de photos prises au téléobjectif, il y avait les additions oubliées des repas qu'il avait consommés et les factures récupérées de ce qu'il avait acheté dans des supermarchés ou autres commerces. À leur examen, on découvrait que le fils Reiner raffolait des sushis, des pizzas calzone et des mojitos fraise.

On apprenait des tas de détails sur son quotidien mais on ignorait tout de lui. Rien de personnel. Comme un puzzle insensé dont il manquerait des dizaines de pièces. Alex se doutait-il qu'il était espionné depuis toujours, filoché comme un truand par un flic, s'imaginait-il que pas un de ses gestes n'avait échappé à Big Father ? À deux reprises, notamment sur une série prise sur l'île grecque, il semblait regarder en direction du photographe sans qu'on puisse être certain qu'il avait repéré le manège. On le voyait sur de nombreux clichés retirer de l'argent à des distributeurs, il y en avait une cinquantaine de cette catégorie, on aurait pu en faire une exposition.

Au fur et à mesure des mois, Alex s'était laissé pousser les cheveux, et sur les dernières photos, en Inde, il apparaissait plutôt enrobé. À ses côtés, sur six d'entre elles, il y avait une Indienne entre vingt et trente ans, mince, avec des lunettes fumées, un chapeau noir à la Michael Jackson, un jean serré et des baskets rouges, on n'apercevait jamais son visage et le détective n'avait pas pu découvrir son nom. Et puis, le 28 mai, Alex s'était évanoui dans la nature. La veille au soir, il était rentré dans l'appartement qu'il louait dans l'est de Delhi et le matin, il avait disparu, le propriétaire n'avait pas pu donner d'informations au détective qui était allé se renseigner en se faisant passer pour un ami. Alex avait payé six mois d'avance et le bailleur ne savait rien de plus.

– Alex a dû se rendre compte qu'il était suivi.

– Nous avons pris nos précautions et il ne s'est douté de rien.

– Et sur l'Indienne, que savez-vous ?

– Rien, une petite amie occasionnelle. Il y a un hic... là, a dit Richardson en pointant son doigt sur le relevé des retraits bancaires. Il y a sept mois, Alexander Reiner a retiré sept mille dollars dans une banque de Delhi, jamais il n'avait pris une somme aussi importante, il était seul au guichet, on ne sait pas pourquoi il a eu besoin de cet argent, c'est quelqu'un de peu dépensier. Une semaine après, il disparaissait, on ignore si ces deux faits sont liés.

– Si vous aviez suspendu sa carte de paiement, Alex aurait été obligé de vous contacter ou de revenir.

– Ç'a été un fréquent sujet de réflexion. Monsieur Reiner a estimé que cela créerait de nouvelles difficultés et, avec cette option, on conservait le contact avec son fils.

Richardson m'a remis mon billet d'avion, en classe affaires, et un jeu de trois cartes de paiement, je pouvais les utiliser sans limite, dépenser ou retirer ce que bon me semblait sans avoir à conserver de quittance ou à en justifier, la confiance était de rigueur. Il m'a donné une enveloppe kraft qui contenait cinquante mille dollars. Pour les premiers frais.

– L'idéal serait que nous fassions un point ensemble une fois par semaine, a-t-il précisé. S'il y a un problème, appelez-moi à ce numéro, de jour comme de nuit.

Lors de ce départ précipité, c'est Helen qui m'a causé le plus de difficulté. Je m'attendais à ce qu'elle ne soit pas enchantée, mais je n'aurais pas cru qu'elle réagirait avec autant de véhémence. Quand je lui ai annoncé que je partais pour plusieurs mois, il y a eu un blanc interminable et inhabituel qui m'a fait penser que la communication avait été interrompue.

– Allô ? Tu es là ? ai-je murmuré.

– Tu plaisantes, j'espère.

– Pas du tout.

– Et comment je vais faire avec Sally, hein, tu peux me le dire ?

– Emmène-la avec toi.

– Je t'avais dit que je prenais une semaine de vacances avec mon ami, tu n'as pas le droit de me planter au dernier moment. Je te rappelle que, dans nos conventions, tu t'étais engagé à la garder un week-end sur deux. Tout est réservé. Non, c'est inconcevable. Tom, il faut que tu recules ton départ et que ton voyage ne dure pas plus d'une semaine.

– Il va falloir que tu trouves une solution, Helen, je prends l'avion pour Delhi le 2 janvier et cette mission peut durer longtemps.

Pendant les cinq minutes suivantes, je n'ai pas pu en placer une, elle parlait avec son débit de mitraillette et devenait de plus en plus désagréable, menaçante même. Elle a repris sa respiration, persuadée d'avoir réussi à me convaincre :

– On est d'accord, Tom, tu recules ton départ ?

– C'est impossible, Helen.

– Je te préviens, si tu me fais ce coup-là, je vais consulter mon avocate et tu le regretteras.

– Fais ce que tu veux. J'ai donné ma parole à Reiner et...

– Reiner !... Pas Malcolm Reiner ?

– Si.

– Tu connais Malcolm Reiner, toi ?

– On s'est vus plusieurs fois, je suis allé dans son palais de Kensington et il est venu chez moi.

– Chez toi ? Dans ton cinquième étage de luxe ? Ah, ah, ah ! Tu te fous de moi ?

– Il m'a confié une mission. Très importante. C'est pour lui que je pars.

Il y a eu un silence. De dix secondes environ.

– ... C'est quoi cette mission ?

– C'est confidentiel, Helen.

Un nouveau silence, d'une dizaine de secondes aussi.

– ... Écoute, pour Sally, on peut s'arranger, je vais voir avec Susan, elle reste à Londres durant les fêtes, mais c'est donnant donnant, je veux une interview de Reiner.

Quand je lui ai téléphoné, dans la foulée, j'étais convaincu que Reiner allait éclater de rire devant une telle prétention ou me raccrocher au nez. Lorsque je lui ai expliqué de quoi il retournait, il m'a mis à l'aise :

– Je peux bien vous rendre ce service, dites-lui qu'elle me téléphone, je lui accorderai un entretien, en revanche pas un mot de notre affaire.

Le soir, je suis allé faire mes adieux à Sally, j'ignorais combien de temps allait durer notre séparation, je lui ai promis de lui téléphoner au moins une fois par semaine, de lui envoyer des cartes postales et de l'emmener au Mont-Saint-Michel l'été suivant. Helen a été épatée que je lui donne le numéro du portable personnel de Reiner, je suis remonté en flèche dans son estime, elle tenait un scoop, cela faisait vingt-cinq ans qu'il restait silencieux. Elle a absolument voulu savoir quelle mission m'avait été confiée, j'avais beau répéter que j'étais tenu au secret absolu, elle revenait à la charge, plus je soutenais que c'était confidentiel, plus elle insistait, elle était tellement excitée que je me doutais que je ne m'en sortirais pas.

– Un jour, je t'en parlerai, s'il m'y autorise, ai-je affirmé pour avoir la paix, en sachant qu'il ne le voudrait jamais.

Durant les huit heures du voyage, je me suis plongé dans le dossier, mais il n'y avait aucun détail qui puisse m'être utile. Plus j'avançais dans ma lecture, plus ma perplexité augmentait et moins je comprenais ce que j'allais faire là-bas. Les meilleurs spécialistes, disposant de moyens illimités, n'avaient abouti à aucun résultat, je ne voyais pas comment j'allais pouvoir faire progresser cette recherche. Je m'annonçais comme le pire des détectives, pas seulement parce qu'il était évident que je n'arriverais à rien mais parce que je n'avais pas la moindre idée de ce qu'il fallait faire et par où commencer. J'avais pourtant prévenu Reiner, il m'avait eu au sentiment, il n'aurait à s'en prendre qu'à lui-même de m'avoir choisi.

Par le hublot, au-dessus des nuages, il faisait un soleil radieux, j'ai pris *Les Voyages de Gulliver*, j'ai lu cinq pages, je ne pouvais fixer mon attention. Décidément, la lecture n'était pas mon truc. Je suis resté à rêvasser, à contempler l'immensité du ciel avec ses dégradés orangés et bleus.

Ce 2 janvier 2014, un Boeing me ramenait dans le monde de mes origines, cela faisait trente-quatre ans que j'en étais parti et j'ignorais ce que j'allais y trouver.

*

J'ai atterri dans un aéroport ultramoderne qui n'avait rien à envier à Heathrow. J'ai été déçu de débarquer dans un lieu anonyme, j'avais gardé le souvenir d'une aérogare exotique et bordélique et je me retrouvais dans un univers banalisé; surtout il m'a paru vide, avec de rares voyageurs et des boutiques sans clients. Après la douane, à la sortie des passagers, je me suis senti perdu dans le hall immense et désert, j'ai hésité, Richardson m'avait dit que quelqu'un m'attendrait. J'ai remarqué les soldats en uniforme avec des mitraillettes, il y en avait partout, disséminés comme dans un pays en guerre. Pour quitter l'aérogare, on ne pouvait emprunter qu'une seule porte

gardée par six militaires armés. La foule était dehors, trois
ou quatre cents personnes contenues par des barrières
métalliques, et au premier rang s'agitaient des dizaines de
pancartes et d'ardoises brandies avec des noms écrits dessus. J'ai cherché le mien dans ce tohu-bohu. Sur la gauche,
j'ai aperçu un Indien tout en rondeurs d'une cinquantaine
d'années en tunique blanche qui secouait une feuille avec
mon nom. Je me suis avancé vers lui. Vijay Banerjee m'a
salué à l'indienne et je lui ai rendu son salut.

– Je suis très fier de rencontrer le célèbre Trompe-la-
Mort. C'est un immense honneur pour moi, m'a-t-il dit en
s'inclinant à nouveau.

J'ai cru qu'il se moquait de moi mais son regard était
empli de respect. Il m'a appris que le documentaire avait
été rediffusé avec succès deux semaines auparavant, il
avait suscité un débat passionnant et avait eu autant de
retentissement que lors de son premier passage. Il avait
tenu à le revoir avec son gendre. Ce dernier était persuadé
que tout était bidon, du cinéma, et qu'en fait je n'existais
pas. Il allait pouvoir lui prouver le contraire.

Vijay Banerjee parlait un anglais châtié, il avait fait deux
années d'études de lettres à l'université de Londres, il dirigeait l'agence de détectives qui s'occupait d'Alex depuis
qu'il avait passé la frontière. Il avait été obligé de m'attendre à l'extérieur de l'aéroport qui, depuis les attentats,
était passé sous le contrôle de l'armée, nul ne pouvait plus
y pénétrer sans un billet d'avion avec départ immédiat.
Avec sa moustache impeccablement taillée, Vijay Banerjee
avait un côté séducteur des années 80. Je n'avais jamais
rencontré quelqu'un d'aussi jovial. Ses yeux plissés sou-
riaient en permanence, qu'il parle ou qu'il se taise, mais il

se taisait rarement, il souriait en vous posant une question, quelle qu'elle soit, et votre réponse renforçait ce sourire qui découvrait des dents de jeune premier. Il était alors pris d'une hilarité qui le secouait tout entier, agitait son double menton et son ventre rebondi, il pouffait de rire à ses propres bons mots. Je ne réussissais pas à déterminer si c'était naturel. Compte tenu de son métier, je penchais plutôt pour l'idée qu'il s'agissait d'une posture destinée à attirer la sympathie et les informations.

Son Land Cruiser d'un blanc immaculé était garé à proximité et il a tenu à mettre lui-même ma valise dans le coffre. Vijay Banerjee était un fidèle de la marque et ne résistait pas au plaisir de changer de modèle chaque année. J'ai découvert une ville nouvelle, des immeubles de bureaux haut de gamme et des hôtels flambant neufs le long de l'autoroute; avec ces brassées de fleurs et ces plantations exotiques, on aurait pu se croire à Miami. Il roulait lentement, me désignait du doigt les entreprises qui étaient ses clientes et me donnait des détails sur les enquêtes, toutes résolues, qu'il avait menées.

– La police est-elle intervenue pour retrouver Alex ? ai-je demandé. Il n'y a rien dans le dossier.

– La police ? Vous plaisantez. Vous avez vu à l'aéroport ce qu'elle fait. Depuis les attentats de 2008, la lutte contre le terrorisme est devenue son unique préoccupation. Alors, un Européen qui disparaît, c'est le cadet de ses soucis. Il y a des centaines de milliers de personnes qui disparaissent chaque année en Inde. Combien ? Certains disent un million. Ici, tout le monde s'en fiche. Comme le père d'Alexander est influent, l'ambassadeur d'Angleterre en a parlé au ministre des Affaires étrangères, qui en a touché un mot à son collègue de l'Intérieur, qui a fait ouvrir un dossier qui a été posé sur une étagère. Et rien n'en est sorti. Heureusement. La recherche des disparus est un business très lucratif dans ce pays.

Nous avons quitté la zone aéroportuaire sous contrôle de l'armée et, après le carrefour, d'un coup, l'Inde a surgi et m'a sauté au visage. Je ne m'y attendais pas. J'ai oublié Banerjee. Je replongeais dans l'horreur oubliée, la misère étalée sur les boulevards, les milliers de mendiants alignés sur les trottoirs dans des campements improvisés qui duraient toute une vie, chaque famille dans un espace délimité par une corde, avec des vêtements séchant dessus, les hommes assis en tailleur attendant on ne sait quoi, fumant ou dormant à même le sol, et les femmes cuisinant sur un brasero de fortune avec deux casseroles, leurs vêtements empilés dans des sacs en plastique, avec une misérable bâche pour toit, et en face d'eux, une circulation infernale avec des voitures, des motos, des rickshaws et des cyclo-pousses surchargés dans tous les sens. Derrière l'écran de la vitre, je me sentais comme au cinéma, bien à l'abri. Partout, des monticules de déchets, des chiens errants et des vaches, des singes courant sur les fils électriques, des cohortes d'enfants pieds nus jouant ou mendiant au milieu de la foule agitée qui traversait n'importe comment, un vieillard qui chiait au milieu d'une pelouse parsemée d'ordures, et les passants qui ne le voyaient pas. Des coursiers poussaient des vélos supportant deux mètres cubes de livraison, d'autres se dandinaient comme des coureurs cyclistes, des portefaix avançaient avec peine, les épaules courbées, vers des milliers d'échoppes sombres. Des Indiennes en saris multicolores faisaient leurs courses et marchaient dans ce capharnaüm avec détachement et élégance, avançant sur un étroit couloir délimité par le flot fluctuant de la circulation et les trottoirs occupés par les mendiants et les miséreux.

– Hé ! Vous ne m'entendez pas ? a crié Banerjee.

– Quoi ? Que dites-vous ?

– Où travaillez-vous ?

– À Londres.

– Dans quelle agence ? Je la connais certainement.

– Oh, je ne suis pas détective.

– Vous n'êtes pas détective ?

– Non.

– Pourquoi monsieur Richardson vous envoie-t-il ?

Je n'ai pas répondu. Je ne connaissais pas la réponse. J'avais tout oublié, je ne me souvenais pas de cette misère effrayante. Le monde n'est pourtant pas pire aujourd'hui. C'était moi, avec mon regard d'enfant, qui ne la voyais pas, les enfants ne voient jamais l'univers des adultes, j'étais passé à côté, habitué et comme vacciné, j'étais un petit Blanc aussi indifférent qu'un Indien. J'avais dans ma mémoire ces images frelatées de carte postale du cérémonial du vice-roi lors des fêtes fastueuses des maharadjas couverts de bijoux sur leurs éléphants chamarrés, ou des scènes colorées et sucrées des films de Bollywood, avec des paillettes, des fleurs, de la musique vive, à mille lieues de l'enfer que je traversais. On avançait centimètre par centimètre dans un enchevêtrement chaotique.

Je voulais que Vijay Banerjee me ramène à l'aéroport pour repartir immédiatement, et en même temps je n'ai rien dit, j'étais fasciné par ces êtres noirs, décharnés, sales, tordus, avec leurs yeux figés, sans haine ni agressivité, assumant leur destin.

– Vous n'entendez pas quand je parle ?

– J'ai un problème d'audition et j'avais la tête ailleurs.

– Vous devez être fatigué. Si vous voulez, je vous ferai faire un tour de la ville demain.

– Je ne suis pas venu pour faire du tourisme.

Nous sommes rentrés dans New Delhi avec ses larges avenues, ses bâtisses victoriennes et ses bougainvilliers en fleur, j'avais vécu dans le coin, je revoyais l'immeuble dans ma tête. Vijay Banerjee s'est arrêté devant une grille gardée par deux agents de sécurité enturbannés qui sont sortis, ont glissé sous le véhicule un miroir sur roulettes pour détecter les bombes, ont vérifié nos identités, puis la barrière s'est levée et la voiture est entrée dans un parc sublime où se dressait un somptueux palais blanc de l'époque coloniale.

– Voilà, dit Vijay Banerjee. C'est le plus bel hôtel de Delhi.

– Vous plaisantez ?

– C'est le grand luxe.

– Hors de question.

– C'est Richardson qui paye !

– Je veux un hôtel simple, le plus simple qui soit. Je suis en service, vous comprenez ? Je ne suis pas là pour en profiter mais pour accomplir une mission.

Vijay Banerjee a brusquement arrêté de sourire. Il m'a dévisagé sans comprendre, la bouche ouverte, il devait se demander si j'étais fou ou s'il y avait une raison particulière qu'il ne comprenait pas.

– Il y a l'hôtel où mes employés descendent quand ils viennent à Delhi.

– Ce sera parfait.

– Vous ne voulez pas venir habiter chez moi ? J'ai une demeure de quinze pièces avec tout le confort, m'a-t-il obligeamment proposé.

Je me suis retrouvé au Select Hotel à proximité de la sinistre Connaught Place où Banerjee avait ses bureaux. Cette enseigne devait avoir un sens lors de la construction de l'immeuble, il y a cinquante ans, mais il n'avait pas été entretenu. Vijay Banerjee n'avait jamais mis les pieds dans le lieu décrépit où il logeait son personnel de passage. C'était spartiate. Et cela me convenait, à condition de pas prêter attention à la saleté du couloir, aux brûlures de cigarettes ni à l'état des rideaux ou des sanitaires.

– Vous voulez qu'on aille dîner ? Vous êtes mon invité. Je peux vous attendre si vous voulez vous reposer ou faire un brin de toilette.

J'ai dû décevoir Vijay Banerjee en refusant son hospitalité mais je ne souhaitais pas lui expliquer pourquoi je voulais rester seul ce soir-là.

*

Je suis parti à la recherche de l'immeuble de mon enfance, je n'ai pas réfléchi au sens que cela avait. Je voulais revoir l'endroit où j'avais grandi, avec l'ambassade en face et le bâtiment blanc sur la droite. J'ai quitté l'hôtel en fin de journée, le froid était glacial, j'ai essayé de me repérer sur cette foutue double place ronde plus large que Trafalgar, avec des avenues qui partaient dans tous les sens. J'avais l'impression de découvrir ces lieux.

J'aurais pu demander mon chemin mais je voulais y arriver par moi-même. J'étais né dans cette ville, je devais être capable de m'y repérer. Je pensais me diriger vers New

Delhi ; tôt ou tard, j'apercevrais le Parlement et son dôme. J'ai emprunté un boulevard, je l'ai remonté vers l'ouest. Au loin, des lueurs créaient un halo sous les nuages, on ne voyait pas le ciel, une brume grise enveloppait tout et retenait le bruit dément de la circulation. J'ai continué droit devant moi dans un quartier commerçant bas de gamme. Un rickshaw que je n'avais pas vu venir m'a frôlé, je n'ai pas eu le temps de le voir s'évanouir dans la cohue qu'un autre me coupait la route en klaxonnant, j'ai rejoint le trottoir, il n'y avait pas de feu rouge, pas de passage pour les piétons qui devaient se lancer dans le flot ininterrompu et croire en leur bonne étoile.

Peu à peu, l'avenue a disparu, les maisons ont rapetissé, il était trop tard pour faire demi-tour, j'ai continué, il était maintenant illusoire d'emprunter les trottoirs occupés par les centaines de sans-abri qui s'installaient pour la nuit, couchés sur le sol poussiéreux. Au milieu des détritus et des chiens, les braseros luisaient, on me dévisageait, j'étais le seul Occidental dans ce monde indien, je n'étais pas inquiet, j'ai poursuivi ma route, personne ne m'empêcherait d'avancer, j'ai emprunté une rue bondée où se tenait un marché avec des étals de nourriture et des échoppes. Des milliers de fils électriques et de branchements sauvages formaient un enchevêtrement au-dessus de nos têtes, pendouillaient de partout et permettaient aux singes de se déplacer d'un bâtiment à l'autre. On baignait dans une douce odeur de friture.

Je me suis arrêté devant un restaurant avec quatre tables en bois occupées et une cuisine ouverte, un homme accroupi faisait cuire de la nourriture dans des bassines à même le sol, il remuait avec une spatule un ragoût rouge, il a relevé la tête, a souri et s'est adressé à moi en hindi. Et j'ai compris ! Je n'avais pas parlé cette langue depuis une trentaine d'années, je croyais avoir oublié, mais c'est revenu, je me suis entendu lui répondre : « *Oui, j'en voudrais bien.* » Il a été surpris que je parle hindi. Il m'a servi avec une louche une assiette de riz jaune, je l'ai prise et suis allé m'asseoir à une place libérée, il n'y avait pas de couverts, les clients mangeaient avec leur main droite, je ne me souvenais plus comment on traduisait fourchette, j'ai fait le signe au cuisinier, il a cherché dans un tiroir, a sorti une cuillère qu'il a essuyée sur un torchon crasseux et me l'a donnée.

J'ai avalé une bouchée bouillante et, cinq secondes après, j'ai failli mourir étouffé, j'avais oublié les épices et les piments. Ils me regardaient tous, s'attendant à ce que je recrache tout mais j'avais décidé d'avoir un gosier d'Indien, alors j'ai affiché un visage imperturbable. J'ai attendu que la brûlure se calme et j'ai pris une nouvelle bouchée, je ne sentais plus rien, j'avais la bouche et la gorge en feu, mes yeux dilatés pleuraient, je m'efforçais de manger avec un air détaché, j'ai fini l'assiette et je me suis levé, j'ai payé les cinquante roupies qu'il a réclamées et je suis parti, j'avais la sensation de couver de la braise, j'avais du mal à respirer, mais je n'étais pas mort.

*

Vijay Banerjee me laissait des messages à l'hôtel, je n'y répondais pas. Je partais tôt le matin, je rentrais à n'importe quelle heure, je repartais, j'étais en quête de quelque chose, sans savoir quoi. Je parcourais les rues à pied, j'avançais au petit bonheur la chance, sans plan, je voulais en faire le tour, découvrir de quelle façon elle était organisée, ce qui est une gageure dans une ville plus vaste que Londres et qui compte dix-sept millions d'habitants. Je marchais si longtemps que je ne pouvais plus retrouver mon chemin et revenais en rickshaw. Il m'a fallu une semaine pour m'acclimater à cette brume cotonneuse et à ce ciel disparu, à ce froid mordant, au bruit abrutissant de cette circulation anarchique et à cette misère omniprésente.

Dans le dossier de Richardson, j'ai relevé un court rapport de Vijay Banerjee évoquant le dernier domicile connu d'Alex, à proximité de Trilokpuri, à l'est de la ville. Je n'étais jamais allé dans cette direction. La Yamuna fait office de barrière, une frontière à ne pas franchir. À cet endroit, le fleuve est un immense égout à ciel ouvert, des miséreux y lavent leur linge et des enfants s'y baignent. De l'autre côté, on bascule dans un univers différent, il n'y a plus aucun panneau indicateur, les rues n'ont pas de plaques, les immeubles pas de numéros, et quand il y en a, ils ne se suivent pas et respectent l'ordre de construction des immeubles.

J'avais juste le nom du propriétaire, nul ne le connaissait, j'ai atterri dans un coin où les bidonvilles se succédaient à perte de vue, des baraques informes, des décharges grouillantes de chiffonniers, d'enfants et de chiens fouillant les amas d'immondices, les femmes accroupies, en saris de couleur, récupéraient la bouse des vaches, la malaxaient pour en faire des galettes rondes qu'elles alignaient pour les laisser sécher et s'en servir ensuite comme combustible pour leurs braseros. Un commerçant de pneus d'occasion m'a répondu qu'il n'y avait plus aucun sikh dans le quartier, qu'ils avaient réussi à s'en débarrasser. C'était décourageant. Je me suis donné la journée pour découvrir l'adresse du bailleur d'Alex.

En fin d'après-midi, revenant vers la Yamuna, j'ai interrogé le patron d'un café de plein air et un des clients attablés m'a expliqué comment le trouver. Persuadé que je n'y arriverais pas, il m'a accompagné à sa porte.

Abhinav Singh habitait une bâtisse jaune à deux étages, près du fleuve. Je me suis déchaussé avant d'entrer. Ce retraité avait fière allure, arborait un turban bleu foncé penché en avant et des moustaches tombantes en guidon de vélo, il était un des derniers sikhs à habiter le quartier. Ses coreligionnaires avaient fui au Pendjab après les émeutes sanglantes de 1984, lui avait eu la vie sauve car il était à l'hôpital pour une opération de l'appendicite. Il n'avait pas voulu accompagner les autres sikhs, ses trois enfants vivaient à Delhi, ils avaient fait de bonnes études, avaient de belles situations et habitaient dans des quartiers modernes. Il complétait sa modeste pension d'instituteur en louant son deuxième étage. Alex avait vécu chez lui pendant six mois, lui payant une année d'avance. Il n'a pas fait de difficultés pour me faire visiter son appartement. J'avais espéré une réponse miraculeuse mais il ne m'a apporté aucune information sur ce qu'Alex avait pu devenir. Le vieil homme avait mis ses affaires de côté, espérant que lui ou son amie viendrait les récupérer.

– Vous la connaissez ?

– Vaguement, elle doit habiter dans le coin, je ne sais pas où, je l'avais déjà aperçue, avec son chapeau noir. Elle m'a amené Alex, elle savait que je louais, elle venait le voir tous les jours.

– Ils n'habitaient pas ensemble ?

– Elle arrivait le matin. Ils partaient tous les deux. Il rentrait seul. Elle n'a jamais dormi ici.

– Ce n'était pas sa petite amie ?

– Une fois, j'ai questionné Alex, il m'a répondu que cela ne me concernait pas. Alex était un brave garçon. Chez moi, il pouvait faire ce qu'il voulait, Dina était juste une amie.

– Dina ? Elle est indienne ?

– Absolument. C'est un prénom répandu en Inde.

– Quel est son nom ?

– Elle ne me l'a pas dit. Elle est comédienne, je crois, elle tourne dans des films. C'est une artiste. Elle est jeune. Vous voulez un thé ?

Nous nous sommes installés dans son salon, les murs étaient couverts d'affiches religieuses colorées, d'images du panthéon sikh, de gourous enturbannés avec des auréoles et des barbes blanches, du Temple d'or et de guerriers menaçants brandissant des épées. Abhinav Singh aimait le thé noir, sans lait, bouillant et horriblement sucré. C'était imbuvable, pourtant je l'ai félicité pour sa qualité. Il a paru ravi et m'en a resservi une tasse.

– Alex vous a-t-il dit où il allait ?

– Le mois de mai est chaud à Delhi, et celui-là était irrespirable. J'étais parti avec ma fille et ses enfants à la montagne. À mon retour, Alex n'était plus là, il avait laissé ses bagages, j'ai pensé qu'il allait revenir.

– Alex se sentait-il menacé avant votre départ ? Avait-il l'air inquiet ?

– C'est le garçon le plus détendu que je connaisse. Il lisait des livres de spiritualité. Il aimait beaucoup en discuter, il s'intéressait à la religion sikhe et à toutes les religions. Mon voisin est jaïn, Alex nous a posé à chacun des milliers de questions, il nous a accompagnés dans nos temples respectifs, il était plutôt attiré par la pratique hindouiste et par la recherche de la sagesse, ce n'est pas facile de découvrir sa voie, il essayait de comprendre comment atteindre la vérité intérieure et le détachement, il passait son temps au temple, à interroger les prêtres.

J'ai remercié Abhinav Singh pour son accueil, j'ai récupéré mes chaussures et j'ai quitté la maison.

Dans la rue, je me suis immobilisé : une idée stupide venait de me traverser l'esprit et je suis revenu frapper à sa porte.

– Monsieur Singh, vous louez toujours l'appartement du deuxième étage?

– En ce moment, ce n'est pas facile.

– Si vous voulez bien de moi, je suis votre nouveau locataire.

Abhinav Singh a été surpris de ma proposition, il a secoué la tête. J'ai cru qu'il refusait, j'avais oublié que, dans ce pays, cela voulait dire oui. Il m'a consenti le même tarif qu'à Alex. Cinquante dollars. J'ai cru que c'était le prix par semaine, je me trompais, c'était le loyer mensuel. C'était un montant si ridicule que je lui ai payé dix mois d'avance.

*

Le soir même, j'ai emménagé dans mon nouveau palace. Abhinav Singh n'avait pas de clef à me donner pour la porte du deuxième étage car la serrure était cassée, il allait la faire réparer ; quant à la porte d'entrée, elle n'était jamais fermée. Mais je n'avais pas à m'inquiéter, m'a-t-il dit.

Je me suis installé dans l'appartement. Pas plus mon propriétaire que le précédent locataire ne s'était préoccupé de faire le ménage : une couche de poussière recouvrait un mobilier vieillot. Des toiles d'araignées enguirlandaient murs et fenêtres. Celles du devant ouvraient sur une étroite terrasse et donnaient sur la rue et ses petits commerces, par celles de l'arrière, on avait une vue panoramique sur le bidonville de Trilokpuri. Quatre vaches blanches, des chèvres et des chiens se partageaient paisiblement le champ d'ordures en quête de nourriture.

Comme me le fit remarquer Abhinav Singh, son logis jouissait du confort moderne depuis que, quarante ans auparavant, il avait fait installer l'eau courante au deuxième étage pour ses enfants, par contre pour les toilettes avec chasse d'eau, je devrais utiliser celles du rez-de-chaussée. Le lit de corde enveloppé d'une moustiquaire trouée me rappela, par sa fermeté, l'époque de Lympstone. Mon propriétaire voulut savoir si j'étais frileux et parut satisfait que je réponde par la négative, il me désigna un appareil de chauffage électrique qui devait dater de l'Indépendance : si j'avais froid, je pouvais essayer de le brancher. Il fallait faire attention : la température baissait sans prévenir et la municipalité ramassait chaque matin des dizaines de malheureux qui dormaient dans les rues.

Abhinav regardait la télévision dans sa chambre et me proposa aimablement de venir suivre les programmes avec lui, il disposait de plus de cent chaînes mais je déclinai sa proposition. Si je voulais partager son petit déjeuner, il faudrait me lever tôt, il partait à six heures au temple, il me compterait un supplément si je prenais des œufs. Il hésita, visiblement embarrassé, avant de se résoudre à m'interroger :

– Vous êtes un ami d'Alex ?

– Pas vraiment, non.

– Vous n'êtes pas un ennemi, au moins ?

– Je ne le connais pas. C'est sa famille qui s'inquiète et veut avoir de ses nouvelles.

– Je comprends.

– Si vous vous souvenez d'un détail qui pourrait expliquer sa disparition, dites-le-moi.

Il se retira et j'entendis l'écho de sa télévision. Il regardait un programme de variétés indiennes ou un film musical. Étendu sur mon lit spartiate, j'étais assez satisfait de m'être installé dans cette maison et d'avoir mis mes pas dans ceux d'Alex.

*

Le lendemain matin, dès que j'ai entendu du bruit venant du rez-de-chaussée, j'ai sauté de mon lit. Abhinav Singh a cru que je voulais prendre mon petit déjeuner. Je lui ai demandé de me faire rencontrer les prêtres qu'Alex fréquentait. Il a d'abord refusé, comme si cela exigeait de lui un effort pénible, puis il m'a proposé une tasse de thé brûlant que j'ai été obligé d'accepter. Ensuite, il m'a conduit au temple où Alex avait ses habitudes, à environ un kilomètre de son domicile. Nous avons contourné le bidonville de Trilokpuri. La rue poussiéreuse disparaissait sous les ordures accumulées. Les vaches et les porcs fouillaient les détritus à la recherche de nourriture. Abhinav Singh avançait d'un pas rapide sans accorder un regard aux sans-abri qui s'entassaient sur les trottoirs, attisaient leurs braseros pour se réchauffer, faisaient leurs ablutions dans une bassine en plastique ou déféquaient au bord de la route. Arrivé à proximité du temple, il n'a pas voulu y entrer. Ce n'était pas la place d'un sikh, m'a-t-il expliqué. Je lui avais fait faire un détour, il était en retard et devait rejoindre les siens.

Je me suis déchaussé avant de pénétrer dans le temple ouvert consacré à Ganesh, le dieu au corps d'éléphant, sa statue colorée trônait près d'un mur. Des veilleuses et des bougies entouraient un autel posé sur le sol, sur lequel brûlaient des offrandes, de l'encens et du beurre clarifié. Des gens allaient et venaient ou parlaient à voix basse. Une vingtaine d'hommes assis en tailleur suivaient le rituel. Sur le côté droit, un officiant faisait tinter des clochettes, un autre donnait parfois un coup énergique sur un gong, probablement pour réveiller les participants ou la divinité. Je me suis accroupi, en retrait dans un angle. Un prêtre de blanc vêtu, coiffé d'un turban jaune, récitait des prières sur un rythme soutenu, aspergeant régulièrement la statue d'eau, la saluant fréquemment, et jetait dans le feu des grains de riz. Près de lui, un vieillard squelettique a versé du lait sur la statue de Ganesh, l'a entourée de guirlandes de fleurs jaunes et a déposé des morceaux de noix de coco et des pâtisseries orange à ses pieds.

J'ai attendu que la prière se termine. J'ai rejoint le prêtre alors qu'il sortait et, après l'avoir salué, mains jointes, je me suis présenté. Il baragouinait quelques mots d'anglais, j'ai dû m'adresser à lui en hindi. Je lui ai expliqué que j'étais à la recherche d'un Anglais qui avait disparu. Je lui ai montré une photographie d'Alex et il l'a reconnu.

– C'est un brave garçon, m'a-t-il dit. Il cherche sa voie et m'a demandé des conseils sur le sens de la vie. J'ai eu un vrai plaisir à bavarder avec lui.

– Vous communiquiez dans quelle langue ?

– En hindi. Il se débrouille moins bien que vous.

– Il parlait hindi, Alex ? Vous êtes sûr ?

– Il manque de vocabulaire et sa syntaxe n'est pas parfaite. Cependant, on réussissait à avoir de belles conversations.

– A-t-il évoqué ses intentions ? l'endroit où il comptait se rendre ?

– La dernière fois que je l'ai vu, nous avons discuté du meilleur chemin à prendre pour accéder à la sagesse.

Ce 14 janvier en fin d'après-midi, je me dirigeais vers la gare centrale quand j'ai eu la plus grosse surprise de ma vie. Je m'étais enfin décidé à passer au bureau de Vijay Banerjee pour lui faire part du résultat de mes cogitations. J'ai levé les yeux et j'ai cru apercevoir un de ces vautours qui tournoient sans fin dans la brume immobile de Delhi mais c'était le rendez-vous annuel de la fête du Solstice qui commençait. Des dizaines de cerfs-volants s'élevaient et s'agitaient partout. Puis, comme s'ils s'étaient donné rendez-vous, des centaines apparurent de tous côtés, beaucoup lancés par des adolescents ou même des adultes qui riaient aux éclats. Les employés sortaient de leur bureau et s'y mettaient à leur tour. Des commerçants déposaient des caisses remplies de cerfs-volants sur les trottoirs et des files d'attente se formaient pour en acheter, des haut-parleurs diffusaient de la musique au maximum de leur puissance et cela faisait une soupe musicale assourdissante.

Un marchand m'a proposé un losange multicolore, j'ai refusé d'un signe de main. J'ai oublié le programme que je m'étais fixé et me suis laissé entraîner, nez en l'air, au gré de la foule qui emplissait les rues.

Je me suis retrouvé au sein de la cohue du bazar de Chawri. Dans de grosses marmites cuisaient en plein air du riz et des lentilles mélangés. L'avenue Chandni Chowk était paralysée par un encombrement qui immobilisait voitures et scooters, les coups de klaxon frénétiques s'ajoutaient au potin de la musique. Un énorme attroupement débordait du trottoir, les gens avaient le regard levé vers un bâtiment de couleur verte et suivaient les combats de cerfs-volants. Du toit de cet immeuble, un immense cerf-volant bleu avec des rubans en tissu affrontait ceux qui étaient lancés contre lui. L'un après l'autre, les cerfs-volants le rejoignaient, ils se tournaient autour comme dans une parade nuptiale et, d'un coup, se jetaient l'un contre l'autre, se frottaient, s'affrontaient. Le cerf-volant bleu finissait par gagner. Le perdant, son fil sectionné, s'envolait lentement et disparaissait, aspiré par les nuages. À chaque victoire, les spectateurs applaudissaient. Puis un autre courageux lançait son jouet dans l'arène du ciel de Delhi et le voyait subir le même sort. De vieux souvenirs vinrent me bouleverser.

– C'est extraordinaire, dis-je à un connaisseur qui commentait la bataille. J'avais une nourrice, quand j'étais jeune… qui…

– C'est une femme qui a construit ce cerf-volant bleu, me répondit-il, son fil est plus coupant qu'un couteau, elle possède une préparation qui la rend invincible. Je ne l'ai jamais vue. C'est ce qu'on raconte.

Soudain, ce nom que j'avais oublié depuis des dizaines d'années surgit du fond de ma mémoire :

– Dhanya !

Le cerf-volant bleu venait de gagner un nouveau combat, un individu corpulent lança à son tour un superbe cerf-volant vert et jaune attaché à un tourniquet.

– Comment monte-t-on sur ce toit ? demandai-je à un commerçant.

– Par-là, fit-il en désignant l'immeuble qui nous faisait face.

Je fendis la foule avec peine, pénétrai dans un immeuble lépreux et gravis quatre à quatre les escaliers, ils débouchaient sur deux portes fermées. Je cognai contre le panneau et un habitant finit par ouvrir, il me dit qu'il n'y avait pas d'accès à la terrasse, il fallait passer par l'immeuble d'à côté. Je redescendis aussi vite que je pus et me jetai dans l'immeuble voisin en bousculant des badauds. Au troisième étage, à nouveau, j'eus en face de moi deux portes closes, malgré mes coups et mes cris, personne ne m'ouvrit. À deux reprises, dans deux immeubles, j'ai été dans l'incapacité de déboucher sur le toit. Ce n'est qu'à la cinquième tentative que j'ai pu accéder à la terrasse. J'ai débouché sur celle-ci, hors d'haleine. Une vingtaine d'Indiens y étaient rassemblés. Plusieurs jouaient avec des cerfs-volants, mais aucune femme, et le bleu avait disparu. Celles qui faisaient cuire du riz aux lentilles sur un brasero n'ont pu me répondre, ni ceux que j'ai interrogés. Nul ne connaissait ou n'avait vu une Dhanya sur cette terrasse. J'ai insisté mais le vocabulaire me manquait pour mieux m'expliquer. Un homme croyant que je voulais jouer avec eux m'a proposé de me prêter le fil de son cerf-volant.

Je suis redescendu, le pas traînant. Dans la rue, la fête était joyeuse et animée, les gens s'interpellaient et riaient, tout excités. Je me suis éloigné sans l'avoir trouvée, avec un amer sentiment de frustration, comme si quelqu'un me l'avait volée, pourtant je suis persuadé que c'était ma Dhanya, là-haut, qui tenait le fil du cerf-volant bleu.

*

Vijay Banerjee suspendit le mouvement de sa fourchette à l'instant précis où il allait introduire un morceau de beignet d'aubergine dans sa bouche. Il me prenait pour un fou. Je le sentais à sa manière un peu doucereuse de me sourire en coin, comme il l'aurait fait avec un malade mental. «Surtout ne pas le contrarier», devait-il se dire. Je lisais ce qu'il pensait de moi dans ses yeux : «Pourquoi monsieur Richardson a-t-il choisi ce rigolo? Et si je m'oppose à lui, est-ce que je serai payé?»

– ... C'est une mauvaise idée! s'exclama-t-il après avoir posé bruyamment sa fourchette, sans avoir rien avalé.

Une heure auparavant, j'avais débarqué dans ses bureaux, dans un des buildings fatigués de Connaught Place, un avatar d'urbanisme circulaire conçu par un calamiteux admirateur de Le Corbusier et qui apparaissait aujourd'hui comme une boursouflure architecturale, mais Vijay Banerjee était fier d'y avoir trois étages qui dominaient Delhi à perte de vue. C'était un homme riche et il tenait à le montrer. Son agence de détectives était la plus importante du pays, avec des bureaux dans les dix principales villes et des correspondants dans le monde entier, il affirmait employer huit cents salariés. Ce chiffre était sujet à variations.

Il avait une façon personnelle de faire sa publicité : il était le meilleur. Tout simplement. Comment en douter?

Ses confrères lui mordillaient les chevilles, mais il était le plus connu et le plus doué. Les plus riches familles faisaient appel à ses services, les plus grandes entreprises lui confiaient le contrôle des curriculums vitae des cadres qu'elles envisageaient d'embaucher et sa réputation avait franchi les frontières. La preuve ? Quand monsieur Richardson s'était enquis du meilleur détective indien, vers qui l'avait-on dirigé ? Vijay Banerjee était parti de rien, trente ans plus tôt, à sa sortie de l'université de Delhi, où il avait obtenu son diplôme de droit. Il avait commencé dans un modeste bureau du bazar avec ses deux mains comme secrétaire.

– Et vous savez grâce à quoi j'ai cette position si enviée ?

Assis face à lui dans son bureau digne de celui d'un maharadja, avec des tapis à profusion, des miniatures persanes, un luxueux jeu d'échecs en ivoire sculpté et deux défenses d'éléphant encadrant son fauteuil décoré à la feuille d'or, je fus obligé de reconnaître mon ignorance. Il m'expliqua avec le sérieux d'un *chief executive manager* commentant ses résultats devant ses actionnaires qu'il y avait toujours en Inde quatre-vingt-quinze pour cent de mariages arrangés et que, dans ces mégalopoles devenues si gigantesques, les familles n'arrivaient plus à se connaître, elles devaient néanmoins se renseigner sur la situation du promis qu'on leur proposait, s'assurer qu'il était de la même caste, de la même religion, qu'il n'était pas déjà marié, qu'il exerçait bien la profession qu'il revendiquait, que sa moralité et sa réputation étaient sans tache, plus deux trois vérifications indispensables pour garantir un mariage réussi. Les clients étaient si nombreux qu'il opérait une sélection impitoyable : ses honoraires étaient les plus élevés. Son principal problème était de trouver des employés compétents et honnêtes, il avait dû créer sa propre école de formation qui affichait complet.

Vijay Banerjee se flattait d'avoir donné à sa profession ses lettres de noblesse. Grâce à ses relations dans les ministères, il avait accès aux bases de données officielles. Cela lui permettait de débusquer en un clin d'œil les menteurs et les dissimulateurs, ces petits malins qui espéraient changer de caste en changeant de nom et faire un beau mariage en récupérant la dot. Ah, il en avait démasqué de ces beaux parleurs aux yeux de velours qui pouvaient tromper des hommes d'affaires avisés mais pas lui. «*À Vijay Banerjee, on ne la fait pas*», insista-t-il en me fixant. Il avait réussi une multitude de beaux coups qui avaient mis fin à des projets de somptueux mariages. C'était ainsi qu'il s'était forgé cette réputation d'excellence et de perfection qui avait fait sa fortune, lui avait permis de se faire construire une maison luxueuse, tout en marbre, de quinze pièces, dans le plus beau quartier de Delhi et d'acheter trois étages de bureaux dans ce quartier exceptionnel.

– Vous savez combien coûte le mètre carré ici ? Dans cette tour ?

Je dus avouer mon ignorance.

– Plus cher qu'à Londres ou à Tokyo. Connaught Place est la troisième adresse la plus chère du monde.

– Ce n'est pas possible !

Vijay Banerjee avait atteint son but. Il ne répondit pas. Son sourire satisfait suffisait.

– Savez-vous à quel casse-tête insoluble nous avons été longtemps confrontés ?

Il était doué pour poser des colles, je fus obligé d'admettre que la réponse m'était inconnue.

– Notre état civil est récent, poursuivit-il, et plus de la moitié de la population n'a pas de carte d'identité. Il suffit de s'habiller proprement, d'adopter de bonnes manières et de prendre un nom différent pour changer de caste. Des centaines de milliers d'intouchables et d'individus de castes inférieures, des millions probablement, ont troqué leur ancienne condition contre une autre qu'ils espèrent meilleure mais qui ne correspond pas aux critères des familles. Par le mariage avec une fille d'une caste supérieure, ils rêvent que ce tour de passe-passe devienne officiel, malheureusement pour eux Vijay Banerjee est là pour veiller au grain. Tout cela doit vous paraître anachronique ?

– C'est vrai qu'on a du mal à admettre ces histoires de castes et ces mariages arrangés.

– C'est votre premier séjour en Inde, monsieur Larch ?

Je restai interloqué, apparemment Richardson n'avait pas évoqué mon passé et les raisons pour lesquelles il m'avait choisi.

– Les réalités de la société indienne sont difficiles à comprendre pour un Occidental.

Vijay Banerjee eut l'air de trouver ma réponse évidente.

– Allons déjeuner. Vous êtes mon invité.

Nous avons fait deux cents mètres à pied, les employés quittaient les bureaux. En chemin, je me retournai sur une moto bleue caparaçonnée de chromes rutilants qui démarrait en pétaradant. Vijay Banerjee me demanda si j'aimais les motos et, sans attendre la réponse, me confia qu'il collectionnait les Royal Enfield, son péché mignon. Il en possédait dix-huit en état de marche et trois en pièces détachées, alignées dans le sous-sol de sa maison et qu'un mécanicien à demeure était chargé d'entretenir. Il me proposa de faire une balade avec lui, un de ces jours.

Il avait sa table réservée à l'année au Mughal Palace Club, un havre de paix *indian style*, sous une tonnelle et à proximité d'une fontaine. Il salua la moitié de l'assistance, échangea quelques mots amicaux avec nos voisins et me promit que j'allais faire le meilleur repas de la ville. Le maître d'hôtel apporta les cartes. Vijay Banerjee me proposa de le laisser composer le menu.

– Votre disparition m'a surpris. Vous auriez dû me tenir informé.

– J'avais besoin de faire des vérifications.

– Monsieur Richardson a essayé de vous joindre et vous a laissé plusieurs messages à l'agence.

De sa poche, il sortit un smartphone et me le tendit.

– C'est un appareil indien. Ce sera plus facile pour que nous communiquions. J'ai programmé les numéros utiles. Vous habitez où, monsieur Larch ?

– C'est moi que vous cherchez ou Alexander Reiner ?

– Monsieur Richardson était mécontent que vous disparaissiez sans prévenir.

– Il se fera une raison.

– Vous ne travaillez pas pour lui ?

– C'est son patron qui m'a demandé de venir ici.

– Vous connaissez Malcolm Reiner !

– Il me connaît mieux que je ne le connais.

Le serveur apporta une demi-douzaine de plats qu'il posa sur la table puis nous servit chacun notre tour.

– C'est de la cuisine indienne du Nord et, je crois, la meilleure qui soit… C'est délicieux, non ?… Alors, monsieur Larch, allez-vous m'expliquer ce que vous comptez faire ?

– Le fils Reiner a disparu dans la nature, on ne sait pas s'il réside en Inde ou ailleurs, s'il est mort ou amnésique, il faut obtenir un maximum d'informations sur ce qu'il a pu faire et, pour cela, je ne vois qu'une solution : publier une annonce.

Vijay Banerjee s'immobilisa. Il se demanda s'il avait bien entendu ou s'il était victime d'une hallucination auditive. Sa fourchette resta en suspens près de sa bouche.

– Une publicité !

– Dans les principaux journaux indiens. Et si nous n'avons pas de résultats avec ceux-là, nous utiliserons la presse de province. On a les moyens, non ? Une page entière, avec ses dernières photos et une phrase du genre : «*Avez-vous vu cet homme ? Sa famille le recherche.*» Avec une belle récompense pour un renseignement utile.

– C'est une mauvaise idée !

Sa main tomba lourdement sur la table.

– Nous n'avons pas le choix. Il faut innover. On obtiendra à coup sûr des tas d'infos.

– Cela peut marcher en Angleterre. Ici, vous allez avoir des milliers de réponses farfelues, des personnes qui jureront qu'ils l'ont vu la veille. Vous n'aurez aucune possibilité de vérifier leurs affirmations. Vous allez être débordé.

– On va se donner les moyens. Vous avez des jeunes disponibles dans votre école. On va les mettre aux travaux pratiques. Nous devrions pouvoir faire le tri entre les plaisantins et ceux qui ont une information sérieuse à nous proposer.

– C'est de la folie !

– Vous proposez quoi, continuer le train-train ? Il faut

frapper un grand coup. Combien faut-il promettre ? Le montant doit être incitatif. Mille dollars ? Plus ? Moins ? Qu'en pensez-vous ?

– Vous ne vous rendez pas compte que des millions d'Indiens vendraient leur mère pour le dixième de cette somme. Vous ne réussirez jamais à démêler le vrai du faux, ils vous raconteront ce que vous voudrez entendre pour vous soutirer de l'argent, il n'en ressortira rien d'utile.

– On n'a plus de temps à perdre. Je vais passer une annonce et je le ferai avec ou sans vous… Vous aviez raison, ce tandoori est délicieux.

*

Vijay Banerjee a utilisé tous les arguments imaginables pour me faire changer d'avis. En vain. Il a invoqué les mille complications qui ne manqueraient pas de survenir si je persistais ; ses raisonnements n'ont eu aucun effet, j'étais déterminé à assumer ces risques. S'il a finalement accepté de m'aider, ce n'était nullement parce que j'avais réussi à le convaincre mais parce qu'il craignait de perdre la clientèle de Reiner et la réputation qui allait avec. Peur aussi de perdre les honoraires mirobolants qu'il lui facturait. J'ai consacré le reste de cet excellent repas à lui remonter le moral et j'ai fini par le réconforter en affirmant que si, grâce à cette annonce, on récupérait le fils Reiner, tout le prestige en rejaillirait sur son agence.

À la sortie du restaurant, nous nous sommes dirigés vers son bureau. J'avais l'intention de travailler sur la maquette. Dans son building, il y avait une agence de publicité qui pourrait mettre un graphiste à notre disposition. Nous avions de nombreux détails à régler : choisir les bonnes photos, rédiger le texte du message, déterminer les langues et les journaux que nous utiliserions, fixer le montant de la récompense et préparer les étudiants de son centre de formation au tri des réponses.

– Il faudrait l'aval de monsieur Richardson, objecta Vijay Banerjee. La facture va être salée.

– Richardson fera ce que je demande.

Sur le chemin du retour, au carrefour, en attendant de pouvoir traverser, nous nous sommes retrouvés entourés par un groupe d'enfants qui mendiaient, des gosses dépenaillés et sales qui agitaient vers nous une forêt de bras. Vijay Banerjee entreprit de les repousser en les insultant en hindi, ils étaient trop nombreux pour qu'il pût les écarter tous. Dès qu'il s'éloignait pour en poursuivre un, les autres revenaient.

Mon regard accrocha celui d'un adolescent mince, la peau marron, les traits fins et les cheveux noirs en bataille, malgré le froid vif il portait seulement un short bleu et un tee-shirt jaune maculé de taches, et ses pieds nus étaient poussiéreux, ce gamin me sourit et leva sa main.

– *Money, sir, money*, dit-il.

Il ne souriait pas comme un mendiant mais comme si j'étais un ami. Je mettais la main à ma poche quand Vijay Banerjee revint, essoufflé.

– Il ne faut surtout pas lui donner d'argent ! cria-t-il.

Il fit un geste pour le chasser, comme si c'était une mouche, le môme ne bougea pas.

– Laissez-le tranquille, dis-je à Banerjee.

Je sortis mon portefeuille et pris un billet de cinquante dollars que je donnai à l'enfant. Celui-ci attrapa le billet et l'examina, sans comprendre de quoi il s'agissait.

– Vous êtes fou ! me dit Banerjee. On ne donne pas autant d'argent à un petit mendiant.

Il agrippa le bras de l'enfant et le tira vers lui. Ce dernier, d'un geste vif, se dégagea, prit ses jambes à son cou et disparut dans la foule comme s'il venait de voler cet argent.

– Il ne faut absolument pas leur donner d'argent ! lança Banerjee. C'est un mauvais service à leur rendre, cela les habitue à la mendicité.

– Ça peut les aider à sortir de leur misère.

– Il va rapporter cet argent à celui qui les exploite. Ce sont des bandes organisées. Les mères leur vendent leurs enfants et ils doivent rapporter de l'argent tous les jours ou ils sont battus. Il vaudrait mieux lui apprendre à gagner sa vie, et à se respecter, pas à mendier.

– J'ai entendu ce discours, il y a longtemps, et rien n'a changé. L'urgence, c'est de les aider, non ?

– Il y en a des milliers, vous n'en finirez jamais. Pourquoi lui et pas les autres ?

– Ils sont trop nombreux pour réussir à s'en sortir, un sur mille y parviendra peut-être. Ils resteront surexploités jusqu'à leur mort. Moi, je ne peux rien faire d'autre que donner de l'argent, il pourra s'acheter à manger, ou ce dont il a besoin, ce gamin vit dans un monde différent du nôtre, il est illettré et incapable de s'insérer.

Une dizaine d'enfants se tenaient à distance, hésitant à s'approcher.

– Combien vont s'en sortir, monsieur Banerjee ? Ils ont zéro chance. C'est vous qui allez vous occuper d'eux ? Ah oui, j'oubliais, ce sont des intouchables.

– Eh bien, donnez-leur votre argent ! Cependant, prenez garde, il y en a tellement que bientôt vous n'en aurez plus. Et ce jour-là, ne comptez pas sur eux pour vous aider.

J'ai pris mon portefeuille, je leur ai fait signe d'approcher, j'ai sorti un autre billet de cinquante dollars. Ils me dévisageaient d'un air soupçonneux. Le plus téméraire – il ne devait pas avoir plus de sept ou huit ans – s'est approché avec précaution, s'est saisi du billet avec vivacité et s'est enfui en courant.

Il me restait quelques billets et chacun des enfants est venu en recevoir un, avec méfiance, avant de disparaître rapidement.

*

De la fenêtre du bureau de Banerjee, j'avais repéré le dôme du Parlement qui se dessinait dans la brume comme une montagne lointaine, et je suis reparti, cette fois, dans la bonne direction, à la recherche de l'immeuble de ma jeunesse. J'ai commencé à sillonner cette zone où s'entassent ministères et ambassades. Je suis allé au bout de ces avenues altières, préservées du tourbillon et de la cacophonie de la circulation, quand la vieille ville ressurgit avec son cortège de rickshaws pourris et de sans-abri, ses vaches, ses chiens, ses scooters fous et ses charrettes de livraison surchargées. Arrivé à Old Delhi, j'ai fait demi-tour, repartant vers cette ville nouvelle, construite en damier, et où j'espérais retrouver la trace de mon passé.

Ce soir-là, j'ai exploré un axe est-ouest, malheureusement, je n'ai pas aperçu mon immeuble, je convoquais les souvenirs de ma mémoire mais il n'en est rien sorti, j'avais le sentiment d'errer dans ce quartier pour la première fois. J'ai fini par héler un rickshaw et j'ai tenté de regagner mes pénates. Malgré l'heure tardive, la circulation était toujours aussi effrayante, les magasins et les échoppes étaient ouverts, la musique qui s'échappait des restaurants bondés était toujours aussi bruyante, cette ville-là ne s'arrêtait jamais.

Depuis mon retour en Inde, j'avais l'impression d'être enfermé dans une boîte, je ne supportais pas ce manque d'activité physique et, à défaut de pouvoir me dépenser, je faisais chaque soir de grandes marches. J'avais beau arpenter New Delhi en tous sens, élargissant mon champ d'action à plusieurs kilomètres autour du Parlement, ma quête restait infructueuse. Si mon immeuble avait été rasé, je pensais que je reconnaîtrais obligatoirement l'avenue où j'avais vécu, pourtant elle restait insaisissable : j'avais reporté ma progression sur un plan et je venais de parcourir les principales artères sans rien remarquer.

J'espérais qu'Abhinav Singh finirait par lâcher une information utile sur Alex mais je n'obtins rien de nouveau. Il ne dormait que d'un œil et, dès que je rentrais, il se levait, affirmait qu'il lisait et me proposait un verre de son thé infâme que je buvais à petites gorgées en devisant avec lui jusqu'à une heure avancée de la nuit. Il a été déçu quand je lui ai avoué que je ne pratiquais aucune religion, c'était pour lui incompréhensible. À ses yeux, il n'y avait qu'une explication : la religion des Anglais n'avait pas été révélée par un saint homme et n'existait que par la volonté d'un souverain obsédé sexuel. Il voulait que je l'accompagne au temple sikh et que je m'imprègne de la spiritualité qui y régnait, comme l'avait fait Alex. Je serais alors touché par la grâce divine, je pourrais enfin accéder à la sagesse et trouver la paix.

*

C'était le matin d'une journée qui s'annonçait resplendissante. Je ressentais cette fébrilité qui précède les événements majeurs. L'annonce paraissait dans la presse. J'avais la conviction qu'elle allait débloquer la situation et permettre d'obtenir ce jour-là des informations sur ce qui était arrivé à Alexander Reiner. En sortant de la maison, j'aperçus un coin de ciel bleu. Je refusai un taxi qui avait ralenti en me voyant à pied dans ce quartier déshérité. J'avançais d'un bon pas quand on me tira par la chemise. Un jeune Indien vêtu d'une chemise blanche, d'un bluejean et de baskets rose pâle me souriait. Je le dévisageai, son visage éveillait en moi un vague souvenir.

– *Hello, sir,* dit le garçon en me souriant.

Soudain, je le reconnus, c'était l'adolescent à qui j'avais donné cinquante dollars une semaine auparavant. Avec ces vêtements neufs, les cheveux propres et coupés, il était méconnaissable et semblait plus jeune. Il leva le bras et me montra la montre de plongée qui ornait son poignet. Je lui demandai comment il m'avait retrouvé mais il continuait de m'observer avec son sourire moqueur. Je répétai ma question en hindi et il fut surpris.

– Vous parlez hindi ?

– Quel est ton prénom ?

– Moi, c'est Darpan. Et vous ?

– Moi, c'est Tom. Et ton nom de famille ?

– Je ne sais pas, je n'ai pas de nom de famille.

– Où sont tes parents ?

– Je n'en ai pas. Je ne les ai jamais connus.

– Tu m'as suivi ?

273

– Je voulais savoir qui vous étiez et où vous habitiez.

– Et qu'as-tu fait depuis ?

– Je me suis acheté des vêtements et cette montre, et j'ai trouvé du travail.

– Lequel ?

– Je nettoie les voitures, dans un garage.

– Quel âge as-tu, Darpan ?

– Treize ans. Peut-être plus.

– Et aujourd'hui, tu ne travailles pas ?

– J'ai arrêté. Le patron ne veut pas me payer. Il me donne à manger, je dors dans le garage et il dit que je n'ai pas besoin d'argent. Je suis parti.

– Si tu veux, tu peux dormir chez moi.

– Non, moi ce que je veux, c'est un travail.

– Si tu veux, je t'embauche.

– Pour quoi faire ?

– Pour être mon assistant. Et faire des courses.

– C'est payé ?

– Tu veux combien ?

Darpan me dévisagea, comme s'il avait un doute sur le sérieux ou l'honnêteté de ma proposition.

– Cinquante dollars par mois ?

– C'est OK. Est-ce que tu sais lire ?

– Je n'ai pas été à l'école.

– Il faut absolument que tu apprennes.

– Je n'ai plus l'âge d'apprendre à lire. Je dois gagner de l'argent.

– Je te payerai pour apprendre à lire.

– Je ne veux pas aller à l'école. Je suis trop vieux pour ça.

– Écoute-moi bien, Darpan, un assistant doit savoir lire.

J'ai présenté Darpan à Abhinav Singh en espérant que

274

ce dernier accepterait de faire son éducation. J'ai été déçu quand il a refusé. Je l'ai pris à part et lui ai demandé ses raisons.

– Ces enfants des rues sont des voleurs. Pires qu'une nuée d'étourneaux. Ils ne respectent rien. Dès que vous avez la tête tournée, ils volent. Ils ne savent faire que cela. Dès qu'il le pourra, il me volera. Ou il ira chercher ses copains pour me dévaliser. Je n'ai pas grand-chose mais il le prendra et je n'ai pas les moyens.

– Il ne vous volera pas, monsieur Singh. J'en suis sûr. Et si cela se produisait, je vous rembourserais. Et je vous payerai pour lui donner des cours. Il faut lui donner sa chance. Vous avez été instituteur... Cinquante dollars par mois?

*

À proximité de Connaught Place, j'ai d'abord entendu le concert tumultueux des klaxons mugissants, des coups rageurs et exaspérés, j'ai vu ensuite les conducteurs de rickshaws qui étaient descendus de leur siège se dresser sur la pointe des pieds pour comprendre ce qui les empêchait de poursuivre leur route ; de la main droite, ils continuaient à klaxonner, comme les chauffeurs des véhicules et des bus bloqués car la place était occupée par une manifestation, ou plutôt une sorte de manifestation, sans pancartes ni drapeaux, sans leaders ni slogans, qui avait pour seul et unique objectif de pénétrer dans l'immeuble où Banerjee avait ses bureaux. Des centaines d'Indiens occupaient le trottoir, débordaient sur la chaussée et bloquaient le passage des véhicules. « C'est un cauchemar, me suis-je dit. Je vais me réveiller. »

Vijay Banerjee avait vu juste, je n'avais aucune idée de

la tempête que j'allais déclencher. Il nous avait fallu huit jours pour préparer la mise en pages, nous organiser pour gérer les appels à venir et ouvrir dix lignes téléphoniques supplémentaires ; jamais je n'aurais pu imaginer le tsunami qui allait nous engloutir. L'annonce était parue dans quatre quotidiens en hindi et deux en anglais. Une page entière avec trois photos en couleurs d'Alex légèrement retouchées, un numéro de téléphone gratuit, l'adresse de l'agence de Banerjee, son adresse mail et une promesse de mille dollars de récompense pour toute information utile. Vijay Banerjee avait tenu à se désolidariser de cette initiative en prévenant Richardson et j'avais dû menacer ce dernier de contacter directement Malcolm Reiner pour qu'il donne son feu vert. Richardson avait calmé Banerjee en lui accordant une substantielle rallonge d'honoraires. L'aide de Banerjee m'était indispensable, j'avais dû en rabattre sur le nombre de journaux et sur le montant de la récompense qui ne me paraissait pas suffisamment motivante. On avait formé une vingtaine de volontaires de l'école de détectives pour recevoir les appels vingt-quatre heures sur vingt-quatre, trier le courrier et les mails et, contrairement à leur patron, ils trouvaient tous l'idée excitante et attendaient la parution avec impatience.

Les prélèvements sur la carte de paiement d'Alex continuaient. Chaque semaine, quelqu'un retirait l'équivalent de cinq cents dollars. Certains distributeurs disposaient d'une caméra. On avait obtenu les relevés photographiques de l'avant-dernier retrait opéré dans une banque du sud de Delhi. On voyait à nouveau une personne avec un chapeau noir enfoncé jusqu'au nez et portant un bluejean qui récupérait l'argent, probablement la femme qui accompagnait Alex sur les photos précédentes, mais ce ne pouvait être une certitude.

– Que savez-vous sur l'amie d'Alex ? avais-je demandé à Vijay Banerjee.

– Rien. Ce n'était pas sa petite amie. On n'a pas cherché à l'identifier.

– Pourquoi ?

– Ils ne vivaient pas ensemble. On filait Alex, c'était déjà assez difficile comme ça.

Ou Vijay Banerjee mentait avec un aplomb incroyable, ou il était nul. J'avais du mal à imaginer une seconde qu'un détective de son niveau ait laissé passer cette occasion d'en apprendre plus sur Alex.

En approchant de l'immeuble de Banerjee, si j'avais pu conserver le moindre espoir que je n'étais pas à l'origine de cette manifestation improvisée, j'ai déchanté en voyant la foule brandir les journaux qui venaient de publier l'annonce. Certains criaient qu'ils voulaient entrer dans les bureaux pour sauver le malheureux Alexander. Dans les groupes, disséminés sur le trottoir, le ton montait, de l'agressivité apparaissait entre ces gens qui revendiquaient l'exactitude et le monopole absolu de leur témoignage et se traitaient d'imposteurs et de menteurs. Chacun avait connu et fréquenté le disparu, l'avait quitté il y a peu ou avait parlé avec lui au téléphone : Alexander était un intime qui n'avait confiance qu'en lui.

Catastrophé, j'essayai de me frayer un passage au milieu de cette cohue. Le bruit que faisait cette foule excédée et véhémente était si assourdissant que j'enlevai purement et simplement mes deux oreillettes et les mis dans ma poche. On me prenait à témoin, on sollicitait mon arbitrage

pour que je détermine l'honnête homme du malhonnête.
Quand je faisais semblant de ne pas comprendre l'hindi,
ils m'interpellaient en anglais. Plusieurs se disputaient,
revendiquaient la primeur des informations qu'ils possé-
daient, leur exclusivité, scandalisés que de vils profiteurs
espèrent accaparer la prime qu'eux seuls méritaient et
dont ils ne se laisseraient pas dépouiller par de misérables
arnaqueurs de banlieue. Des passants et deux policiers
erraient au milieu de cette confusion. J'avançai en écartant
tout le monde sans ménagement. Vijay Banerjee et six de
ses détectives stagiaires faisaient barrage pour empêcher
les plus téméraires de pénétrer dans l'immeuble, ils se
tenaient par les coudes, formant une chaîne humaine qui
bloquait l'accès aux portes coulissantes et ils avaient fort à
faire pour ne pas être emportés par cette vague qui menaçait à tout moment de les balayer. Deux rangées d'excités
me séparaient d'eux et poussaient de l'épaule pour enfoncer le faible obstacle.

– Salaud ! hurla Vijay Banerjee, la moustache frémis-
sante, dès qu'il m'aperçut.

Je devinai l'injure plus que je ne l'entendis. Peut-être
fut-il excédé par mon geste lui demandant de patienter
parce que, à peine avais-je eu le temps de remettre mes
appareils auditifs qu'au comble de la colère il cracha dans
ma direction, ce qui, dans la hiérarchie indienne de l'in-
sulte, dépasse l'étranglement ou l'égorgement. Il rata sa
cible et atteignit le turban blanc d'un sikh, qui s'apprêtait
à mourir pour défendre son honneur. Effarés par ce geste
inouï, les hommes coincés entre nous se retournèrent
pour découvrir le destinataire du crachat et comprirent,
rassurés, qu'il m'était adressé.

– C'est terminé ! criai-je en anglais, en mettant mes mains en porte-voix autour de ma bouche. On a retrouvé Alexander. Il est vivant. Merci à vous. Vous pouvez partir. On n'a plus besoin de vous. La prime a été donnée.

Les premiers rangs cédèrent assez vite, désorientés. Des persévérants réclamaient que je confirme ou démente la rumeur. Certains avaient des informations de première main qui valaient une récompense et plusieurs proposèrent de consentir un rabais. Je les remerciai de leur gentillesse. Ils insistèrent et je répétai que l'annonce n'était plus d'actualité.

Mécontents mais résignés, ils se dispersèrent et répandirent la fâcheuse nouvelle : on avait mis la main sur Alexander et il allait bien, Dieu merci. On sentait que le cœur n'y était plus. Lentement, lourdement, la foule s'égailla de mauvaise grâce, jetant de dépit sur le sol les journaux inutiles, des milliers de feuilles firent une moquette colorée dans la rue. Les voitures et les rickshaws reprirent possession de leur territoire et obligèrent les retardataires à remonter presto sur le trottoir, s'ils ne voulaient pas finir écrabouillés.

– Foutez le camp ! me cria Banerjee. Partez ! Je ne veux plus jamais vous voir ni entendre parler de vous et de vos idées à la con ! Vous venez de ruiner une réputation de trente ans. Je vais être la risée de Delhi. Ma carrière est détruite. Je vais vous faire un procès et vous réclamer des dommages et intérêts pour le préjudice moral et commercial que vous me causez ! Mon réseau téléphonique a sauté, ma boîte mail est saturée. Je vous avais mis en garde, seulement vous étiez le plus intelligent et le plus malin. On voit le résultat. Moi, je vais le ramener, ce petit con, et à ma manière ! Allez, déguerpissez d'ici ! Rentrez chez vous !

J'ai essayé de plaider ma cause. Vijay Banerjee ne m'a

pas laissé en placer une. Il parlait comme un tribun, prenant ses stagiaires à témoin de mon inconduite et de mon aveuglement. J'aurais voulu lui dire à quel point j'étais désolé de ces événements. Sa colère était telle qu'il était inutile de penser le raisonner.

J'ai obtempéré. Je me suis éloigné de Connaught Place sous le regard d'opprobre des passants qui détournaient le visage sur mon passage.

*

Machinalement, je me suis dirigé vers le Parlement. Mais je n'avais pas la tête à repartir sur les traces de mon passé. J'ai décidé de mettre en pratique le principe de Davies, qui soutenait qu'il lui était impossible de réfléchir sans deux (ou trois) verres de gin. J'ai fait demi-tour avec l'intention de vérifier l'efficacité de sa théorie au bar d'un grand hôtel du quartier. À cet instant précis, j'ai tourné la tête et je l'ai aperçue.

Elle a dû être surprise par mon changement de cap, elle a hésité, avant de reprendre son chemin avec naturel. J'avais saisi ce léger mouvement, quand elle s'était immobilisée, presque inquiète, avant de repartir comme si de rien n'était. En vérité, ce qui avait attiré mon attention, c'était son chapeau. Un chapeau noir comme en portait Michael Jackson. Je savais que c'était elle. Lorsqu'elle m'a dépassé, elle n'a pas pu s'empêcher de me jeter un coup d'œil. Elle avait des yeux noirs en amande. Je lui ai emboîté le pas et je l'ai rejointe.

Elle avait à peine vingt-cinq ans, elle était élancée et semblait légère, tout de noir vêtue, pantalon étroit et blouson en jean, col roulé et baskets rouge vif avec des semelles compensées. Elle avait la peau foncée, des traits réguliers, des pommettes hautes, des cheveux noirs courts, une frange qui lui couvrait le front. Une dizaine de bracelets torsadés et colorés s'agitaient à son bras droit, seule marque indienne qu'elle portât sur elle. Au bout de vingt mètres, elle s'est arrêtée et elle est venue vers moi, l'air furieuse. Elle avait des dents si blanches qu'on aurait pu les croire peintes.

– Que voulez-vous ? m'a-t-elle lancé, le souffle court.

– Bonjour, Dina.

– Vous me connaissez ?

– Pourquoi vous me suiviez ?

Elle a sorti une feuille pliée de la poche intérieure de sa veste et l'a dépliée. C'était une page du *Delhi Post*.

– C'est vous qui avez fait paraître cette annonce ?

– Et alors ?

– Vous cherchez Alexander Reiner ?

– Oui.

– Moi aussi.

Elle m'a dévisagé, fronçant les sourcils, s'est rapprochée de moi à une distance inhabituelle dans ce pays. Je pouvais voir les pores de sa peau. Perchée sur ses plate-formes, elle était plus grande que moi. Elle a examiné mon visage avec minutie, puis elle s'est reculée. Sa main s'est rapprochée de mon épaule, comme si elle voulait me toucher, elle s'est ravisée. Elle a détaillé les différentes parties de mon corps, s'est arrêtée sur mon bras droit, est descendue jusqu'à mes pieds. Elle m'a scruté longuement comme si elle espérait voir à l'intérieur de mon cerveau.

– Vous... vous êtes... Trompe-la-Mort ?

– Ce sont des histoires tout ça.

J'ai proposé à Dina d'aller prendre un verre au bar de l'hôtel voisin, où nous pourrions discuter au calme. Elle

n'a pas voulu, elle était pressée, nous avons donc marché
côte à côte sur Panchkuian Road, puis à Tikona Park,
nous sommes retournés vers Connaught Place. Elle me
rappelait quelqu'un, mais j'avais beau forcer ma mémoire,
je ne réussissais pas à mettre un nom ou un visage sur cette
réminiscence.

– Comment connaissez-vous mon nom ? demanda-
t-elle.

– Trompe-la-Mort sait tout, vous savez. Non, je plaisante. Je ne connais que votre prénom. C'est Abhinav
Singh qui me l'a dit. J'habite chez lui. Dans l'appartement
qu'occupait Alex.

– Dans l'appartement d'Alex !... Pour quelle raison ?

– Son père m'a confié la mission de le ramener. Il est
inquiet de sa disparition.

– Alex déteste son père, qui ne l'aime pas non plus.

– Que s'est-il passé ?

– Oh, il y a eu des tas d'histoires avec sa mère.

– Lesquelles ?

– Alex ne voudrait pas que je vous en parle.

– Et vous, pour quel motif voulez-vous le retrouver ?

– Il a disparu sans me prévenir et il y a une chose dont
je suis absolument sûre : jamais Alex ne serait parti sans
me dire au revoir. Et depuis sa disparition, c'est le silence
total. Il ne serait pas resté si longtemps sans me donner de
ses nouvelles. C'est pour cela que je suis préoccupée. Il a
dû rencontrer un problème.

– Vous étiez sa petite amie ?

Elle a continué d'avancer, perdue dans ses souvenirs,
un sourire désorienté est apparu sur ses lèvres, a disparu,
est revenu.

– Nous étions amis. Vraiment amis. Rien de plus.
Je lui ai posé des questions auxquelles elle n'a pas
répondu. Nous sommes retournés à proximité de
Connaught Place. Près de la devanture d'un marchand de
tapis, elle s'est installée sur un scooter noir et l'a démarré.
Je me suis mis face à elle mais elle a donné de petits coups
d'accélérateur, a progressé par saccades et m'a forcé à
m'écarter.

– Et si je dois vous contacter ? ai-je lancé.

– Nous ne nous reverrons plus. J'avais pensé que vous
pourriez m'aider. Je m'étais fait des idées. Vous êtes de
leur côté.

– De quoi parlez-vous ?

Elle ne m'a pas répondu, a poursuivi sa progression,
m'obligeant à lui laisser le passage. Elle attendait le
moment de s'élancer.

– Et si j'avais des informations sur Alex ?

Son scooter a pilé. Elle a hésité, puis m'a donné son
numéro de téléphone portable que j'ai noté sur un bout de
papier. J'étais en train d'écrire quand elle a posé sa main
sur mon avant-bras.

– Vous savez qui m'a conseillé de regarder votre documentaire ?

– Non.

– Alex. Il soutenait que vous étiez immortel. Qu'aucun
homme n'aurait pu survivre à ce que vous avez subi. Il
voulait comprendre pourquoi. Pourquoi vous ? Il avait
une cassette du film à Londres et il la passait fréquemment. Il connaissait par cœur des phrases entières de votre
interview. Il m'a dit qu'il aurait bien aimé vous rencontrer. C'est pour cela que vous êtes là ?

J'étais sous le choc de sa révélation. Elle a esquissé un sourire résigné. Alors qu'elle descendait du trottoir et s'apprêtait à prendre place dans le trafic, j'ai relevé le numéro de sa plaque d'immatriculation. Et la seule chose à laquelle j'aie pensé en la voyant disparaître dans le flot de la circulation, c'est que c'était de la folie de rouler sans casque.

*

Abhinav Singh n'était pas content de son nouvel élève. Darpan lui donnait du fil à retordre, non parce qu'il était stupide, mais parce qu'il était dissipé, toujours prêt à rire ou à suivre le vol des oiseaux par la fenêtre. Il avait du mal à fixer son attention plus de cinq minutes, ne prenait rien au sérieux et ne progressait pas. Darpan demandait systématiquement s'il était obligatoire d'apprendre une leçon ou s'il pouvait l'éviter. Il voulait qu'Abhinav aille à l'essentiel et l'instruise du strict nécessaire pour lui permettre de lire les titres des journaux ou d'éviter de se faire voler par les commerçants. Il pensait qu'il était inutile de savoir écrire, il n'en avait pas besoin. Il ne connaissait personne à qui écrire quoi que ce soit et surtout il trouvait fastidieux de reproduire des pages entières des soixante-quatre lettres de l'alphabet. Ça lui donnait mal à la tête. Abhinav ne parvenait pas à le convaincre qu'on ne pouvait pas lire sans savoir écrire. Que les deux étaient liés comme les côtés pile et face d'une pièce de monnaie.

– Moi ce que je veux, c'est lire. Écrire, je m'en fous.

– Je te dis que c'est pareil, Darpan.

– Je ne te crois pas.

Abhinav ne savait plus comment faire. Peut-être que les

enfants de cette génération étaient insupportables et arrogants ? À son époque, les élèves obéissaient sans poser de questions idiotes et respectaient les décisions du maître. Il ne regrettait pas d'avoir quitté l'enseignement.

À plusieurs reprises, j'ai dû me transformer en diplomate pour les rabibocher. L'un voulait abandonner et l'autre s'en aller. Darpan estimait que la discipline imposée par Abhinav était trop contraignante. Il n'avait le droit de sortir qu'une heure en fin de matinée et une en fin de journée, il devait être impérativement de retour avant le dîner et ne pouvait plus traîner la nuit avec ses copains.

Au bout d'une semaine, j'ai découvert la solution qui a fait céder Darpan.

– Nous avions passé un accord, Darpan, et quand des hommes passent un accord, ils doivent le respecter ou ce ne sont pas des hommes.

– Je suis d'accord avec toi, Tom.

– Moi aussi, fit Abhinav.

– Je m'étais engagé à te payer cinquante dollars par mois pour que tu apprennes à lire. Pour que tu apprennes à écrire, je suis prêt à te donner cinquante dollars par mois en plus.

– Cent dollars par mois ! s'exclama Darpan.

– Non, Tom, c'est du vol. Il ne les mérite pas, intervint Abhinav.

– Si ! affirma Darpan.

– Et pour vous, Abhinav, du fait que le travail est plus important que prévu et que l'élève n'est pas facile, je vous propose une somme identique. Je te préviens, Darpan, je veux des résultats. Tu vas arrêter de discuter et obéir à Abhinav. Sinon, je te renvoie d'où tu viens et tu n'auras pas une roupie. Si tu n'es pas capable de saisir ta chance, tant pis pour toi. Tu resteras toute ta vie un pauvre type.

– Moi, ce que je veux, c'est apprendre à compter.

– Vous pouvez lui apprendre à compter ? demandai-je à Abhinav.

– Cela va être beaucoup de travail, répondit ce dernier.

– Attention, il n'y aura pas de supplément pour apprendre à compter, précisai-je, en me disant que jamais l'argent de Malcolm Reiner n'avait été mieux utilisé. Quant à la discipline, il faudra t'y faire. Plus vite tu sauras lire, écrire et compter, plus vite tu seras libre.

Pour sceller cet accord historique, je les ai invités au restaurant. Je ne m'attendais pas au refus d'Abhinav qui ne voulait pas manger à l'extérieur ; étant végétarien, il ne pouvait avoir la garantie que les préceptes alimentaires si rigoureux de sa religion soient respectés.

Je m'apprêtais à renoncer quand Darpan est intervenu :

– J'aimerais aller dans un restaurant, au moins une fois. Je crois que je suis hindouiste mais comme je n'ai pas connu mes parents, je n'en suis pas sûr. C'est une religion que j'apprécie, car les prêtres nous donnent à manger. Je devrais être végétarien, pourtant je mange ce que je trouve. Si c'est du poulet ou du porc, tant pis. Moi j'accepte ton invitation.

Finalement, Abhinav s'est souvenu d'un restaurant pendjabi, près de Colony Market, où les membres de sa communauté aimaient à se retrouver. Il a présumé que les rites alimentaires y étaient respectés.

Un taxi nous a déposés devant le restaurant. Nous avons failli repartir sitôt arrivés car les trois salles étaient complètes et nous n'avions pas réservé. Par chance,

Abhinav fut reconnu par un de ses coreligionnaires, un habitué qui intercéda auprès de la patronne. Elle nous donna une table qui se libérait. Les plats étaient raffinés et somptueusement décorés. Ce fut un dîner joyeux et l'occasion de découvrir que Darpan arrivait à reconnaître quelques chiffres sur la carte, effaré qu'il était de découvrir les prix pratiqués. Ce fut pour Abhinav et moi-même la certitude qu'il était motivé et l'espoir qu'il réussirait à lire vite.

*

J'étais dans une impasse, une expression idiote pour dire que je n'avais pas retrouvé l'immeuble de mon enfance. Idiote parce que New Delhi est composée d'avenues rectilignes majestueuses et ombragées, et qui pour la plupart se croisent à angle droit. Au début du XXe siècle, elle a été bâtie à plusieurs kilomètres de la ville ancienne, mes compatriotes souhaitant établir un cordon sanitaire qui leur éviterait les miasmes de la cité indienne. Aujourd'hui, leur ville nouvelle est encerclée de toutes parts. Les belles avenues aristocratiques finissent dans le capharnaüm.

J'avais arpenté dans chaque sens les allées de New Delhi, mon immeuble s'était évanoui ou peut-être avait-il été détruit. Comment savoir ? Était-il envisageable que je sois passé à côté sans le remarquer ? J'avais du mal à le croire. Il y avait une ambassade en face de nos fenêtres. Je revoyais la forêt tropicale de son parc. Il ne me restait qu'une solution : passer en revue une à une toutes les ambassades. D'après mon plan, il y en avait soixante-deux dans cette partie de la ville. J'allais les examiner toutes. En les groupant par zone, cela ne me prendrait pas trop de temps. En procédant de cette façon, j'étais sûr de découvrir ma maison. C'était obligatoire.

*

Où est-elle maintenant, ma belle Shadvi ? Ressemble-t-elle à sa mère ? Combien a-t-elle d'enfants et combien de restaurants ?

*

Je n'avais plus de nouvelles de Vijay Banerjee depuis deux semaines. Après l'incident survenu le jour de l'annonce, je n'avais pas osé le recontacter. Quelle ne fut pas ma surprise d'apercevoir son Land Cruiser blanc, toujours rutilant, garé devant la porte de mon domicile, en train de présenter à Abhinav Singh et à son élève les multiples avantages du dernier modèle. Darpan me vit le premier et courut vers moi.

– Dis, Tom, c'est vrai que c'est ton ami ?

– On se connaît.

– Tu ne veux pas lui demander de me faire faire un tour dans sa voiture et d'aller voir mes copains ?

Vijay Banerjee vint à ma rencontre, me salua à l'indienne et m'adressa un sourire inattendu.

– Cher ami, c'est un plaisir de vous revoir.

– Nous sommes amis ?

– Je le reconnais, j'ai perdu mon sang-froid. J'ai été grossier, je me suis mal conduit. Je vous présente mes excuses.

Le silence s'installa et finit par devenir pesant. Il me dévisagea, inquiet.

– Vous les acceptez, j'espère ?

– Ne vous inquiétez pas, je ne vous en veux pas.

– Je me faisais du souci. J'ai laissé plusieurs messages sur votre téléphone, vous ne m'avez pas rappelé. Je me suis dit : «Mon ami Larch est rancunier.»

– Je me suis trompé trois fois de code d'accès et...

– Ah, je suis soulagé. J'ai tellement de choses à vous dire.

– Comment avez-vous su que j'habitais ici ?

– Ce n'était pas difficile à découvrir. Quand je pense que vous avez refusé un palace cinq étoiles pour vivre dans ce gourbi. Vous avez de drôles d'idées, vous les Anglais. En tout cas, je vous présente mes excuses pour tout. Votre idée s'est révélée remarquable et d'une réelle efficacité. Je suis un homme qui travaille dans la tradition, mais je ne refuse pas le progrès et j'apprends vite, croyez-moi. Tout le monde m'a félicité : mes clients, mes concurrents, même la télévision et la presse, l'annonce a eu un énorme retentissement, tous ont considéré que c'était une solution formidable. Grâce à vous, de nouveaux clients ont contacté l'agence. Je me suis énervé d'une manière ridicule, j'ai laissé la colère l'emporter. Je n'avais rien compris. C'est le passé. Avec mon équipe, nous avons dû faire le tri parmi des milliers d'appels téléphoniques, de mails, de courriers et de témoignages spontanés, ce fut un travail de titan et qui continue encore. Nous en avons retenu trois qui sont étayés par des faits précis. Et ces informations sur Alexander sont bizarres.

*

– Alex était un ami. Il y a trois mois, il était assis à votre place. Et, je peux le dire, c'est le plus grand des salauds de la terre. Il m'a longtemps harcelé, le mot n'est pas trop fort, pour que je le mette en contact avec de vieilles relations et, quand j'ai fini par accepter, que je lui ai fait connaître le chef du réseau birman, il a tenté de traiter directement avec lui en espérant m'éliminer du marché pour ne pas me payer ma commission. C'est un comportement de petit voyou, non? À qui se fier? Pas de chance pour lui, je l'ai appris immédiatement. J'ai voulu lui réclamer des explications. C'est à ce moment-là qu'il a disparu.

– Je ne comprends pas : vous dites trois mois. Alex a disparu depuis six mois.

Sendai Sapanak ferma les yeux et fouilla dans ses souvenirs. Nous étions dans son restaurant thaïlandais sur Lhodi Road et il nous avait offert un thé thaï bleuté. Il avait accepté de témoigner si on lui garantissait l'anonymat absolu. Après nous avoir accueillis, il s'était retourné pour vérifier si nous n'étions pas suivis et, comme il regardait trop les séries américaines, il nous avait fouillés pour s'assurer que nous ne possédions pas de micro-émetteur caché. Son témoignage avait été retenu car il possédait des talons de la carte de crédit d'Alex qui venait se restaurer chez lui. Il nous les a montrés sans faire de difficulté. Le contrôle des talons montrait qu'Alex était venu trois fois se restaurer chez lui, il y avait plus de six mois.

– Il était là il y a trois mois, je vous dis. Comme il était devenu un ami, je ne le faisais pas payer, c'est pour cela que je n'ai pas déposé de talons à la banque. Et lui, comment me remercie-t-il? En essayant de me doubler.

– Il nous faudrait plus de détails.

– Je veux bien rendre service, mais je veux être récompensé.

Nous avons discuté gros sous. Vijay Banerjee a mené la discussion et a refusé de céder. Ils discutaient alternativement en anglais et, quand le ton montait, en hindi.

– Tu crois que je suis aussi stupide que lui ? dit Banerjee en hindi. Profite de l'argent que ce crétin est prêt à gaspiller. Tu parles et tu gagnes mille dollars. C'est à prendre ou à laisser !

Vijay Banerjee m'a souri et fait un signe de tête. J'ai compté mille dollars, que Sapanak a empochés presto.

J'ai poursuivi son interrogatoire en anglais :

– On n'avait jamais entendu dire qu'Alex était trafiquant de drogue.

– Pourtant, il s'y connaissait en chimie et en qualité de poudre. Au départ, on n'avait pas confiance en lui, mais il avait des capitaux... Il voulait acheter cinquante kilos de cocaïne. Un gros coup. Il était prêt à aller la chercher à Chiang Rai, il prétendait qu'il avait son réseau pour la rapatrier et la distribuer en Europe. Et puis il s'est mis en tête de me court-circuiter.

– Pourquoi venez-vous nous raconter cela aujourd'hui ? Vous prenez beaucoup de risques.

– J'ai connu la douleur de perdre un être cher, qui a disparu depuis des années. J'ai pensé à sa famille. Il n'y a rien de pire que de rester dans le doute et l'ignorance. Il a dû rencontrer un problème avec la mafia birmane, ce sont des gens qui ne plaisantent pas, on ne retrouve pas les corps de leurs ennemis ou de ceux qui les ont trahis.

– Pour vous, il a été éliminé ?

– Cela ne fait pas l'ombre d'un doute. Quand j'ai posé la question, on m'a répondu qu'on n'aurait plus d'ennuis avec lui.

– Lorsqu'il venait dîner chez vous, était-il seul ou accompagné ?

– Alex ? Il était seul.

– Pouvez-vous m'organiser un rendez-vous avec ces gens ?

– Qui ?

– Ceux qui auraient tué Alex.

– Vous êtes fou. Ils vous feraient disparaître sans hésitation.

– Je suis prêt à payer cher pour avoir une preuve de son décès. Je veux les rencontrer.

– Je vais me renseigner. Je vous recontacterai

– C'est tout vu, lui dit Vijay Banerjee en hindi. Tu n'auras qu'à raconter à cet imbécile d'Anglais que ce n'est pas possible. Il commence à me casser les pieds avec ses méthodes à la con. Je suis quelqu'un de respectable, je ne veux pas entrer dans ses combines.

*

En sortant du restaurant, Vijay Banerjee semblait littéralement assommé par cette révélation. J'ai préféré ne pas lui révéler que je maîtrisais sa langue maternelle. Chacun dans nos pensées, nous avons continué sur Patel Road.

– Tout est fini, a murmuré Vijay Banerjee. Je vais devoir prévenir Richardson.

– De quoi ?

– De la mort d'Alexander. C'est triste.

– Ne vous donnez pas cette peine. Ce type ment. J'ignore pour quelle raison il nous a raconté cette salade, c'est un bobard. On ne se transforme pas en trafiquant

de drogue à son âge par un coup de baguette magique.
Il faut faire partie d'un réseau sacrément organisé et nul
n'en avait jamais entendu parler avant. Comment aurait-il
écoulé ces cinquante kilos ? Et puis, pourquoi prendre de
tels risques quand on est richissime ? Alex n'avait qu'un
mot à dire pour avoir tout l'argent imaginable à sa disposition. Son père possède une fortune estimée à trente-
sept milliards de dollars et dont il est l'unique héritier !
Consommateur ? Probablement. Trafiquant ? Ce n'est pas
crédible.

– Moi, cela ne m'étonnerait pas. Sa copine, Dina, a un
casier. Ce n'est pas une sainte. Plusieurs condamnations
pour vol, trafic de stupéfiants et racolage.

– Racolage ? Vous êtes certain ?

– C'est une fille de rien. Il y en a des milliers comme
elle, prêtes à tout pour gagner de l'argent facilement.

– C'est maintenant que vous me prévenez ! Que savez-
vous sur elle ?

– C'est une fille de basse caste. Elle n'a pas bonne réputation. Elle a essayé de faire du cinéma à Bombay, ça n'a
pas marché. C'est elle qui l'a présenté à ce restaurateur. Il
est probable qu'elle est de mèche avec les trafiquants et
ils se seront débarrassés d'Alexander pour profiter de son
argent.

– Sachant qui elle était, vous auriez dû faire opposition
à cette carte de crédit !

– Richardson ne voulait pas couper ce lien.

– On ne sait même pas si c'est Alex qui l'utilise ou elle.
Vous avez son adresse ?

Vijay Banerjee donna un coup de téléphone à son
bureau et me communiqua les coordonnées de Dina. Il

insista pour m'accompagner. Elle habitait à Pitambura, dans le nord de la ville.

Un taxi nous déposa devant un hôtel crasseux. Dina y avait vécu à une époque, elle était partie depuis plus d'un an et le gérant ignorait où elle pouvait se trouver.

*

J'ai décliné l'offre de Vijay Banerjee de reprendre un taxi avec lui et il m'a donné rendez-vous pour le lendemain matin. Puis j'ai téléphoné à Dina. J'ai laissé un message sur son répondeur et, en attendant qu'elle me rappelle, je suis retourné à New Delhi.

J'ai arpenté un triangle immense partant de Janpath jusqu'à North Block pour rejoindre India Gate. J'avais décidé de ralentir l'allure pour éviter de passer à côté de mon immeuble sans le remarquer. J'ai déambulé long-temps. Je cochais les ambassades au fur et à mesure sur mon plan. Je ne reconnaissais rien. Les avenues, les com-merces, la kyrielle de bâtiments officiels, tout m'était inconnu. Comme si je les découvrais pour la première fois et que je n'étais jamais venu dans ce quartier. À l'heure du déjeuner, j'ai laissé un nouveau message à Dina, insis-tant sur l'importance et l'urgence de son appel. En fin de journée, j'avais fait le tour complet du triangle. En vain. Et toujours pas d'appel de Dina. Je n'avais aucun autre moyen de la contacter. Sauf à implorer l'aide de Vijay Banerjee. Avec ses relations, il pourrait récupérer son adresse avec la plaque d'immatriculation de son scooter mais son aversion pour Dina était trop évidente pour que je lui demande quoi que ce soit.

Je suis rentré, démoralisé par ces échecs successifs.

Abhinav et Darpan préparaient le repas ensemble et m'ont invité à le partager. J'ai été ravi de constater qu'Abhinav, en plus de la lecture, de l'écriture, du calcul et de l'histoire, apprenait la cuisine à Darpan. Leur curry de légumes était délicieux, craquant et onctueux à souhait, épicé à ressusciter un mort. Je les ai complimentés pour cette coproduction. C'est ce soir-là que Darpan nous a annoncé qu'il avait décidé de devenir cuisinier.

*

Parvati Sharma avait une chevelure blanche qui ondulait sur ses épaules, un point vermillon au milieu du front et un sari rose. Elle devait avoir soixante-quinze ans, peut-être plus, des gestes empreints d'une infinie douceur et un sourire éternel éclairait son visage. Elle gérait un dispensaire délabré et pagailleux dans le sud de la ville. Nous étions assis en tailleur sur un tapis dans la cour intérieure traversée en permanence par des malades, des mendiants et des infirmières. Des chiens errants y avaient trouvé refuge. Elle tenait le journal avec la photo d'Alex déplié devant elle.

– Il n'y a pas de doute. Comment aurais-je pu l'oublier ? Il m'a dit qu'il s'appelait Philip. Et on l'appelait Phil. Il a été amené ici par un conducteur de rickshaw qui venait de le renverser. C'était la mousson. Tout était trempé. Il saignait de partout, il était choqué. Par chance ses blessures étaient superficielles. Enfin, celles qu'on pouvait soigner n'étaient pas graves, pour celles de son cœur, nous n'avons rien pu faire pour lui. Il restait prostré sur sa couche des journées entières, le regard perdu dans le vide, à marmonner des mots incompréhensibles. Je lui demandais à qui il parlait ainsi des heures durant, il haussait les épaules d'impuissance. Une fois, il m'a dit : «*Je lui parle, elle ne me répond jamais.*» J'essayais d'engager la conversation avec lui mais il fuyait toute discussion. Souvent, il pleurait. On ne l'entendait pas, des larmes coulaient de ses yeux. Il ne mangeait presque rien, une poignée de riz et de lentilles. Au bout de deux semaines, Sujata, une de nos infirmières, l'a découvert inconscient. Il avait avalé le contenu d'un flacon d'anxiolytiques qu'il avait sur lui. Il nous avait dit qu'il prenait un quart de cachet pour dormir, c'est pour cela qu'on le lui avait laissé. On lui a fait un lavage d'estomac. Il est resté une semaine entre la vie et la mort. On a voulu le transférer à l'hôpital, il a réussi à se redresser et il a hurlé qu'il ne voulait pas y aller. On l'a laissé se reposer et récupérer lentement. Phil avait perdu le goût de vivre. Cela se voyait sur son visage, à sa façon de nous sourire, de prononcer quelques mots, d'essayer de nous tranquilliser sur son état de santé. On sentait qu'il s'en allait petit à petit, il était comme un fétu de paille que le courant emporte. Il fallait le gronder comme un enfant pour lui faire avaler une bouchée. Il ne se levait plus, il ne se lavait plus, nous ne savions plus quoi faire pour l'aider. J'ai consacré des soirées entières à tenter de le faire sortir de son mutisme et de nouer la conversation, je lui prenais la main, je lui chantais des berceuses comme je le faisais quand mes enfants étaient malades. Il murmurait : «*Ne vous inquiétez pas pour moi, Parvati, je n'en ai plus pour longtemps.*» Et moi, je lui répondais : «*Pourquoi, Phil? Vous êtes jeune et en bonne santé. Vous traversez une dépression comme cela peut arriver à tout un chacun. Vous allez retrouver votre énergie. Il fait si doux aujourd'hui.*» Et il me répondait : «*Je n'en peux plus, je veux mourir,*

Parvati.» Moi, je lui disais : «*La vie est magnifique. Observez, là-haut, les singes avec leurs bébés, comme ils sont amusants.*» Lui ne levait pas la tête. «*Je veux en finir. Je n'ai plus envie de vivre.*» Et il retournait à ses idées noires. Il restait muet, ne répondait plus à nos questions. Et puis, un matin, il a disparu. L'infirmière m'a prévenue. On l'a cherché longtemps. Tout le quartier s'y est mis. On n'a plus jamais eu de nouvelles de lui. On ne sait pas ce qu'il est devenu. On a découvert un mot, griffonné de sa main.

Parvati plongea la main sous son sari rose et en sortit un portefeuille. Elle nous tendit une feuille de papier pliée. Dessus, il y avait écrit d'une main tremblante : «Merci pour tout, Parvati. Je dois partir. Je vous laisse ce qui me reste pour vous remercier et pour le dispensaire. Là où je vais, je n'ai besoin de rien. Phil.»

– Ça ressemble à son écriture, murmura Vijay Banerjee.

– Il nous a laissé trois cent vingt dollars, onze mille roupies et le bracelet en argent qu'il portait au poignet droit. Je n'ai pas voulu vendre ce bijou.

Elle a envoyé une infirmière dans sa chambre pour lui rapporter le bracelet laissé par Phil. En attendant son retour, nous sommes restés silencieux. Mon regard a fait le tour de cette cour des Miracles, de ces mendiants décharnés accroupis autour de nous, de ces femmes hagardes qui portaient des enfants nus sur leur hanche et de ces gens qui attendaient leur tour de consultation sans bouger. Des singes passaient sur les fils électriques à nu, d'autres, assis sur le rebord du toit, guettaient l'instant de venir chaparder un fruit.

L'infirmière est revenue et a remis un bracelet argenté à Parvati. Celle-ci l'a donné à Vijay Banerjee, qui s'est mis à l'examiner comme s'il allait lui livrer ses secrets. Sur une des trois photos publiées dans l'annonce, il y en avait une où on apercevait Alex avec un anneau torsadé au bras droit. La photo avait un gros grain mais le bracelet semblait identique.

— Vous êtes certaine qu'il s'agissait du même homme que celui qui se trouve sur ces photos ? a insisté Vijay Banerjee.

— Vous pouvez interroger les infirmières, le personnel, les malades qui étaient là à l'époque, ils vous le confirmeront.

— Quand était-il ici précisément ? ai-je poursuivi.

— Il a débarqué début septembre, c'était la mousson, il tombait des trombes d'eau. Par contre, je me souviens avec précision de son départ. C'était le jour de la fête de Diwali.

— Diwali !

— C'est une grande fête indienne qui...

— Je sais ce qu'est Diwali, l'ai-je interrompue.

— C'était le 3 novembre, dit Vijay Banerjee en consultant l'écran de son smartphone.

— Il y a plus de deux mois ! ai-je dit.

— Je n'y comprends plus rien du tout, fit Vijay Banerjee.

— Excusez-moi, Parvati : Philip parlait-il hindi ?

— Phil ? Bien sûr que non, il était anglais.

*

Il y a un seuil à partir duquel tout nouvel appel devient grotesque. J'avais dû laisser dix messages sur son répondeur. Elle ne pouvait pas ne pas en avoir pris connaissance. Je ne voyais qu'une explication à ce silence : Dina était coupable. Alex avait disparu. Physiquement disparu. Était-ce de mort naturelle ? S'était-il suicidé ? Avait-il

été éliminé pour des activités douteuses ? Ou pour être
dépouillé ? Toujours est-il que Dina utilisait la carte
d'Alex et était la seule à profiter de sa disparition.
Son mutisme renforçait la thèse de sa culpabilité. Elle
ne devait pas avoir envie de me revoir. Pourtant, il y avait
en elle quelque chose qui me retenait de la condamner
définitivement et de lâcher la meute à ses trousses. Comme
si je refusais de croire à cette culpabilité. Quelque chose.
Oui, mais quoi ?

*

Sana Mughal était une jeune femme très belle avec sa peau
ambrée, son port fier, ses longs cheveux noirs qui tombaient
en boucles sur ses épaules et ses manières de princesse. Elle
aurait pu faire carrière dans le mannequinat indien si elle
n'avait été si petite. Elle était vêtue avec élégance d'un corsage bouffant avec une étole en pashmina ivoire, de jodh-
purs écrus et de bottines fines avec de hauts talons. Elle
nous avait donné rendez-vous au bar du Radisson et, vu son
retard, nous pensions qu'elle ne viendrait plus.

Quand elle est entrée dans la salle, tous les clients se
sont retournés, elle est venue droit sur nous, comme si elle
nous connaissait. Elle s'est assise en face de nous. Elle a
refusé une coupe de champagne, sa religion lui interdisait de boire de l'alcool, et a accepté un cocktail de jus
de fruits. Il émanait d'elle un parfum enivrant, musqué
et capiteux. Elle a sorti un paquet de cigarettes blondes
de son sac, Vijay Banerjee lui a rappelé l'interdiction de
fumer et elle a jeté de dépit son paquet sur la table, elle
devait certainement fumer avec cette distinction qu'on ne
voit qu'au cinéma.

– Avez-vous des nouvelles de l'amour de ma vie ? lança-t-elle avec une incroyable sincérité.

Au deuxième cocktail, elle nous raconta sa longue et torride aventure avec Alex qui, en réalité, s'appelait Andrew. Elle l'avait rencontré huit mois auparavant à la fac où elle faisait des études de communication. Lui venait en auditeur libre pour suivre un cours de sexologie indienne. Ils s'étaient croisés à la cafétéria de la faculté, devant un distributeur de sodas. Ce fut un coup de foudre, elle ne trouvait pas de mots plus précis pour exprimer ce qu'ils avaient éprouvé l'un pour l'autre. De son côté, elle n'avait jamais considéré un homme avec désir, étant destinée par son père au fils d'une famille connue et respectée de Srinagar. La passion qu'elle avait ressentie pour Andrew l'avait fait céder à l'appel de la chair et elle ne l'avait pas regretté. Andrew était un maître en sexologie. Grâce à lui, elle avait découvert son corps et le plaisir ; elle avait atteint le nirvana de la sensualité, et elle était devenue sexuellement dépendante de cette personnalité hors du commun.

– Oui, dépendante, insista-t-elle. C'était à la fois horrible et divin.

Toutes ses amies lui avaient dit la chance inouïe qu'elle avait d'avoir découvert l'extase, alors qu'elles s'ennuyaient à mourir en attendant que leurs copains aient fini de se délecter de leurs interminables tournois de cricket. Sana avait rompu ses fiançailles, malgré son père et ses frères qui l'avaient séquestrée et frappée. Ils voulaient s'en prendre à Andrew, accusé de l'avoir déshonorée. In extremis, celui-ci s'était enfui, à Hyderabad croyait-elle, pour échapper à la vindicte familiale. C'était il y a deux mois. Depuis, elle n'avait plus de nouvelles. Elle ne comprenait pas ce silence. Elle redoutait qu'il ne lui soit arrivé malheur, que son frère aîné, qui était particulièrement vindicatif, ne l'ait retrouvé et ne l'ait égorgé comme il avait promis de le faire si cet enfoiré d'Australien lui tombait sous la main.

– Alex, enfin Andrew, est anglais, objecta Vijay Banerjee.

– C'est ce qu'il veut faire croire à tout le monde, mais à moi, il a dit la vérité.

– Je ne comprends plus rien, dit Vijay Banerjee. Où sont les preuves dont vous nous avez parlé ?

Sana nous a fait signe de nous rapprocher et nous l'avons rejointe sur la banquette. Elle a attrapé son smartphone. Et, jetant un regard circulaire dans la salle pour voir s'il n'y avait aucune menace, elle a ouvert son appareil.

– Je compte sur votre discrétion, dit-elle en baissant les yeux.

Sur une photo de groupe de six personnes alignées en rang d'oignons, prise devant le Taj Mahal, on reconnaissait nettement Sana et, à côté d'elle, Alex, souriant. Pas de doute, c'était bien lui. Seul homme parmi ces cinq Indiennes, toutes habillées à l'occidentale, avec corsages ou tee-shirts, blue-jeans et baskets. Alex était vêtu comme un Indien, d'une chemise sans col beige en lin tombant à mi-cuisse, d'un pantalon large et de sandales.

– C'est la seule photo que je possède d'Andrew habillé. C'était au début de notre relation. Nous étions allés visiter Agra avec des amies. Il avait horreur qu'on le prenne en photo. Par contre, il adorait prendre des photos érotiques de nous.

Avec son doigt, sans marquer de pose, Sana se mit à faire défiler des clichés de deux corps dénudés. Celui du

301

présumé Alex était blanc avec une pilosité développée et un anneau doré à l'oreille gauche, mais il ne portait pas de catogan. J'ai reconnu la couleur ambrée de la peau de Sana. C'étaient toujours les deux mêmes corps, mais on ne voyait jamais leur visage de face.

– Andrew affirmait avoir découvert une nouvelle position sexuelle. Elle me procurait un plaisir infini. Il lui a donné mon nom.

Ensuite, elle ouvrit sa messagerie et fit défiler, avec sa grâce de princesse, les centaines de SMS, certains d'un lyrisme échevelé, échangés avec son amoureux et qui révélaient le caractère fleur bleue de la jeune fille, la plupart à connotation érotique. Sana n'hésitait pas à répondre aux textos osés de son Andrew qui lui promettait mille turpitudes, par des textes carrément pornographiques qui auraient décoiffé n'importe quelle ménagère américaine.

– Je suis assez choqué de votre impudeur, dit Vijay Banerjee en avalant son jus d'orange. Je plains votre père et votre famille.

– Pourtant, c'est de l'amour. Un amour immense. Je vous en supplie, retrouvez Andrew. Je vais mourir si je ne le revois pas bientôt.

*

– Il faudrait faire le point, me dit Vijay Banerjee en sortant de l'hôtel. Je ne sais plus quoi penser. Je vous laisse quelque part ?

Il n'attendit pas ma réponse, héla un taxi et monta dedans. Je passai un appel à Dina :

– Dina, bonjour, c'est Tom. Je ne sais pas si vous avez eu mes messages. J'ai appris de drôles de trucs sur Alex. Je voudrais vous en parler. Pouvez-vous me rappeler ? C'est urgent.

Je décidai de profiter de la proximité de New Delhi pour explorer le quartier de Teen Murti où je n'avais pas encore mis les pieds et où, d'après mon plan, il y avait une concentration extraordinaire d'ambassades. Effectivement, je n'en avais jamais vu autant : Vietnam, Angola, Portugal, Irlande, Pakistan, elles étaient là, à touche-touche. Soudain, derrière l'ambassade américaine, j'ai ressenti un frisson. Je l'ai immédiatement reconnue !

J'étais face à l'école britannique de Chanakyapuri. Comment n'y avais-je pas pensé plus tôt ? Des mères patientaient devant l'entrée, des voitures attendaient en double file. Si j'avais aperçu Dhanya parmi les nounous qui bavardaient, je n'en aurais pas été plus étonné. Je me suis présenté à l'appariteur indien qui gardait la porte et je lui ai dit que je voulais rencontrer le directeur. Il m'a ouvert la grille et, comme par un coup de baguette magique, j'ai pénétré à l'intérieur de mon enfance. Je me suis revu avec l'uniforme bleu marine à rayures blanches que ces enfants portaient. J'ai dû insister pour que le proviseur me reçoive sans rendez-vous et j'ai patienté une heure dans un couloir. J'avais gardé le souvenir d'une personne corpulente et débonnaire, je fus surpris d'être reçu par un homme mince et énergique d'une quarantaine d'années à qui j'ai exposé ma situation. Il m'a écouté sans manifester la moindre expression, puis a tapoté sur son clavier d'ordinateur.

– De 1976 à 1980... Il ne doit plus y avoir beaucoup d'enseignants de cette époque en activité. Ah si, madame Mira Nath était là.

– Mira Nath?... Oui, c'était mon institutrice.

– À cette heure-ci, elle termine sa classe. Vous avez de la chance, elle prend sa retraite à la fin de l'année.

Le directeur donna un coup de téléphone et demanda qu'on prévienne Mira qu'il souhaitait la voir avant qu'elle ne quitte l'établissement.

– Je suis à la recherche de mon ancienne adresse, je n'ai pas réussi à la localiser. Ce n'était pas loin d'ici.

– Une partie des archives a disparu lors de la grande mousson de 1991. Ce qui a été sauvé a été entreposé sur un site de stockage et il faudra du temps pour trouver votre domicile dans ce qui reste des documents.

– Je faisais partie de l'équipe de cricket et notre professeur s'appelait... C'était un Indien, un ancien joueur.

– Tous nos professeurs de cricket sont indiens. Les deux que nous employons aujourd'hui sont trop jeunes pour vous avoir connu.

Des coups furent frappés à la porte. Une Indienne tout en rondeurs apparut, ses cheveux blancs dépassaient d'un sari marron.

– Entre, Mira. Je veux te présenter un de tes anciens élèves.

Je me levai à mon tour. Mira Nath vint vers moi. Elle me salua et me considéra avec affabilité.

– Vous étiez là en quelle année? fit-elle.

– J'ai été élève dans cette école de 1976 à 1980.

– Oh, cela ne me rajeunit pas. J'ai été nommée en...79. Vous vous appelez?

– Larch. Thomas Larch. Tout le monde m'appelait Tommy ou Tom.

– Thomas Larch ? Je ne me rappelle pas. J'ai vu défiler tellement d'élèves. Il y avait qui dans votre classe ?

– Je ne m'en souviens pas... J'étais assis à côté d'un enfant qui s'appelait George, son père travaillait à British Airways, et il y avait aussi Rose, une petite fille toute blonde.

– George ?... Rose... Thomas... ? Vous êtes sûr que j'étais votre institutrice ?

– Je crois... J'étais bon élève. Je parlais hindi. Mon père était ingénieur et ma mère était indienne. Elle a eu une grave maladie et nous avons dû rentrer en Angleterre.

Mira Nath se gratta le menton, fronça les sourcils, ferma les yeux un instant puis les rouvrit.

– Je suis navrée. Cela ne me dit rien. Rien du tout. J'ai une excellente mémoire. Je me rappelle tous les noms de mes élèves et leurs visages. Mais vous, non vraiment, je ne vois pas.

Madame Nath est sortie et le proviseur m'a raccompagné à la porte.

– Je compte sur vous. C'est important pour moi que vous récupériez mon ancienne adresse.

– Permettez une réflexion amicale à l'ancien élève : pourquoi voulez-vous revoir cette maison où vous avez vécu enfant ? Une fois que vous l'aurez trouvée, qu'est-ce que cela changera pour vous ? Quand vous serez devant cet immeuble, que croyez-vous qu'il se passera ?... Rien. Absolument rien.

*

Darpan m'avait préparé une surprise. Dès mon retour, il avait exigé que je reste cantonné dans le salon. Je m'y étais installé avec Abhinav et nous entendions du bruit en provenance de la cuisine. Abhinav affichait un sourire immuable, respectait les consignes et ne voulait rien dévoiler.

– Ce garçon est doué pour la cuisine. Il comprend immédiatement. Pas besoin de lui expliquer deux fois. Et il aime ça. L'année prochaine, il saura lire et écrire, ce sera le moment pour lui d'apprendre un métier. Le beau-frère de mon fils a un restaurant à Amritsar et serait d'accord pour l'embaucher. Ce sont des gens corrects, il sera bien traité.

– On pourrait lui faire faire une école hôtelière. Il obtiendrait un poste dans un bon restaurant ou un grand hôtel. Il aurait un meilleur avenir.

– Ces écoles coûtent cher et les études durent deux ans ou plus.

– S'il veut s'en donner la peine, je prendrai les frais à ma charge.

Darpan est sorti de la cuisine en portant à bout de bras un plat rempli de beignets de courgettes, d'aubergines et d'oignons. Nous avons dégusté ses beignets. Je n'ai pas manqué de m'extasier sur la finesse de la pâte et sur le parfum de la farce, ainsi que sur le goût savoureux de la sauce pimentée qui les accompagnait.

– Pour faire de délicieux beignets, m'expliqua Abhinav, il faut utiliser de la farine de pois chiche. Chez nous, on ajoute de la poudre de noix de cajou au piment, c'est meilleur.

– C'est Abhinav qui a préparé la farce, mais c'est moi qui ai fait la pâte.

– C'est délicieux, Darpan. Il faudrait essorer les beignets sur du papier absorbant pour que ce soit moins gras.

– Je ne lui ai pas montré, dit Abhinav d'un ton sec. Chez nous, on les sert très chauds.

Nous poursuivions notre repas quand la sonnerie de mon téléphone a retenti. C'était Dina ! Je me suis mis à l'écart, près de la fenêtre.

– Je suis heureux de vous entendre. Vous avez eu mes messages ?

– J'ai été occupée. Je viens de recevoir un appel d'une connaissance qui aurait été contactée par Alex. Celui-ci doit, soi-disant, rappeler pour lui fixer rendez-vous à Chawri Bazar. Alex lui avait prêté cinq cents dollars et il lui a demandé de le rembourser parce qu'il aurait besoin d'argent de façon urgente. Je n'y comprends rien. Si Alex a besoin de quoi que ce soit, pourquoi ne me contacte-t-il pas ? Je vais les rejoindre. C'est une personne dont je me méfie et…

– Vous voulez que je vous retrouve ? Dites-moi où ?

– Pouvez-vous venir à Chawri Bazar ?

– Le temps d'arriver.

– Attendez-moi devant le cinéma qui est sur la place.

Le talon d'Achille

Un rickshaw suicidaire m'a amené à Chawri Bazar en vingt-trois minutes. Dans cette partie de la ville, il y a une telle cohue, en permanence, que tout être humain sait que parcourir ce trajet à cette vitesse est irréalisable, même de nuit, même à moto, mais pourtant il l'a fait. J'avais commis l'erreur grossière de lui dire que j'étais pressé et qu'il aurait un bon pourboire s'il se dépêchait. Pour la première fois de ma vie, j'ai eu très peur. Mon chauffeur doublait en zigzaguant les autres véhicules, évitant les vaches et les chiens avec une virtuosité de conducteur de jeu vidéo. Il avait installé à l'avant de son rickshaw un avertisseur sonore qui produisait un mugissement redoutable, comme celui d'un cargo dans la brume, et qui avait pour effet d'écarter de son chemin ceux qui le précédaient comme si le diable en personne les avait avertis de leur disparition prochaine. J'avais oublié que, dans ce pays, le code de la route est une pure fiction : celui qui a la priorité est soit celui qui a le plus gros véhicule, soit celui qui klaxonne le plus fort. J'avais renoncé à hurler, occupé que j'étais à me maintenir pour ne pas être éjecté du véhicule dans les soubresauts et les tournants.

Il a freiné sèchement sur une place encombrée, avec un sourire rayonnant et les yeux brillant comme des lampes allumées. Je lui ai donné trente dollars de pourboire, estimant que le fait de m'avoir déposé vivant à bon port méritait cette somme, et il m'a gratifié d'une infinité de saluts respectueux.

Je me suis posté au bord de la place. Des bus verts pleins à craquer déversaient des flopées de passagers. Des files de spectateurs se pressaient devant les trois caisses du cinéma. À dix heures du soir, il régnait une activité fébrile. Des dizaines de camionnettes, de charrettes à bras et de cyclopousses surchargés se faufilaient dans les interstices de la circulation pour livrer leurs produits dans les milliers d'échoppes environnantes. Des groupes se formaient autour des pâtisseries ambulantes qui proposaient des monceaux de gâteaux multicolores. Une odeur de friture s'échappait des restaurants qui affichaient tous complet. Des vaches cherchaient leur pitance au milieu du capharnaüm, et des singes, assis en famille sur les rebords des premiers étages, contemplaient cette agitation avec détachement. J'ai vérifié que mon téléphone était allumé et j'ai patienté près des marchands de fleurs accroupis en tailleur, qui vendaient des colliers de soucis et de tubéreuses à offrir lors des cérémonies religieuses. Nul ne me prêtait la moindre attention. J'attendais depuis une demi-heure quand j'ai reçu un coup de fil.

– Où êtes-vous ? lança Dina.

– Près du cinéma. Et vous ?

– Pas loin. Sur Sita Ram Bazar. Il ne m'a toujours pas contactée. Je suis en face du restaurant où il va dîner tous les soirs.

– Ne bougez pas, j'arrive.

Elle m'a dit : « *Non !* »

Un vendeur ambulant de gâteaux m'a indiqué la direction à suivre. J'ai trouvé Sita Ram Bazar, une rue encombrée que j'ai remontée en tentant d'apercevoir Dina au milieu de la foule. Des restaurants, il y en avait des dizaines. J'avançais lentement pour ne pas la rater. J'ai repris mon téléphone et je l'ai appelée :

– Je suis sur Sita Ram Bazar, je ne vous vois pas.

– J'attends près d'un restaurant.

– En remontant vers Chawri Place ou en descendant ?

– En descendant.

– Je vais vous rejoindre. Ne bougez pas.

Je suis descendu du trottoir. Il y avait un tel flot de voitures, d'autobus, de scooters et de rickshaws, qu'il était impensable de traverser sans se faire écraser. J'ai poursuivi dans le sens de la circulation, essayant de m'élancer, mais j'ai renoncé et continué sur le trottoir.

Soudain, j'ai reçu un violent coup sur la tête. Je suis parti en avant, cherchant à récupérer mon équilibre. J'ai trébuché, mais j'ai réussi à me retourner. J'ai entrevu un Indien d'une vingtaine d'années brandissant un gros bâton qu'il a abattu une nouvelle fois sur ma tête.

*

Quand j'ai repris mes esprits, j'étais allongé sur le sol, dans les bras de Dina qui me scrutait avec anxiété. Elle portait son drôle de chapeau. Je respirais avec peine et je frissonnais de froid, je retrouvais cette impression d'être passé sous un train, un curieux flottement m'a envahi, comme si j'allais m'évanouir. Dina me tamponnait le front et le nez avec un mouchoir rougi. Je luttais contre le sommeil qui m'engourdissait, je ne voulais pas perdre conscience. Instinctivement, je me suis mis à respirer plus vite, l'air frais m'a réveillé. Malgré ma vision voilée, j'ai aperçu ma chemise maculée de sang. Des Indiens se penchaient sur nous. Un homme d'une quarantaine d'années à la peau assez claire, avec des lunettes rondes à monture métallique, une tunique blanche et un pull gris sans manches, les a repoussés avec énergie et il a commencé à m'ausculter. Il m'a palpé la tête et le cou avec minutie. Il a examiné mes oreilles, mon nez et ma bouche et m'a parlé, je n'entendais qu'une mélasse sonore, son regard marquait de l'inquiétude. Je voyais les lèvres de Dina qui s'agitaient. Je me suis dit : «Ça y est, je suis sourd!» J'ai voulu me redresser, ils m'ont maintenu au sol, je n'avais aucune force pour me lever. J'ai porté ma main droite à mon oreille et mon doigt a pénétré dans la cavité. J'ai agrippé Dina et l'ai tirée vers moi.

– Mes appareils! J'ai perdu mes appareils. Je n'entends plus rien. Il faut mettre la main dessus!

Dina a parlé à son voisin qui s'est mis à scruter le sol. Il s'est relevé et a écarté les badauds pour examiner le trottoir avec attention. Dina me maintenait couché, le mouchoir collé sur le front. Trois autres Indiens se sont mis à fouiller. Au bout d'une minute, l'un d'eux s'est saisi d'une oreillette dans le caniveau, l'a montrée aux autres et l'a donnée à Dina. Ils ont continué à chercher la seconde dans les papiers et les détritus qui jonchaient le sol. Ils ont élargi le périmètre, des personnes se sont jointes à la quête de la prothèse perdue. J'ai nettoyé l'oreillette sur un pan de ma chemise et je l'ai replacée dans mon oreille droite. Par chance, elle marchait.

– Comment vous vous sentez ? m'a demandé Dina.
Vous avez mal ?

– Pas trop.

Celui qui m'avait ausculté est revenu vers nous et s'est
penché à mon niveau.

– Ma pharmacie est là. Venez, je vais m'occuper de
vous. Ils vont récupérer votre appareil, ne vous inquiétez
pas. Vous pouvez vous lever ?

Le pharmacien et Dina m'ont aidé à me redresser. En
m'appuyant sur eux, j'ai rejoint la pharmacie, où il a, avec
la plus grand méticulosité, soigné mes différentes plaies.

– Vous avez reçu un coup sur l'arête du nez, il n'y a
pas de fracture. Vous arrivez à respirer et il n'y a pas de
déviation de la cloison. Il faut appliquer une compresse de
glace pendant un quart d'heure pour éviter que ça enfle.
Prenez ces analgésiques et gardez la tête droite. Le quartier est devenu dangereux, il y a des bandes qui traînent.
Ils auraient pu vous fracasser le crâne. Vous avez de la
chance. Il y a eu un meurtre la semaine dernière. Un commerçant à qui on a volé sa recette.

– C'est Trompe-la-Mort ! l'interrompit Dina.

– Qui ? fit le pharmacien.

– Vous n'avez pas vu le film ?... Alors, vous ne pouvez
pas comprendre.

En parlant, le pharmacien désinfectait mon front. Dina
me dévisageait comme si elle avait mal à ma place. Le
pharmacien voulait que j'aille immédiatement à l'hôpital pour me faire faire une radio et un vaccin contre le
tétanos. J'avais une entaille sur le haut du crâne et il ne
pouvait pas poser de points de suture ; je savais qu'il était
inutile de suturer. Le premier coup de gourdin avait glissé

sur l'oreille qui était à vif, avait atterri sur l'épaule et la clavicule était douloureuse, mais il n'y avait rien de cassé. Ce n'était pas la première fois que je me faisais assommer. Si à chaque fois j'avais dû me faire radiographier et vacciner, j'y serais encore. Dans un miroir, j'ai vu qu'il m'avait enveloppé le crâne d'une bande en coton et que mon visage était gris-vert. Ou était-ce le néon ? Le pharmacien m'a donné une poche de glace et je l'ai gardée sur mon nez endolori. J'ai voulu le payer. Quand j'ai mis la main à l'intérieur de la poche de mon blouson, j'ai découvert que mon portefeuille avait disparu. Le pharmacien voulait prévenir la police, je m'y suis opposé. Cela ne servirait qu'à me faire perdre mon temps. Mon voleur devait être loin. Je lui ai promis que je viendrais le payer le lendemain. Dina espérait que quelqu'un avait vu l'agresseur, mais quand nous sommes sortis de la pharmacie, il n'y avait plus qu'un homme qui continuait à remuer les ordures à la recherche de mon oreillette. Je lui ai dit d'abandonner. Je lui ai donné la monnaie que j'avais dans ma poche, il a eu l'air content et il s'est éloigné. Je suis resté avec Dina sur le trottoir.

– Vous voulez rentrer chez vous ?

– Le plus dur est passé. Si vous avez un peu d'argent pour m'inviter, on pourrait aller manger un morceau.

Nous nous sommes éloignés en direction de Chawry Place. Les gens s'écartaient de nous en nous dévisageant avec répulsion. Ma chemise maculée de sang avait sur eux le même effet que si j'avais été le criminel, et pas la victime.

J'ai demandé à Dina si elle pouvait m'offrir une chemise. J'ai acheté une tunique en coton sans col, j'ai voulu laisser mon oripeau au commerçant, ce dernier a refusé et j'ai dû l'emporter dans un sac. J'avais une tête épouvantable, mais j'avais connu pire. Finalement, je ne m'en tirais pas trop mal, hormis que je n'entendais plus rien de l'oreille gauche et que mon nez ressemblait à une tomate. Nous nous sommes installés dans un restaurant aux murs bleus situé dans une ruelle, une gargote pas très nette éclairée par deux néons, avec six tables en bois qui gardaient des traces de peinture verte. Pas de carte, pas de menu ; nous avons choisi le ragoût brun qui cuisait dans une des trois marmites sur le feu, servi avec une platée de riz safrané.

Un serveur a débarrassé notre table. Il m'a fixé en levant la tête, ce qui voulait dire qu'il se méfiait de moi. Peut-être parce que je m'étais adressé à lui en hindi pour qu'il nettoie la table. Peut-être parce que j'étais accompagné d'une Indienne et que Dina était la seule femme présente. Il est allé parler au cuisinier, celui-ci m'a dévisagé longuement. Nous avons été servis rapidement.

J'avais toujours autant de mal à manger avec les doigts. Le patron m'a donné une cuillère. C'était bouillant et terriblement épicé. Dina a commandé deux bières. Nous avons entamé notre plat en silence. La radio diffusait des variétés. J'observais Dina, avec son chapeau noir sur la tête. Elle paraissait absorbée par son repas, et quand elle levait les yeux, elle ne croisait jamais mon regard. Elle avait des bras fins et des poignets d'adolescente avec quelques bracelets colorés. Était-elle coupable ? J'avais du mal à croire qu'elle puisse être responsable de la disparition d'Alex. Avait-elle une part de responsabilité dans mon agression ? Elle était la seule à savoir où je me trouvais. Si je l'entreprenais directement sur ces points, je craignais qu'elle se lève et disparaisse, sans que je puisse rien faire pour la retenir. Et je risquais de ne plus la revoir.

– Vous avez mal ?

– À l'épaule. Le gourdin a glissé et le coup a porté sur la clavicule.

– Je ne suis pour rien dans votre agression, vous savez.

– Oh, je ne le pense pas.

– Bien sûr que si ! Je suis certaine que vous y avez pensé. Et pour la disparition d'Alex, j'ai le profil, non ? Seulement, je n'y suis pour rien. Je ne veux pas que vous me soupçonniez. Pas vous. J'aime Alex et je me fais du souci pour lui. Il ne connaît pas ce pays.

– Je ne vous soupçonne pas mais il y a tellement de questions sans réponse. Pourquoi vous utilisez sa carte de crédit ? Pourquoi… ? Je ne suis pas flic, moi ! Vous comprenez ?

– J'ai l'esprit tranquille. Que voulez-vous savoir ?

Je lui fis un bref compte rendu des trois entretiens obtenus à la suite de la parution de l'annonce. Elle me laissa m'exprimer sans m'interrompre, et quand j'eus fini, elle émit un rire forcé.

– Sendai est malin. Personne ne ment avec plus de naturel que lui. Il rêve de gagner beaucoup d'argent en se livrant à un trafic rémunérateur, et il est condamné à vivre misérablement avec son restaurant minable. Quel trafiquant utiliserait une telle planche pourrie ? Tout le monde sait que c'est un indicateur de la police et qu'elle le tient : ses papiers ne sont pas en règle.

– Quel but avait-il en nous racontant une histoire pareille?

– Vous manger mille dollars! Il y a longtemps, avant de rencontrer Alex, j'ai fréquenté des gens peu recommandables. Des trafiquants birmans, qui ne rigolent pas. C'est leur quartier. Ils vont dîner chez lui, mais se gardent de le mêler à leurs affaires... À une époque, j'ai travaillé comme mule pour eux. On m'a attrapée, j'ai fait de la prison, je n'ai pas parlé. C'est moi qui ai amené Alex dans son restaurant, mais il n'a jamais eu l'intention de se livrer à un quelconque trafic. Sendai s'est joué de vous.

– Et cette fille, Sana Mughal? Alex a-t-il eu une aventure avec elle? Devaient-ils se marier?

– Sana! Je ne sais pas pourquoi elle vous a raconté ces balivernes. Alex est le fils d'un homme riche et elle s'est dit qu'il y aurait de l'argent à gagner. Il n'y a rien eu entre Alex et elle. C'était une amie. Pendant deux ans, on a loué ensemble un appartement à Bombay quand on espérait faire du cinéma là-bas. Mais on n'a pas réussi à décrocher le moindre rôle. Elle était trop petite, et moi j'étais trop noire de peau. On a été obligées de subir les vexations des régisseurs, de supporter les avances des assistants et de se faire sauter par tous les producteurs. À Bollywood, les filles, c'est pire que du bétail, il y en a des milliers prêtes à tout pour décrocher ne serait-ce qu'un peu de figuration. En Inde, un singe ou un chien a plus de valeur qu'une femme.

– Elle nous a montré des textos et des photos suggestives.

– C'est elle sur les photos, et son partenaire est son petit copain. Alex ne se serait jamais prêté à cette bassesse.

319

À une période, Sana a été obligée de gagner sa vie en faisant des films érotiques. Quant aux textos, Alex ne pouvait pas en envoyer, il n'avait pas de téléphone.

– Sur des photos prises à Agra, ils ont l'air très proches.

– Elle a osé !

Dina prit son smartphone et le manipula.

– Ce que Sana a oublié de vous dire, c'est que c'est moi qui ai pris ces clichés. On était partis avec Alex et des copines pour lui faire visiter Agra. C'est avec moi qu'il était, pas avec elle.

Elle me montra plusieurs photos où Alex la tenait par la main ou par l'épaule, tous deux collés comme des amoureux, souriants, avec derrière eux les dômes éclatants du mausolée en marbre blanc.

– Et ce que nous a raconté Parvati Sharma, celle qui dirige le dispensaire, ce sont aussi des mensonges ?

– Peut-être pas. Ça s'est déroulé après la disparition d'Alex.

– Je dois connaître la vérité, Dina. Que s'est-il véritablement passé entre vous et Alex ?

Dina finit son verre, réclama une bière fraîche, attrapa un étui marron dans la poche de son blouson et en sortit une cigarette fine, roulée à la main. Elle m'en proposa une que je refusai. Sa cigarette avait une odeur d'encens. Elle inhala profondément. Le patron se mit à renifler ce parfum musqué, eut un geste pour venir vers nous, puis se ravisa. Elle me parla en fixant la fumée qui s'élevait :

– À l'origine, il y a toujours un problème, le problème de nos origines. Je viens d'un milieu déshérité, d'une caste d'intouchables parmi les plus intouchables : les balayeurs. D'aussi loin que remonte ma mémoire, j'ai voulu fuir ce

milieu horrible, sa misère abjecte, l'ignoble cabane familiale au toit en tôle plantée au milieu des égouts puants, de
la gadoue et des cochons, et cette vie infâme qui m'était
promise, la même vie de privations et de désespérance que
ma mère : épouser le voisin du bidonville que mon père
m'aurait désigné, lui cuisiner sa nourriture, torcher ses
enfants ; la nuit, supporter ses assauts selon son bon vouloir, et le jour, une belle-mère tyrannique. J'ai eu la chance
d'apprendre à lire et de réussir à m'enfuir. J'avais à peine
seize ans. J'ai quitté Lucknow et abandonné ma famille.
Dix années se sont écoulées, ils ont dû m'oublier. Mon
existence a souvent été dure, pourtant je ne regrette rien,
et si j'avais un conseil à donner à mes sœurs, et à toutes
les filles qui sont dans cette situation, c'est de partir, avant
de se retrouver mariées à un ivrogne. Si c'était à refaire, je
recommencerais. Malgré les problèmes et les difficultés
sans nom. La liberté est moins amère que la résignation.

Dina resta perdue dans ses pensées et chassa son sourire craintif.

– J'ai gâché sept années à vouloir faire du cinéma, à
essayer de pénétrer dans ce milieu pourri, à trimer comme
une folle pour gagner de quoi me payer des cours de danse
et de chant, à dépenser jusqu'à ma dernière roupie pour me
faire blanchir la peau. Tout ça pour quoi ? Des figurations
minables, oubliée au fond du plateau, quatre rôles ringards
et trois publicités mal payées. J'ai commencé la danse trop
tard, c'était impossible à rattraper. En plus, je n'ai pas une
jolie voix. Et puis surtout, la tare, je suis noire. À vouloir
éclaircir ma peau, je ne suis parvenue qu'à la brûler.

Elle abaissa son col roulé et dévoila des auréoles brunes
sur son cou. Elle renversa la tête, ces taches remontaient

sous son menton comme si sa peau avait été arrachée. Elle écarta sa frange et son front découvert laissa apparaître une marque qui dessinait un nuage plus clair, aux contours incertains et bosselés.

– Malgré l'interdiction, j'ai utilisé de l'hydroquinone pure qui sert à blanchir les blue-jeans. À Bombay, toutes les filles s'en badigeonnent, c'est le produit le plus efficace en dépit des risques de cancer, cette pourriture n'a servi à rien sur moi. Je me suis ruinée en crèmes bidon, j'ai essayé tous les mélanges concevables de javel et de poudres détergentes, je suis restée désespérément noire. Comme si je portais ma propre malédiction gravée sur mon visage, avec un doigt éternellement pointé sur moi : elle est de basse caste ! À Bollywood, seules les peaux claires sont admises. J'étais trop maigre aussi, le type pas assez occidental. Pour vivre, j'ai été serveuse, caissière et femme de ménage dans des hôtels. C'est à cette période que j'ai servi de rabatteuse pour mes amis birmans. Je me suis fait attraper. La prison pour femmes de Bombay, c'est l'horreur. Quand je suis sortie au bout de huit mois, le cinéma, c'était définitivement mort pour moi. Au lieu de laisser tomber, j'ai insisté comme une imbécile. J'étais jeune encore. Je n'ai réussi qu'à me faire sauter par tous ces salauds qui ont un petit pouvoir. Ils te guettent comme des chacals et te font du chantage au boulot. Ça fait partie du paquetage de la conne qui veut avoir son nom sur l'affiche ; si tu ne veux pas le porter, tu as zéro chance, tu peux retourner dans ton village… J'ai fait la pute aussi. Pour survivre, il n'y a pas d'alternative. Ce n'était pas ma volonté. C'était soit la mendicité, soit le suicide.

– Et Alex ?

– Alex, c'est la meilleure rencontre que j'aie faite.

– Vous l'avez connu comment ?

– Dans le bus qui l'amenait de Calcutta. Il arrivait de Thaïlande après un trajet interminable. Il ne voyageait qu'en autobus. Il avait pourtant les moyens de prendre l'avion. Alex est différent des hommes que j'ai connus, il aime prendre son temps et communiquer avec les gens. J'étais la seule personne du bus qui parlait anglais, on a commencé à discuter. Je n'avais jamais autant parlé avec un inconnu. Il voulait tout savoir. Comme vous. Et je ne lui ai rien caché. Je n'ai pas honte. Moi, j'avais dans l'idée de prendre le train à Durgapur pour revenir à Delhi, lui voulait découvrir Bénarès et les villes sacrées sur le Gange. Il m'a proposé de lui servir de guide. C'était une proposition honnête. On faisait chambre à part. Il payait tout. On a mis un mois pour rejoindre Delhi.

– Vous voulez dire qu'il ne s'est rien passé entre vous ?

– Nous avons vécu une belle histoire. C'est moi qui ai pris l'initiative. C'était dans un hôtel à Aurangabad. Je suis allée frapper à la porte de sa chambre. Je n'ai pas dit un mot. Il a compris. On a essayé de faire l'amour. Ce ne fut pas une expérience agréable. Je ne sais pas pourquoi. Il n'avait pas envie. Ce fut notre seule et unique tentative. C'est le lendemain, dans le bus qui nous conduisait à Bénarès, qu'il m'a demandé de lui apprendre à parler hindi et d'être son professeur.

– C'est vous qui lui avez appris !

– Il me payait royalement. Je pensais que c'était une lubie mais il s'est mis à travailler avec une détermination incroyable, cinq à six heures par jour. Et puis, ce que je n'avais pas imaginé, c'est que j'allais m'amouracher de ce type qui ne voulait pas me toucher, mais qui m'aimait, à sa façon. Je n'avais jamais connu ce sentiment. Pas à ce point. Avec lui, j'ai vécu six mois merveilleux. Et puis, il a disparu. Sans prévenir.

— Et la carte de paiement d'Alex, vous l'avez obtenue dans quelles conditions?

Dina semblait mal à l'aise. Ses lèvres se plissaient. J'ai eu peur qu'elle s'en aille. Elle m'a fixé longuement, puis pour se donner une contenance elle a allumé une cigarette, a commandé deux bières et a attendu qu'on vienne nous servir. Les tables du restaurant s'étaient libérées mais étaient à nouveau occupées. Elle a enlevé son chapeau, l'a posé sur la table, et a remis ses cheveux en place.

— Tant pis, je vais tout vous dire... Un mois avant sa disparition, je lui ai révélé la vérité...

Soudain, elle s'est interrompue. Je me suis retenu de lui poser la question, je voulais qu'elle se confie. Toute seule. Elle avait du mal à s'exprimer. J'essayais de montrer un visage impassible : *Qu'avait-elle bien pu lui révéler?* Elle a esquissé un sourire désorienté et a écrasé sa cigarette sur le sol.

— C'est pas vrai! ai-je murmuré.

Elle a hoché la tête.

— Depuis quand?

— Depuis le début. La rencontre dans le bus était organisée. Je n'étais pas là-bas par hasard mais pour filer Alex et faire connaissance.

— Vous travaillez pour Vijay Banerjee!

Son regard et son silence valaient toutes les confirmations.

— Il y a trois ans, j'ai renoncé au cinéma, je suis revenue

à Delhi, je n'avais plus un rond, je ne savais pas ce que j'allais faire de ma peau. Mon avenir était sombre. J'épluchais les annonces du journal et, quand je me présentais, la place était prise. Le seul qui m'a reçue, c'est lui, et il m'a embauchée. J'ai bossé pour lui et je n'ai pas manqué de travail. Pour moi, Alexander Reiner, c'était un boulot comme un autre. Plutôt facile. Pas trop fatigant. Bien payé. Chaque détail avait été minutieusement évalué et des solutions alternatives avaient été envisagées. Sauf qu'il n'avait pas été prévu que je tombe amoureuse du client. Banerjee était ravi que je devienne son professeur. Cela permettait de garder le contact et de facturer plein pot. Pour lui, c'était un contrat en or. Pour moi, plus ça durait, plus ça devenait intolérable. Je n'en pouvais plus de mentir à Alex, de trahir sa confiance. C'était la première fois que je rencontrais quelqu'un d'aussi gentil et généreux et qui ait aussi peu de préjugés. Je ne l'ai jamais entendu dire du mal de qui que ce soit. Il cherchait le bon côté des gens, et il était toujours prêt à rendre service. Je me dégoûtais de l'espionner et de bafouer sa confiance. Un soir, je lui ai tout balancé, tout ce que j'avais sur le cœur. Il m'a écoutée sans être surpris de ce que je lui révélais, ni d'apprendre que son père le faisait suivre sans relâche, qu'il n'y avait pas eu une seule journée où il avait échappé à son contrôle. Lui, il se croyait libre, pourtant il était plus surveillé qu'en Angleterre. Je m'attendais à ce qu'il hurle après moi, me jette dehors en me crachant son mépris. Mais il s'est comporté comme un gentleman. Il était plus peiné que furieux. Je lui ai demandé de me pardonner et je lui ai dit que j'allais arrêter cette mission qui m'était devenue odieuse. Il m'a priée de n'en rien faire et de continuer mon travail comme d'habitude. Le lendemain, il m'a confié qu'il avait pleuré de honte et de dégoût. Il n'arrivait pas à chasser la colère qui l'envahissait, il avait peur de ne jamais pardonner à son père et il m'a remerciée de ma franchise et de lui avoir ouvert les yeux. Deux semaines plus tard, à la fin d'une séance de travail, il m'a tendu sa carte de paiement et il m'a donné le code. J'ai refusé, il a insisté. D'une façon véhémente, inhabituelle chez lui. Il ne voulait plus être dépendant de son père, ni de son argent, il voulait s'affranchir définitivement de cette tutelle et de ce qui le ligotait à son passé. Il a affirmé que, pour moi, c'était vital.

– Pourquoi?

– Je m'occupe un peu d'une association qui aide des femmes en difficulté. Ce n'est pas ce qui manque dans ce pays. Lorsqu'une Indienne refuse le mariage forcé, ou qu'elle est martyrisée par sa belle-famille, ou encore victime de violences de la part de son mari ou d'agression sexuelle, et qu'elle décide de s'enfuir, c'est une mort sociale qui l'attend. À une période, j'étais désespérée, ils m'ont aidée. Sans eux, jamais je ne m'en serais sortie. Aujourd'hui, je suis heureuse de pouvoir leur être utile. J'en avais parlé à Alex. Il est venu à plusieurs reprises au Centre, il leur a donné de l'argent. Le nombre de femmes qui sont au bout du rouleau est incroyable. Elles ont besoin de tout : de s'habiller, de se soigner, de se reconstruire. Sans compter celles qu'on accueille avec leurs enfants. Quand Alex a vu la misère que nous devons affronter, les problèmes que nous rencontrons et les urgences auxquelles nous devons faire face en permanence, il a fait un retrait de sept mille dollars, le montant maximum de ce qu'il pouvait prendre, et il en a fait don à la directrice. Le lendemain, il m'a donné la carte et le code. La semaine suivante, il a disparu. Depuis, je continue, je prends l'équivalent de cinq cents dollars pour l'association. Pour nous, c'est une bouffée d'oxygène, mais une goutte d'eau dans la mer.

– Il n'a fait aucune allusion à ses intentions ?

– On était fin mai. Il faisait une chaleur à mourir. L'après-midi, nous avions traîné dans une galerie commerciale climatisée, et le soir nous avions dîné dans un restaurant qu'il aimait bien. Ce fut une excellente soirée. Il était très gai. Nous avions beaucoup ri. En sortant, on a pris le même rickshaw, qui m'a d'abord déposée chez moi, à côté du Centre. Le lendemain, on devait se retrouver pour une leçon mais Alex avait disparu. Son lit n'était pas défait. Je ne crois pas qu'il avait dormi là.

– Et si c'était ce conducteur de rickshaw qui… ?

– Non ! Pour la carte de crédit, c'est Alex qui avait insisté, en précisant que l'argent lui était désormais inutile et que l'association était devenue sa principale préoccupation. Sur le coup, je n'y avais pas fait attention mais en y repensant, j'ai réalisé qu'il avait pris la décision de disparaître à ce moment-là.

– Pour faire quoi ? Pour aller où ? Il n'avait plus un rond.

– Je crois qu'Alex était sur le chemin du renoncement.

– Qu'est-ce que veut dire ce charabia ?

– Cela signifie que là où il voulait aller, l'argent ne lui était plus d'aucune utilité.

*

Abhinav et Darpan ont été effrayés en me voyant. À ma descente du rickshaw, et malgré l'heure tardive, Darpan s'est mis à crier qu'on m'avait frappé, et il a alerté Abhinav. Ils m'ont soutenu comme si j'étais impotent. Ils m'ont fait allonger sur le sofa, au rez-de-chaussée, et ils m'ont pressé de questions, voulant savoir où, quand et comment je m'étais fait agresser, si j'avais vu mes agresseurs et pourquoi la police n'était pas intervenue. Abhinav a exigé de Darpan qu'il se taise et s'est plaint que ce garçon était plus bavard qu'une vieille. Abhinav voulait appeler le docteur Seth qui lui avait sauvé deux fois la vie. Il a pris son téléphone et j'ai eu le plus grand mal à obtenir qu'il y renonce. Il a tenu à me préparer une tisane qu'un de ses frères lui envoyait du Pendjab et qui soignait tout ou presque. Sa préparation avait une teinte verte et un goût amer, légèrement mentholé. Abhinav ne décolérait pas à l'encontre des étrangers qui avaient envahi le pays et ne respectaient rien, trafiquaient et pourrissaient tout. Il a pesté contre les politiciens corrompus et inefficaces qui ne faisaient rien pour les chasser.

Je n'avais pas la force de discuter avec lui et il a dû croire que je partageais son opinion. J'ai réussi à m'extraire du sofa et à monter au deuxième étage où je me suis écroulé sur le lit.

*

J'ai passé une partie de la nuit à errer, hagard, au fond de ruelles sinistres et désertes, à me faire bastonner et à essayer d'échapper à des tueurs intelligents armés de gourdins et qui voulaient m'éclater la tête. J'avais beau me cacher avec astuce, me dissimuler dans des recoins obscurs, ils me repéraient avec une facilité déconcertante, je les évitais, reprenais ma course, mes poursuivants collés à mes talons. En dépit de mes difficultés d'audition, j'entendais le sifflement des massues qui me frôlaient et détruisaient tout quand elles s'abattaient avec violence. J'avais beau hurler et appeler à l'aide, personne ne venait à mon secours. Je me suis retrouvé coincé au fond d'une impasse, sans possibilité de fuir. J'ai vu Vijay Banerjee avancer vers moi, muni d'une batte de base-ball en céramique blanche, qu'il faisait tournoyer entre ses doigts comme une majorette. J'ai reculé, effrayé, résigné. C'était fini pour moi. Je me suis accroupi, le dos appuyé contre le mur, j'ai levé les bras pour me protéger la tête mais c'était inutile. J'ai baissé les bras. La dernière image que j'ai vue avant de mourir, c'est Vijay Banerjee à l'instant où il brandissait la batte, il avait un rictus atroce et il prenait un élan horrible pour m'en assener un coup violent.

– Monsieur Larch... Thomas, vous m'entendez ?

J'ai ouvert un œil. Vijay Banerjee était penché au-dessus de mon lit, la main posée sur mon épaule. Il me souriait avec gentillesse. Je suis sorti péniblement de ma torpeur. J'étais épuisé, perclus de douleur, j'avais mal à la tête. Je me suis redressé sur mon lit. Abhinav et Darpan se tenaient en retrait, sur le pas de la porte.

– Vous vous sentez mieux ? m'a demandé Vijay Banerjee.

– J'ai mal à l'épaule. Comment avez-vous su que... ?

– Quelle importance ? Le principal, c'est que vous vous en soyez sorti. On va s'occuper de vous. Delhi est une ville dangereuse, vous savez. Il y a des quartiers où il est préférable de ne pas mettre les pieds la nuit.

– Qui vous a prévenu ?

– C'est mon job, non ? Ne vous inquiétez pas. On va aller à l'hôpital américain. Ils vont vous examiner et vérifier qu'il n'y a pas de problème. Que vous a-t-on volé ?

– J'avais peu d'argent sur moi. Ils m'ont pris mon portefeuille avec les trois cartes de paiement. Il faut faire opposition.

– Richardson va s'en occuper.

J'ai été obligé de lui raconter mon agression. Il m'a interrogé. À certains détails, j'ai eu l'impression qu'il connaissait déjà les réponses. Ou peut-être n'était-ce qu'un hasard ou son acuité. Il m'a amené à lui parler de ma soirée avec Dina.

– Mon cher Thomas, vous vous êtes fait avoir comme un débutant. Elle vous a manipulé. Elle sait s'y prendre pour se faire plaindre et obtenir ce qu'elle veut des hommes. Elle vous a raconté l'histoire de la pauvre intouchable qui lutte pour s'en sortir. C'est sa méthode, bien rodée, et qui marche à tous les coups avec les étrangers. Malheureusement, ce sont des salades, elle n'a jamais mis les pieds à Bollywood, elle n'a pas essayé de se lancer dans le cinéma. Son seul et unique objectif dans la vie, c'est le pognon. De vous en soutirer le maximum. Et si elle doit vous crever les yeux ou vous égorger pour l'avoir, tant pis pour vous. Vous avez vu son casier judiciaire ? Vous devriez y jeter un œil. Éloquent.

– Ce n'est pas vous qui l'avez engagée ?

– Je l'ai fait travailler. Parce qu'elle n'a pas froid aux yeux et n'est pas farouche. Dans nos dossiers tordus, ce sont des qualités utiles. Elle a souvent été efficace. Toutefois, au lieu de se contenter de son salaire – et elle était généreusement payée, croyez-moi –, elle a cru avoir

touché le gros lot avec Alex. Elle l'a complètement circon-
venu. Elle m'a échappé et elle a joué perso. Ce n'est pas
une artiste, Dina. C'est une pute. Une vraie de vraie. Pourrie jusqu'à la moelle. Elle est diabolique. Elle s'est rendue
indispensable à Alex. Il ne lui a pas donné sa carte de crédit comme elle vous l'a raconté, elle la lui a volée et lui a
extorqué le code. Dieu sait par quel moyen elle l'a obtenu.
J'ai peur qu'on ne revoie jamais Alex vivant. Aujourd'hui,
c'est à vous qu'elle s'attaque. Ce sont ses comparses qui
vous ont agressé et volé.

– Pourquoi ne m'avez-vous pas prévenu que vous l'uti-
lisiez et que vous l'aviez collée dans les pattes d'Alex ?

– C'est mon business. Je fais un sale métier et les détails
n'intéressent que moi. Mes clients réclament des résultats,
pas mes recettes de cuisine.

*

Je suis né dans cette ville. J'espérais y retrouver mes
racines mais je ne comprends rien à ce monde. Et rien à ses
habitants. Je ne sais plus quoi penser. Ni qui croire. Je suis
trop blanc, probablement. Tout m'échappe et disparaît
derrière des écrans de fumée. Je suis le seul à ne pas avoir
l'air de m'y repérer. Mes convictions s'enfoncent dans des
sables mouvants. Je ne m'habitue pas au fait que, dans
cet univers de faux-semblants, personne ne dit la vérité.
Celle-ci n'a aucune importance, c'est un courant d'air, un
rayon de soleil, une enjolivure de la réalité, une teinte qui la
reflète et qui se modifie au gré des envies ou des humeurs.
Ici, la vérité n'est pas binaire. Je viens seulement de réaliser
que c'est une impossibilité absolue. Il y en a un nombre
infini. Pareillement exactes et situées sur le même plan.

Y en a-t-il une, palpable et concrète, à laquelle on puisse
se raccrocher ? J'en doute. C'est la seule chose dont je sois
sûr désormais. Plus j'avance et plus mes certitudes s'es-
tompent. Et mes impressions ? Puis-je leur faire confiance ?
Ou est-ce que je deviens fou ? Ou indien, véritablement ?

*

Je me suis recroquevillé sur moi-même. Je n'ai pas
voulu faire d'examen. Je me rétablirais tout seul. J'avais
l'habitude. Il fallait juste attendre. Que la machine redé-
marre. J'ai dit à Vijay Banerjee de s'occuper de ses affaires
et que je ne voulais plus entendre parler de lui. Bizarre-
ment, il n'a pas été choqué par mon agressivité, il a eu l'air
de comprendre. Il a voulu me donner une de ses cartes de
crédit, j'ai refusé et je lui ai demandé de foutre le camp.

Je suis resté couché plusieurs jours sans quasiment me
lever et je dormais chaque nuit comme un loir pendant
douze heures d'affilée. Abhinav venait régulièrement me
voir, il m'apportait du thé et des biscuits secs. Darpan
s'asseyait au pied de mon lit. Il ne parlait pas. Il lisait un
de ses livres de cours ou il écrivait sur un cahier. Quand
je levais la tête, il me souriait. Je restais étendu sur le dos,
les mains derrière la tête, le regard perdu au plafond. Je
pensais à mille vieux souvenirs oubliés. Mon cerveau était
comme une toupie.

Parfois, je rejoignais Abhinav dans son bout de jardin
où il bavardait avec Chakor Dirgude, son voisin retraité
des chemins de fer. Je prenais une chaise et m'asseyais à
côté d'eux. Je n'avais rien à dire. Je les écoutais discuter
du coût de la vie ou des prochaines élections ou je considérais les passants, les chiens et les vaches. J'avais fini par

m'habituer à son thé noir et sucré, que je trouvais maintenant délicieux. Puis je remontais me coucher et, petit à petit, je me suis rétabli. Ma douleur à l'épaule était perceptible si je forçais, je m'étais remis à faire de l'exercice, j'avais la ferme intention de redevenir moi-même, mais je n'entendais plus que de l'oreille droite.

J'étais ravi de constater les progrès de Darpan, ce garçon apprenait à une vitesse qui surprenait Abhinav. Il était inutile de lui répéter deux fois les leçons. Il travaillait toute la journée, dévorait ses livres et posait des questions précises. Cependant, il voulait aller trop vite, se trompait et s'énervait lorsqu'il ne réussissait pas à reproduire les graphies compliquées de l'écriture indienne. Il n'avait qu'un défaut, il était bavard, il arrivait même à parler en écrivant. Sa voix m'endormait et, quand je me réveillais, je l'entendais qui continuait tout seul.

La matinée s'écoulait doucement, nous étions assis dans le jardin, Abhinav et Chakor devisaient sur le spectacle pitoyable donné par les partis politiques et la corruption devenue si banale que plus personne ne s'en offusquait, quand un vieil homme vêtu de blanc et coiffé d'un turban jaune a pénétré dans le jardin et, les mains jointes, nous a salués.

– La paix soit avec vous, nous a-t-il dit avec un immense sourire.

Abhinav et Chakor l'ont salué à leur tour. Je n'avais pas reconnu le prêtre du temple où je m'étais rendu il y a un mois en quête d'informations sur Alex. Il m'a expliqué qu'un de ses fidèles avait rencontré Alex dans un ashram du Kerala, au sud de l'Inde, quatre semaines auparavant.

Ils s'étaient longuement parlé. Par contre, il était impossible de s'entretenir avec ce dévot car il venait de partir pour le grand pèlerinage du Chardham Yatra. Selon lui, Alex était épanoui et apaisé, son existence tournée vers la méditation.

Le moment était venu pour moi de repartir en campagne. Cette information, qui innocentait Dina, demandait à être confirmée. Tant que je n'aurais pas retrouvé Alex, tant que je ne l'aurais pas en face de moi, je ne pourrais avoir aucune certitude. J'ai décidé de ne pas prévenir la jeune femme de mon départ. J'avais du mal à mettre de l'ordre dans mon esprit. Un temps convaincu de la bonne foi de Dina et, l'instant d'après, persuadé que ses complices m'avaient agressé pour me voler et qu'elle avait une responsabilité dans la disparition d'Alex, et puis je pensais que c'était une idée invraisemblable, que c'était elle qui était venue vers moi la première fois pour obtenir des informations sur Alex et que si elle avait été coupable, jamais elle n'aurait pris le risque de m'approcher. Ensuite, je me disais que Vijay Banerjee avait raison de la soupçonner, tout l'accusait en effet, c'était une manipulatrice habile et cynique, qui jouait de son sourire fragile pour arriver à ses fins.

J'ai préparé mon sac pour un court voyage, j'ai pris une partie de l'argent que j'avais dissimulé dans un recoin derrière l'armoire et je suis parti. Je n'avais pas fait cent mètres que mon téléphone se mettait à sonner.

– Bonjour Tom, comment allez-vous ?

La voix de Dina était nerveuse, comme si elle se fichait de la réponse.

– Je suis dans la rue. Vous avez un ennui ?

– On nous a bloqué la carte de paiement d'Alex. On ne peut plus l'utiliser.

– Je n'y suis pour rien.

– Tom, on a vraiment besoin de cet argent. C'est la volonté d'Alex. Ce n'est pas pour moi, vous savez. Actuellement, nous avons au Centre vingt-trois femmes avec leurs enfants dont nous devons nous occuper.

– Je vais leur passer un coup de fil.

– Peut-on se voir rapidement ?

– C'est impossible. Je dois partir.

– Vous allez où ?

– À Trivandrum. On a retrouvé Alex.

– Et vous ne me le disiez pas !

– Écoutez, Dina, il vaut mieux que j'y aille seul. Je vous donne des nouvelles dès que possible. Et je vais téléphoner en Angleterre pour la carte, je vous le promets.

J'ai contacté Malcolm Reiner sur son portable, je suis tombé sur sa messagerie. Je lui ai dit que j'aurais aimé lui parler et lui donner certaines informations. J'ai appelé Richardson et j'ai eu le plaisir de le réveiller. J'ai été sec, lui intimant l'ordre de rétablir immédiatement la carte de crédit d'Alex, car avec ses initiatives intempestives, il était en train de bousiller mon enquête.

– Monsieur Reiner m'a laissé carte blanche.

– C'est à cause de votre filature à la con qu'Alex a disparu. Dites-le à Reiner. Réveillez-le s'il le faut. Je suis sur la piste d'Alex.

Je ne lui ai pas laissé le loisir de me répondre. Puis, pour avoir la paix, j'ai coupé mon téléphone. Un taxi m'a déposé à l'aéroport. J'avais oublié qu'il était sous contrôle militaire et, n'ayant pas de billet, j'ai dû subir une fouille tatillonne. Tous les vols pour cette extrémité du pays comptaient une ou plusieurs escales et, dans certains cas, la durée du voyage pouvait dépasser une journée. Je devais patienter jusqu'au soir pour prendre un vol direct qui durait quatre heures trente. J'attendais dans le hall des vols intérieurs quand j'ai vu apparaître Dina. Elle s'est dirigée droit sur moi.

– Je me suis dit que vous alliez prendre le vol de ce soir, non?

– Je ne veux pas que vous m'accompagniez.

– Pourquoi? Je suis concernée.

Nous nous sommes installés à une cafétéria avec vue sur les pistes, les avions surgissaient lourdement de la brume et atterrissaient devant nous. J'ai dû lui expliquer comment j'avais obtenu cette information. Elle a affirmé que cela ne la surprenait pas. À deux ou trois reprises, Alex avait évoqué l'idée de se retirer dans un ashram, même si ça ne semblait pas une décision très réfléchie.

– Pourquoi est-il allé si loin? demanda-t-elle. Il me fuit?

– Ce n'est pas vous qu'il fuit.

– On va le retrouver?

– C'est la première fois qu'on a une information fiable. Et cela signifie qu'il est vivant.

– Vous en doutiez?... Vous me croyez toujours coupable?

– C'est l'hypothèse de Vijay Banerjee. Il me l'a encore répété il y a quelques jours.

– Vous ne connaissez pas la vérité.

J'ai attendu qu'elle me la révèle. Elle avait son sourire chancelant et parlait en suivant des yeux les avions qui décollaient, au ralenti, jusqu'à ce qu'ils aient disparu dans les nuages.

– Quand j'ai commencé à bosser pour lui, c'était un bon patron. On avait un travail fou, il payait bien. Parfois, on déjeunait ou on dînait avec des collaborateurs pour fêter le succès d'une affaire ou en préparer une. Et puis, l'année dernière, je me suis rendu compte qu'il m'invitait sans les collègues, il se montrait galant, avec des allusions aussi lourdes que lui, et des avances ambiguës. Mais je faisais celle qui ne se rendait compte de rien. Et puis un soir, il m'a avoué qu'il était amoureux de moi. Comme ça. Entre deux plats. Je n'en croyais pas mes oreilles. Il parlait à toute vitesse. Il voulait qu'on vive ensemble, qu'on fasse des voyages. Il m'a proposé de me louer un appartement et de m'acheter une voiture, de m'offrir une de ses motos, et même que j'arrête de travailler tout en gardant mon salaire. Je ne savais plus où me mettre. J'étais gênée pour lui. Il prétendait qu'il était fou d'amour pour moi, qu'il n'avait jamais éprouvé un sentiment aussi fort. Qu'il n'aimait pas son épouse, qu'il ne la touchait plus. Il parlait de la quitter. Moi, j'ai refusé. Carrément. Pas parce qu'il me déplaisait, c'est quelqu'un d'agréable et de sympathique. Seulement il est marié, il a quatre enfants, et je ne voulais pas être la cause d'une rupture. Se mettre avec un père qui abandonne sa famille, ça porte malheur. J'ai été honnête avec lui. Et puis, je n'étais pas prête à construire quoi que ce soit. Ni avec lui, ni avec personne. Je n'avais pas rêvé de ce genre de vie. Ce n'est pas pour moi. J'ai connu deux salauds avant lui qui m'avaient promis monts et merveilles, et j'avais eu l'imbécilité de croire à ces salades qu'ils te racontent uniquement pour pouvoir te baiser. Rien d'autre. Et quand ils y sont parvenus, tu redeviens une femme qu'ils peuvent mépriser. Autant essayer de se faire chérir d'un serpent à sonnette. Je n'ai pas voulu coucher avec Vijay Banerjee et ça l'a rendu fou. Il a tout essayé. Les menaces, la gentillesse, le chantage, les cadeaux. Je lui disais de me mettre à la porte, mais il voulait me garder sous la main. Et moi, comme j'avais besoin de travailler, j'ai accepté cette situation pourrie. Il m'a proposé de l'argent. Vous vous rendez compte ? Beaucoup d'argent. Moi, je lui répondais que j'avais été une pute mais que je n'étais pas une salope, que j'avais choisi les hommes avec qui j'avais couché. Et que je ne coucherais jamais avec lui. C'est pour cela qu'il me hait. Et c'est pour ça qu'Alex est dans mon cœur. Lui, il m'aime sincèrement. Et pas uniquement pour me baiser.

*

Notre avion était complet et nous avons voyagé à des places séparées. Je l'apercevais de biais, deux rangs devant moi. Elle est restée songeuse pendant tout le vol. Dina me désorientait. Elle demeurait une énigme et j'avais décidé de ne plus chercher à débusquer la vérité. Mes questions avaient l'air de la blesser, et aussi que je ne la croie pas sur parole, que je mette en doute ses déclarations. Elle avait été offusquée que Vijay Banerjee ait osé affirmer qu'elle n'avait jamais vécu à Bollywood, elle m'avait promis de me montrer son dossier dès notre retour à Delhi. J'avais été ébranlé par sa véhémence. Si elle mentait, c'était une fabuleuse comédienne. Il y a longtemps, j'ai entendu un type à la télé affirmer qu'un doute, c'est déjà une certitude. Mais ça se passait durant la Résistance en France.

Moi, j'avais horreur de cette hésitation et j'ai décidé de suivre mon instinct qui me soufflait qu'elle était innocente.

À Trivandrum, il était près de minuit quand un taxi nous a déposés à notre hôtel qui, à la belle saison, aurait sans doute été paradisiaque, avec sa décoration coloniale et sa vue panoramique sur l'océan ; il faisait nuit noire, avec un vent humide désagréable, et nous avons chacun disparu dans nos chambres. Je suis retourné à la réception car je devais commander un taxi pour le lendemain. L'ashram était situé à deux cent dix kilomètres au nord et, selon le réceptionniste, vu l'état de la route, il nous faudrait au moins cinq heures pour y arriver. C'était un garçon débrouillard qui, en deux coups de téléphone, a engagé une voiture avec chauffeur.

J'ai voulu proposer à Dina qu'elle se joigne à moi pour un repas léger, le réceptionniste m'a dit qu'elle était sortie. Je lui ai laissé un message et suis allé me coucher.

À sept heures le lendemain matin, Dina m'attendait dans le hall de l'hôtel et nous sommes partis. Notre chauffeur n'était pas bavard. La circulation était aussi frénétique qu'à Delhi, avec des rues moins larges. Nous avons remonté la route côtière vers le nord de l'État. Avec ses collines verdoyantes, cette partie du Kerala me rappelait le Devon, ou le Surrey, avec des rizières bordées de palmiers, des champs de thé accrochés aux vallons, et des bananiers, des bambous et des eucalyptus à profusion. Des femmes nonchalantes portaient des saris de toutes les couleurs et les hommes des turbans verts ou jaunes. Finalement, la comparaison avec la campagne anglaise s'avérait audacieuse. À Cherthala, nous avons obliqué vers la droite, traversé une profonde forêt de cocotiers dégingandés et abordé le haut pays. La route goudronnée a laissé place à un chemin bosselé et, au bout d'une heure, la piste s'est arrêtée. Aucun panneau n'annonçait l'ashram de Manjoor. Dans la brume légère, on devinait l'océan et les faubourgs d'une ville fantomatique le long de la côte.

Des dizaines de pavillons en bois étaient disséminés dans les replis du terrain. Le chauffeur nous a attendus dans la voiture, et nous nous sommes dirigés vers le bâtiment central de couleur blanche, le seul à avoir un étage. Nous avons croisé plusieurs Occidentales et en avons aperçu qui allaient et venaient ou bavardaient.

Nous avons engagé la conversation avec une veuve d'une cinquantaine d'années qui venait de Milwaukee et en était à son troisième mois de séjour. Dina lui a décrit Alex, mais ce portrait n'a rien évoqué pour elle. Je lui ai montré une photo, sans obtenir plus de succès. Elle nous a expliqué que près de deux cents étrangers vivaient là et qu'il était impossible de connaître tout le monde, d'autant que l'objet de leur présence était l'étude et la récitation de textes sacrés, la méditation et la pratique du hatha yoga. D'après elle, l'homme de la photo n'habitait pas dans ce centre. Il y avait, dans la montagne, des refuges isolés destinés à ceux qui étaient sur le chemin de la libération des illusions. Elle croyait que nous étions de nouveaux pratiquants, elle nous a confié qu'elle était sur la voie de l'éveil spirituel et nous a souhaité la bienvenue.

Devant le bâtiment principal, nous avons trouvé un Indien qui reclouait un auvent, il nous a dit que l'administrateur de l'ashram et son assistante étaient allés faire des courses à Cochin et qu'ils rentreraient en fin d'après-midi.

Je lui ai présenté la photo d'Alex, il l'a reconnu ; pour lui, il vivait là mais il ne pouvait dire dans quelle maison. Cette nouvelle m'a réconforté. J'avais l'impression de toucher au but et d'en avoir presque terminé avec ma mission. Nous avons interrogé plusieurs personnes en leur montrant la photo, cette investigation était mal accueillie et suscitait la méfiance. Les gens nous demandaient qui nous étions, ce que nous voulions, et nous conseillaient de nous adresser à l'administrateur. Nous avons décidé d'attendre son retour. Le responsable de l'ashram est revenu à la tombée du jour au volant d'une camionnette remplie de sacs de riz et de provisions diverses. C'était un Indien d'une soixantaine d'années, mince et affable. Le nom d'Alexander Reiner ne produisit aucun effet. Mais, en voyant sa photo, il s'exclama : « *Oh, Alex !* » Celui-ci avait séjourné là deux mois et il était parti deux semaines plus tôt. Il ignorait où il était allé. Alex trouvait que cet ashram accueillait trop d'Américains et d'Australiens. Il désirait un centre plus petit, avec moins d'étrangers et plus d'Indiens, et qui soit plus orienté vers la recherche de la vérité intérieure et de la sagesse. On disait qu'il avait accompagné un sâdhu qui se dirigeait vers Bénarès.

– C'est à deux mille cinq cents kilomètres ! s'est exclamée Dina.

– Alex n'ira peut-être pas jusqu'au bout. Il y a des centaines d'ashrams sur le chemin, où il peut s'arrêter pour faire une retraite.

Il était tard pour retourner à Trivandrum. À cette époque de l'année, l'ashram n'était pas complet et l'administrateur pouvait nous héberger pour la nuit, ainsi que notre chauffeur. Les maisons contenaient quatre à six chambres individuelles, assez spartiates, avec une natte posée sur le sol en guise de matelas, une table, une chaise en bois et un point d'eau.

Dina et moi nous avons été logés dans des bâtiments différents, parce que nous étions célibataires. Bien que le cuisinier soit parti, l'administrateur nous a fait servir un repas chaud dans le réfectoire et nous a proposé de rejoindre, après nous être restaurés, un groupe qui se livrait à des exercices de méditation collective. Dina a immédiatement décliné, prétextant que nous devions partir de bonne heure le lendemain.

Nous nous sommes assis en tailleur dans la salle du réfectoire. Dina n'avait pas faim et j'ai insisté pour qu'elle se nourrisse. C'était une nourriture végétarienne à base de chou-fleur et d'aubergines accompagnés de riz. L'Indienne qui nous a servis nous a priés d'éteindre la lumière en partant puis nous a laissés en compagnie de deux Canadiennes et d'une Américaine, qui terminaient leur repas, et avec qui nous avons discuté longuement.

J'avais, sans jamais y avoir réfléchi, une image caricaturale des ashrams, peuplés pour moi de hippies camés, l'air benêt, avec des fleurs dans les cheveux, de types qui cherchaient quoi faire de leur peau, qui fuyaient le monde et ses réalités en quête d'un paradis qui accueillerait leur errance. Ces trois femmes n'étaient en rien désespérées. Elles venaient faire le point sur leur vie, et réfléchir à ce qu'elles avaient laissé derrière elles, à ce qu'elles étaient devenues et à ce qu'elles voulaient faire de leur avenir. Elles avaient éprouvé le besoin d'accomplir cette démarche à ce moment de leur existence, pour trouver en elles-mêmes quelque chose qui les aide à progresser, pour tenter de dépasser leurs contradictions, franchir des étapes, ce qui, ailleurs, leur aurait paru inatteignable ou trop douloureux, ou pour surmonter des échecs qui leur pesaient. Elles se cherchaient et ce n'était ni une fuite, ni une esquive, ni un règlement de comptes. Elles ne nous ont pas raconté leur histoire, elles n'étaient pas là pour étaler leurs problèmes ou se faire plaindre mais pour avancer. Elles ne s'accordaient pas sur tous les points mais étaient toutes les trois convaincues que cet ashram était le meilleur endroit qu'elles pouvaient imaginer pour évoluer et revenir plus fortes. Elles nous ont abandonnés pour aller à la réunion de groupe.

J'ai cru que Dina allait se mettre à pleurer, tant elle semblait perdue et vulnérable. Elle tourna la tête et esquissa un timide sourire.

– On n'y arrivera jamais. Il y a des milliers d'ashrams dans ce pays. Et ils ne sont pas tous répertoriés. Il s'en crée chaque jour et, parfois, ils se déplacent avec leurs gourous. Il n'y a pas de lois dans ce domaine, rien qui les oblige à nous répondre. Vous croyez qu'on a encore une chance de le rattraper ?

– C'est fini, Dina. Moi, j'arrête. Nous devons cesser cette recherche. Son père voulait savoir s'il ne lui était rien arrivé de mal. Nous avons la réponse. Alex a pris sa décision, en toute conscience. Nul ne l'a forcé. Au nom de quoi continuerait-on à le poursuivre ? Si nous le retrouvions, que lui dirait-on ? Il a trente-trois ans ! Il est libre. S'il veut vivre de cette manière, nous devons respecter son choix.

– Vous avez raison.

– Une fois, vous avez évoqué les problèmes d'Alex avec sa mère, de quoi s'agit-il ?

Dina a tardé à me répondre. À sa façon de hausser les épaules, j'ai eu l'impression qu'elle venait de renoncer à Alex.

– Il faut que vous compreniez l'importance qu'a eue ma rencontre avec Alex. Pour la première fois de ma vie, j'avais en face de moi un homme qui ne voulait pas me baiser ou profiter de moi mais qui me considérait comme son égale, qui était humain et généreux. Jamais je n'avais côtoyé un être qui ait envie de m'écouter et à qui j'aie le courage de raconter mon histoire et de parler de ces détails si personnels qu'on les enfouit dans le cimetière de notre conscience pour ne pas remuer la boue de notre existence, nos erreurs et nos fautes. Je suis incapable d'expliquer pour quelle raison j'avais confiance en lui, c'était une évidence, je savais qu'Alex ne me jugerait pas, probablement parce qu'il est anglais et que, pour lui, le fait que je sois une intouchable était une aberration d'un autre âge.

Un soir, j'avais évoqué ma mère, qui me manquait tant et que j'avais abandonnée, mon père qui la maltraitait et la rudoyait sans cesse, et elle qui se laissait humilier, qui ne se rebellait pas, persuadée que c'était son destin, et qu'il n'y avait rien à faire que de le supporter avec résignation. Alex m'avait répondu qu'il détestait son père aussi. Au départ, il ne voulait pas aborder ce sujet, il avait l'air si mal à l'aise avec ses souvenirs, c'était comme un fardeau qu'il traînait derrière lui. Et puis, il m'a ouvert son cœur. Il m'a dit : «*Dina, tu es ma seule amie sur cette terre.*» Son père avait épousé sa mère pour sa dot immense, leur mariage n'avait pas résisté à une relation de conventions, sa mère voulait recouvrer sa liberté, cela signifiait pour son père lui verser la moitié de sa fortune. C'était inenvisageable. Sa mère était fragile et vivait sous tranquillisants, son mari lui faisait du chantage, il jurait que, si elle partait, elle n'aurait jamais la garde d'Alex et ne le verrait plus. Elle a tenu le plus longtemps possible. Leur vie était devenue un enfer. Un jour, Alex et elle ont décidé de s'enfuir. Les mains de sa mère tremblaient, elle ne pouvait pas conduire. Alex avait dix-sept ans, il s'est mis au volant. Il pleuvait, il allait trop vite, la voiture est sortie de la route, elle a percuté un arbre. Sa mère a été éjectée et tuée sur le coup. Alex hait son père car il est à l'origine de cette catastrophe. Malheureusement, il s'accuse d'avoir tué sa mère, il se sent responsable et les années n'ont en rien effacé cet effroyable sentiment de culpabilité... Tom, vous m'écoutez ?

– Bien sûr.

– Vous aviez l'air absent... C'est étonnant cette coïncidence, vous ne trouvez pas ? Alex me parlait si souvent de vous, enfin, de Trompe-la-Mort, et c'est vous qui êtes venu à sa recherche.

– Il n'y a pas de coïncidence. Son père ne m'a pas choisi par hasard. J'ignore comment il a pu la découvrir, pourtant il connaît mon histoire. Toute mon histoire. Il avait compris que j'étais le seul à pouvoir mettre mes pas dans ceux de son fils et le lui ramener.

– Vous êtes vraiment invulnérable ?

– Oh, si je pense à ce que j'ai vécu, je peux me prendre pour un immortel, mais ce n'est qu'une illusion.

– Vous avez une famille, Tom ? Des enfants ?

– J'ai une petite fille. Elle s'appelle Sally. Le 5 février dernier, elle a eu huit ans. C'est le premier anniversaire où je suis absent. Je lui ai téléphoné, nous nous sommes parlé, je suis plus perturbé qu'elle par cette si longue absence. Elle m'a demandé de lui rapporter une poupée avec un sari vert. C'est sa mère qui a hâte que je revienne.

– Elle se languit de vous ?

– Pas comme vous le pensez. Nous sommes séparés. Depuis mon départ, elle est obligée de s'occuper de sa fille en permanence, elle est coincée à Londres et elle a du mal à supporter d'être mère au foyer. C'est assez compliqué.

– Il se fait tard, je vais rentrer !

Nous nous sommes levés. Dina était plus souple que moi. J'étais engourdi d'être resté assis en tailleur. J'ai fermé la lumière en quittant le bâtiment. La crête de la colline disparaissait dans la nuit profonde. Parmi les dizaines d'habitations de l'ashram, quatre avaient une ampoule allumée. On se couchait tôt ici. Un froid perçant nous enveloppait et j'ai raccompagné Dina jusqu'à sa maison. Nous n'avons pas échangé un seul mot sur le chemin. Autour de nous, des filaments de nuages épousaient les contours du terrain.

Devant l'entrée, nous nous sommes immobilisés, face à face. Je devinais à peine les traits de son visage. Je me suis rapproché, elle n'a pas bougé. J'ai posé ma main sur son épaule. Elle m'a laissé faire. Je l'ai attirée vers moi et nous nous sommes embrassés, avec de plus en plus d'intensité. Elle m'a emprisonné dans ses bras et serré avec une force incroyable, elle m'a mordu la lèvre. Je sentais son corps vibrer. Puis nous nous sommes écartés l'un de l'autre, sa respiration était rapide, j'apercevais une lueur imperceptible dans ses yeux. Elle a passé lentement ses doigts sur ma joue. J'ai pris sa main, j'ai fait un pas en direction de sa porte. Elle m'a retenu.

– Non, Tom, pas ce soir. Je t'en prie. Pas ce soir.

J'ai acquiescé. Dans cette obscurité, elle n'a pas dû le remarquer. Je lui ai embrassé la paume. Avant de disparaître, elle m'a fait un signe de la main. Ensuite, je me suis égaré et j'ai mis du temps à retrouver mon pavillon. Je me sentais épuisé.

Je me suis couché sans me déshabiller. Je suis resté dans le noir, les bras sous la tête, à me poser un millier de questions, à essayer de comprendre ce qui m'arrivait. À chaque fois qu'une idée germait dans mon esprit, l'image de Dina apparaissait et chassait toute autre pensée. Et j'étais tellement heureux de la voir, là, en face de moi, dans la nuit de ma chambre, qui me fixait avec son sourire hésitant. J'étais convaincu qu'elle aussi, dans sa chambre, pensait à moi. Je me suis senti parcouru par une onde de chaleur. Je me suis mis à respirer profondément pour calmer les battements de mon cœur. Et je me suis endormi.

J'ai entendu un bruit mat répétitif. J'ai ouvert un œil. La lumière du jour pénétrait par la fenêtre et traversait le maigre rideau. Je me suis redressé sur ma natte. J'ai pensé que Dina venait frapper à ma porte. J'ai remis ma prothèse à mon oreille droite. Les bruits se sont faits plus insistants. J'ai ouvert et me suis figé.

En face de moi, il y avait un policier indien âgé en uniforme kaki, coiffé d'un képi. Il était accompagné de trois collègues plus jeunes que lui. Derrière eux, se tenait l'administrateur.

– Thomas Larch, m'a dit l'officier, au nom de la loi, je vous arrête !

*

Depuis six semaines, je vis une véritable descente en enfer. Le mot n'est pas trop fort pour évoquer ce que j'ai subi après mon arrestation. Et je suis pessimiste sur mon avenir. Comment ne le serais-je pas ? Je n'étais pas préparé à affronter ces épreuves. Ceux qui parviennent à s'organiser et à s'entraîner sont les criminels professionnels. Les gens ordinaires sont broyés. Personne ne peut s'attendre à basculer en un instant du monde civilisé dans l'arbitraire, une jungle absurde où vous n'avez plus aucun droit, que celui de vous taire et de baisser la tête.

Je suis le seul et unique responsable de ce désastre. J'ai agi d'une manière inappropriée. Quand je me suis trouvé face à la police, j'ai eu une réaction primaire. Je n'ai pas réfléchi, j'ai laissé l'affect prendre le dessus sur la raison. Je croyais, jusque-là, que je maîtrisais mes émotions à la perfection, j'avais été formé pour cela et, durant mes quinze années d'armée, confronté aux pires situations où mon existence et celle de mes hommes étaient en jeu, j'avais toujours fait preuve d'un contrôle absolu de mes nerfs, ne cédant jamais à la panique ou à la peur. J'ai pensé qu'un malheur avait frappé Dina, quelque chose d'horrible, d'insupportable à formuler. Je n'ai pas réclamé d'explications, ni exigé de connaître le motif de mon arrestation, j'ai crié : «*Dina !*» J'ai imaginé une scène de crime, du sang, des éclaboussures sur les murs, un corps sans vie. J'aurais dû réfléchir, seulement j'étais paniqué, chargé d'électricité, et tout ce qui avait fait de moi un animal à sang-froid s'est envolé, me laissant à la merci d'un instinct inconnu.

J'ai foncé. Tête baissée. Comme un pilier de rugby lors de la mêlée. Malgré ma petite taille, j'ai soulevé ce gradé comme s'il était un pantin. J'ai violemment bousculé les deux collègues qui se tenaient derrière lui. Et quand le quatrième a osé me retenir par le bras, je lui ai balancé un coup de poing qui l'a assommé. Je suis parti en courant. Vers le pavillon de Dina. J'ai couru comme jamais je n'avais couru. J'ai entendu une détonation mais je ne pensais qu'à courir aussi vite que le terrain accidenté le permettait, n'imaginant pas qu'il puisse s'agir d'un coup de feu et qu'un policier me tirait dessus.

En une poignée de secondes, je me suis retrouvé devant la maison qu'occupait Dina. J'ai défoncé la porte d'un coup d'épaule et là : rien ! Pas de sang, pas de corps. Rien qu'une chambre en ordre, dans l'état impeccable où elle était la veille. « Il ne s'est rien passé ! Où est Dina ? » J'en étais à essayer de mettre de l'ordre dans mon esprit lorsque j'ai été projeté en avant par un des policiers qui venait de me ceinturer.

Je ne suis pas là pour critiquer la préparation des policiers indiens, mais celui-là n'avait pas suivi la formation de close-combat de Lympstone et n'avait pas appris de quelle façon on doit s'y prendre pour tuer un ennemi à mains nues en moins de sept secondes. Je m'apprêtais à lui tordre le cou au moment où les deux autres m'ont sauté dessus. Je ne me souviens pas avec précision des détails de l'échauffourée, sinon qu'elle a été furieuse, que j'ai donné pas mal de coups de poing, que j'en ai reçu plus encore et que la bataille s'est arrêtée quand l'officier qui venait de nous rejoindre m'a assommé avec la crosse de son pistolet.

Les ennuis qui ont surgi par la suite viennent de cette

regrettable bagarre. On a le droit de commettre pas mal de fautes et même de crimes, nulle part il ne faut agresser de policiers. C'est une règle fondamentale à laquelle je n'avais pas eu l'occasion de réfléchir avant ce jour, et que je médite depuis mon incarcération, les policiers indiens étant, manifestement, beaucoup plus rancuniers que les nôtres. J'ai eu beau, plus tard, protester de ma bonne foi, tenter de leur expliquer cette ridicule méprise, affirmer que je n'avais rien contre eux, qu'il s'agissait d'une malencontreuse succession de hasards comme le destin s'amuse, parfois, à en jalonner notre chemin, ils ne m'ont pas cru. Et ils m'ont traité comme si j'avais voulu assassiner leurs collègues.

J'ai repris connaissance entravé, mains menottées dans le dos, étalé sur le plancher en métal d'une camionnette brinquebalante. Du sang me coulait sur le visage, que je ne pouvais essuyer, j'avais horriblement mal à la tête. Au prix d'un effort inouï, je me suis retourné. Deux policiers étaient assis près de moi. Quand ils ont vu que j'étais réveillé, j'ai eu droit à des coups de pied appuyés, donnés chacun leur tour, comme si j'étais une balle qu'ils s'amusaient à se renvoyer. L'officier, qui était assis à l'avant, s'est retourné vers ses subordonnés et leur a dit : « *Pas trop fort, faut le garder vivant.* » Le reste du chemin, si les coups ont été moins fréquents, ils n'ont pas été moins douloureux.

Moi, les coups, je m'en foutais, j'ai une certaine expérience de la souffrance. Je criais pour leur faire croire qu'ils me faisaient mal et le coup suivant était moins pénible. Tant que je gardais les paupières closes, Dina m'accompagnait et me souriait. Que s'était-il passé pendant la nuit ? Avait-elle fait une mauvaise rencontre ? Ce ne pouvait être qu'un malentendu, tôt ou tard on découvrirait que je n'étais pour rien dans... Dans quoi ? Je ne savais toujours pas pour quelle raison ils étaient venus m'arrêter et ce qu'on me reprochait. Ce qui me troublait, c'était que j'avais perdu mon self-control et réagi comme un imbécile. Comment avais-je pu me laisser submerger par l'émotion ? Et pourtant, je ne regrettais pas cette réaction. Elle m'avait éclairé sur mes propres sentiments : quand un homme perd la tête pour une femme, qu'il ne réussit plus à aligner deux idées cohérentes, à s'exprimer avec logique, qu'il agit comme un fou et se laisse aller à des réactions si bizarres qu'elles le font passer pour un irresponsable et qu'il est incapable, plus tard, de l'expliquer à un président de tribunal qui a entendu mille fois cette chanson stupide ; désormais, je savais à quoi m'en tenir. Non, il était inconcevable qu'il soit arrivé quoi que ce soit de grave à Dina. Pas maintenant que nous nous étions trouvés. Il fallait que je leur explique. J'ai voulu me redresser, j'ai reçu un méchant coup de talon dans le visage et j'ai hurlé. Je respirais avec peine. Mon nez n'avait pas résisté. Le chef a crié : « *Ça suffit !* » Les coups se sont arrêtés.

Quand le véhicule s'est immobilisé, il faisait nuit. Ils m'ont tiré sèchement de la camionnette sur le sol et traîné dans ce qui devait être un commissariat, puis jeté dans une minuscule cellule, crasseuse et puante. J'ai eu droit à quelques coups de matraque. Et ils m'ont laissé. J'avais soif. J'avais mal partout. J'ai appelé à l'aide, personne n'est venu. Il n'y avait pas de lampe, une faible lumière passait par une ouverture en hauteur. Trop faible pour que je voie les aiguilles de ma montre. J'ai attendu longtemps, assis par terre, le dos appuyé contre le mur. Ne pas comprendre ce que je faisais là m'était moins pénible que de penser à Dina.

Mon nez me faisait souffrir, je l'ai effleuré et n'ai pu retenir un cri de douleur. L'arête était bosselée et de travers. Combien d'heures suis-je resté accroupi dans le noir ? Deux ? trois ? Je me suis levé. J'avais du mal à respirer. J'ai avancé à tâtons. J'ai uriné contre le mur opposé. Il fallait que je voie un médecin, qu'on me donne de l'eau. J'ai commencé à tambouriner sur la porte en fer. Elle tremblait sous mes coups. Je faisais un bruit épouvantable et j'étais décidé à continuer jusqu'à ce que quelqu'un vienne. Ils m'ont laissé marteler la porte durant un temps infini. Épuisé, je me suis arrêté, il régnait un silence de cimetière. J'ai fini par me coucher sur le sol humide.

Plus tard, j'ai entendu des bruits indistincts, j'ai appelé, en vain. Je dormais quand la porte s'est ouverte et que deux policiers ont surgi. Le plus grand m'a pointé une matraque noire sous le menton et m'a crié de lever les bras. J'ai obéi et son collègue m'a menotté. Ils m'ont redressé sans ménagement et poussé à l'extérieur de la cellule. J'ai réclamé de consulter un médecin, je leur ai dit que j'avais le nez cassé, en guise de réponse j'ai reçu un coup de matraque dans le ventre qui m'a coupé le souffle. J'étais sale, je puais, mon sweat-shirt et mon blouson étaient maculés de sang.

Derrière une guérite, j'ai aperçu le gradé de la veille. Je lui ai dit qu'on n'avait pas le droit de me traiter ainsi, que je connaissais la loi, que j'avais le droit de voir un médecin et que je me plaindrais au juge.

— Vous avez de la chance d'être anglais, m'a-t-il lancé en me toisant. Si vous étiez indien, vous seriez déjà mort.

*

Avant de remonter dans la camionnette, un policier m'a aspergé d'eau glacée et un autre m'a épongé. C'est dans cet état que j'ai été présenté au juge du district de Trivandrum. Quand j'ai voulu m'exprimer, il m'a dit d'un ton courtois qu'il ne m'avait pas donné la parole et que si je troublais l'audience, il me ferait expulser.

Perché sur une estrade, assis derrière un long bureau en bois, ce magistrat méticuleux s'est mis à lire avec attention un dossier posé devant lui. Il avait des cheveux gris ondulés, des yeux protubérants, et s'exprimait dans un anglais châtié. Au fil de sa lecture, il levait le regard vers moi, puis reprenait le texte. À sa droite, un greffier écrivait dans un registre. À sa gauche, une secrétaire tapait sur un clavier d'ordinateur. Au pied de l'estrade, il y avait une barre où devaient venir les témoins, et derrière, trois tables alignées. Des hommes et des femmes, vêtus de robes d'avocat et de chemises blanches sans cravate, bavardaient à voix basse entre eux. Une cinquantaine de personnes attendaient dans la salle aux murs jaunes.

Au bout d'une dizaine de minutes, le juge m'a demandé de décliner mon état civil, puis si j'avais un avocat et, comme je lui ai répondu par la négative, il s'est tourné vers le greffier pour lui enjoindre de m'en faire désigner un d'office.

– Votre dossier est complexe, car nous n'avons pas une mais deux affaires vous concernant. Selon le premier rapport enregistré, vous êtes poursuivi par le superintendant de la police de ce district pour rébellion, outrage, violences et coups et blessures envers des agents de la force publique de cet État. Pour ces délits qui sont graves, vous êtes passible d'une peine de sept ans de prison, d'une amende importante et de dommages et intérêts envers les policiers. Vous ne pourrez pas être jugé tant qu'un avocat n'aura pas été désigné pour assurer votre défense et tant que nous n'aurons pas reçu l'acte d'accusation définitif du procureur et votre casier judiciaire, ce qui pourra prendre plusieurs mois. Le problème, c'est que vous devez également comparaître devant la cour de Delhi sous l'inculpation de crime.

– De crime! Quel crime?

Il m'a considéré en soulevant ses lunettes.

– Vous êtes accusé de meurtre sur la personne de...

Le juge a replongé dans son dossier. J'ai fermé les yeux, comme le condamné à mort qui, attaché au poteau d'exécution, attend l'ordre fatal. J'allais entendre formuler l'impensable. J'ai senti ma lèvre qui tremblait. *Feu!*

– ... monsieur Abhinav Singh, a poursuivi le juge. Vous souriez! C'est une honte!

– Pas du tout! C'est que... Abhinav! Ce n'est pas possible!

– Le procureur général de Delhi vous accuse de l'avoir tué. Il y a deux jours de cela. Et après, on dira que la police de ce pays n'est pas efficace. Pour ce dossier, plaidez-vous coupable ou non coupable du meurtre d'Abhinav Singh?

– C'est de la folie! Je ne suis pas coupable!

– Greffier, notez la déclaration de Thomas Larch et transmettez-la à Delhi. Et sur la poursuite pour rébellion, outrage, violences et coups et blessures à l'encontre des policiers venus vous arrêter, plaidez-vous coupable ou non coupable?

– Je vais vous expliquer.

– Je veux que vous me répondiez avec clarté.

– Je ne voulais pas…
– Greffier, inscrivez que l'accusé plaide coupable.
Selon la loi du Kerala, vous serez d'abord jugé pour les
délits commis dans cet État, la prochaine audience est
fixée au mardi 24 juin 2014.
– C'est dans plus de quatre mois !
– Compte tenu de la gravité des faits qui vous sont
reprochés, vous resterez emprisonné jusqu'à votre procès.
Ensuite, vous serez transféré à Delhi pour y répondre de
l'accusation de meurtre.

*

Je me suis retrouvé en cellule à Poojapura, la prison
de Trivandrum. Ce fut lors des formalités d'écrou que
la première estocade me fut portée. Le greffier de la prison, un homme d'une quarantaine d'années, rencontrait
une difficulté juridique avec mon dossier. Comme il me
l'expliqua, alors qu'il attendait au téléphone une réponse
à son problème, il lui était impossible de m'enregistrer
sous le mandat d'arrêt de Trivandrum car celui de Delhi
primait. Pour deux raisons : d'une part, il était antérieur ;
ensuite, il s'agissait d'un crime, et c'était la peine la plus
importante qui déterminait le lieu d'incarcération. Donc,
je devais être transféré à Delhi. Puis revenir à Trivandrum
pour y être jugé. Il raccrocha, satisfait.
    – L'adjoint du procureur confirme que je suis dans le
vrai, mais comme le juge a signé le mandat d'écrou, il doit
saisir la cour de l'État pour qu'elle annule cet acte. Ça
peut prendre plusieurs mois.
    – Et qu'est-ce que je risque à Delhi ?
    – Pour un crime, la sanction est la peine de mort.

Rassurez-vous, elle n'est presque plus appliquée. Vous risquez plutôt la réclusion à perpétuité.

Je l'ai dévisagé sans pouvoir déterminer s'il plaisantait. Mais c'était un fonctionnaire à l'allure placide qui accomplissait chaque tâche avec sérieux.

— Franchement, ce n'est pas mieux.

— Avec la réclusion à perpétuité, si vous vous tenez bien pendant votre détention, vous sortirez dans vingt ans.

J'ai deviné plus qu'entendu ce qu'il m'avait dit. J'avais été obligé de tendre l'oreille pour capter son propos. Il ne me restait plus que ma prothèse auditive droite et la pile donnait des signes de faiblesse. Quand elle m'abandonnerait, je serais foutu.

C'est cette nuit-là que je suis tombé au fond du précipice. J'avais traversé des périodes pénibles, des mois difficiles dans des hôpitaux, et je m'étais relevé. Après chaque blessure, j'avais eu le sentiment qu'il s'agissait d'un mauvais moment à passer et qu'en m'accrochant je pourrais repartir de l'avant. Cette faculté que j'avais eue de me sortir des pires difficultés avait fini par me donner une confiance aveugle dans l'avenir, la conviction qu'il ne pouvait rien m'arriver de fâcheux et qu'il suffisait de patience et d'efforts pour reprendre une existence normale. Là, j'étais incapable de réagir, j'avais, pour la première fois, l'impression écrasante d'être vaincu et que l'aventure s'arrêtait ici. Un tunnel glacé et sans fin. Sans lumière au bout.

Ce n'était pas dans mon caractère de regarder derrière moi. Jamais je ne pensais aux différents épisodes de ma vie. Après la diffusion du documentaire, j'avais dû souvent décevoir celles et ceux qui me pressaient de questions, leur paraissant lointain ou désabusé ; pour moi, c'était du passé, et cela ne méritait pas qu'on s'y attarde. Cette nuit-là, j'ai revécu l'accident d'hélicoptère comme s'il venait de survenir, j'ai entendu les hurlements de mes camarades, les explosions, j'ai senti l'odeur fade de la mort qui rôde et qui vient faire son marché. Je lui avais échappé mais elle m'avait rattrapé. Par miracle, j'avais été sauvé une fois du cercueil qui devait se rabattre sur moi vivant, il était indéniable qu'un autre venait désormais de se refermer pour toujours et que j'étais perdu, prisonnier dans une tombe qui, cette fois, ne s'ouvrirait plus avant des années. Voilà à quoi j'ai pensé lors de cette première nuit à la prison centrale de Trivandrum.

Autant dire que la surpopulation de la prison, mes codétenus, les gardiens, la discipline absurde, la nourriture infecte, les mauvais traitements, tout cela ne m'atteignait plus. Je ne pouvais plus respirer par le nez, il était trop douloureux. L'infirmier de la prison a fait ce qu'il a pu et m'a badigeonné d'arnica. Il m'a examiné avec délicatesse et a affiché un air désolé.

– Pour votre nez, on devrait vous opérer, réduire la fracture, mais nous ne sommes pas équipés. Il faudrait vous transférer à l'hôpital de la ville, seulement c'est interdit par le règlement, vous êtes enregistré «Prisonnier en attente de transfert». Vous vous ferez soigner à la prison de Delhi. Je vais vous donner des antalgiques.

Dans l'infirmerie, j'ai eu un choc en me découvrant dans la glace au-dessus du lavabo. Je ne me suis pas reconnu. Je me suis demandé qui était ce type hagard qui me dévisageait avec cet air ahuri. J'étais d'un jaune tirant sur le gris, avec un œil violet, le front à vif, la lèvre boursouflée, la pommette éraflée et le nez de travers. Je ressemblais à un de ces boxeurs déchus et pitoyables qui ne savent plus sur quelle planète ils vivent, après avoir reçu une dégelée et compté jusqu'à dix.

*

Qu'était-il arrivé à Abhinav ? Pourquoi m'accusait-on de sa mort ? Il était vivant quand j'avais quitté la maison, Chakor Dirgude, le voisin, pouvait en témoigner. Darpan aussi. Le juge n'avait rien dit à son sujet. Avait-il été blessé ? Avait-il peur de témoigner ? Et où était Dina ? S'était-elle enfuie ? Avait-elle une part de responsabilité dans ces événements ?

Ces interrogations tournaient en boucle dans ma tête et finissaient par se mélanger : « Il faut essayer de raisonner, d'être logique », mais il y avait trop de zones d'ombre pour que je puisse avancer. D'un côté, je pensais que je parviendrais à prouver mon innocence sans difficulté : je me trouvais certainement au Kerala lorsque ce crime avait eu lieu. De l'autre, je savais qu'il existait une foule d'erreurs judiciaires, d'innocents broyés par la machine et condamnés, contre toute évidence, pour un crime qu'ils n'avaient pas commis. C'est cette dernière hypothèse qui s'imposait et me réduisait à néant. Comme si j'avais la prescience de la suite de la procédure et qu'il était inutile que je lutte pour faire triompher mon bon droit.

Je n'avais plus envie de me battre. L'absence de Dina, son silence depuis mon arrestation et les mille suppositions que j'émettais à son égard me détruisaient. Le doute qui m'envahissait à nouveau sur son implication dans mon agression à Delhi et dans le meurtre d'Abhinav

m'accablait. Une lassitude oppressante m'avait envahi.
Je me sentais vide et sans aucun ressort. Sans elle, j'étais
perdu et je me fichais d'être une victime innocente. Et
mes conditions de détention ne m'encourageaient pas à
l'optimisme.

Nous croupissions à quatre-vingts dans une longue
cellule rectangulaire aux murs lépreux prévue pour cinquante, avec deux W-C sans séparation dans l'angle droit,
sous les fenêtres grillagées, deux lavabos à eau froide à
proximité, un pilier rond en son centre et des nattes sur
le sol, alignées sur trois rangs. Il n'y avait ni chauffage,
ni ventilation. Dans la journée, la porte était ouverte en
permanence et il y avait un va-et-vient incessant jusqu'à la
fermeture vers vingt heures ; quoi qu'il se produise, elle ne
rouvrait qu'au matin.

J'ai cherché dans ma mémoire le nom du film que
j'avais vu, il y a longtemps, et qui se passait dans une
prison turque. Une histoire noire et désespérée. J'étais
plongé dans cet univers brutal et sadique, régenté par des
caïds qui se partageaient les territoires, acoquinés avec les
gardiens qui participaient aux trafics, où les plus faibles
étaient harcelés et martyrisés, où la violence était omniprésente, avec la crasse, la puanteur, les rats et les scorpions
en prime. Peut-être parce que j'étais nouveau et en piteux
état, je n'ai pas subi de sévices mais, dès la première nuit,
j'ai été confronté à la réalité des lieux.

J'ai été réveillé par des hurlements. Ils provenaient
d'un coin éloigné de l'endroit où j'étais couché. Un jeune
Indien se faisait sodomiser par un détenu de forte corpu-
lence, pendant que trois comparses le maintenaient de

force. Ma première réaction a été de me porter au secours de ce garçon. Je venais à peine de me redresser, que l'homme qui était étendu sur la paillasse de gauche m'a retenu par l'épaule.

— T'en mêle pas! Ou tu vas avoir des problèmes, m'a-t-il lancé.

J'ai hésité. Tous les détenus faisaient semblant de dormir. Nul ne réagissait à ces cris poignants. J'ai repoussé sa main, décidé à m'interposer et à faire cesser ce viol. Il m'a carrément agrippé avec ses deux bras.

— Tu cherches à mourir ou quoi? Ce sont des types dangereux. Ce ne sont pas tes affaires. Tu n'es pas en état de l'aider. Le gros, c'est le chef. Un parano fini. C'est lui qui fait la loi ici. Ne le regarde jamais en face. Il a crevé un œil au type qui est là-bas. Laisse tomber ou il te fera subir le même sort.

Ce fut la deuxième estocade. Pire que la première. J'ai baissé la tête, je n'ai pas joué au chevalier blanc. J'ai pensé à ma précieuse personne, et je me suis écrasé. J'avais un prétexte tout trouvé, j'avais mal partout. Intervenir n'aurait servi qu'à me faire démolir un peu plus, et cela n'aurait pas sauvé ce pauvre garçon. Ces voyous n'auraient fait de moi qu'une bouchée. C'est sûr que si nous nous étions tous groupés, on l'aurait protégé mais chacun est resté dans son coin, à espérer sauver sa peau.

Je me suis assis. Malgré mon audition défectueuse et mes mains plaquées contre mes oreilles, j'entendais ses plaintes. Je me suis étendu sur ma natte, j'ai fait comme les copains, je me suis dit qu'ils finiraient bien par s'arrêter. Ça a duré un temps fou. Je me dégoûtais, j'étais devenu leur complice. J'avais envie de vomir.

Lloyd Frazer était originaire d'Auckland, une ville si agréable à vivre, affirmait-il, et qu'il regrettait amèrement d'avoir quittée pour se lancer dans la croisière à bord d'un ketch de vingt mètres avec six cabines équipées dans lequel il avait englouti la totalité de l'héritage paternel. Il aurait dû continuer à caboter entre la mer de Corail et les Marquises, où il gagnait gentiment sa vie, plutôt que de se lancer dans des circuits en Inde, plus rémunérateurs. À la fin d'un tour du Kerala avec un groupe de compatriotes, alors qu'il s'apprêtait à lever l'ancre, il s'était fait arrêter par la police maritime avec cinq kilos de cocaïne dissimulés dans un double fond de la cuisine. Il m'a juré qu'il ignorait tout de cette drogue, qu'elle avait été mise là à son insu. Probablement par un des touristes qu'il convoyait. En dépit de son ton convaincant et de ses accents criants de sincérité, j'avais du mal à le croire. Tout comme le tribunal de Trivandrum qui l'avait condamné à quatre ans de prison et avait saisi son bateau pour payer l'amende. Quand il avait été libéré, il n'avait pas fait deux cents mètres à l'extérieur qu'il avait été arrêté à nouveau, sous prétexte que son passeport avait expiré. Il avait eu beau protester, soutenir qu'il était en prison et ne pouvait le renouveler, il était poursuivi pour séjour illégal et attendait de comparaître dans les mois qui venaient. Il m'expliquait que l'ambassade de Nouvelle-Zélande n'avait pas levé le petit doigt pour l'aider, lorsqu'un gardien entra dans la cellule et me demanda de le suivre au parloir.

Quand je l'ai vue, assise sagement derrière la table en bois, habillée d'un blazer et d'un pantalon gris, je n'ai pas compris qui elle était. Elle a dû répéter : «*Je suis Madhura Kapoor, avocate commise d'office pour assurer votre défense.*»

Je n'ai pas pu m'empêcher de la questionner :

– Vous avez quel âge ?

– Bientôt vingt-cinq ans.

– Vous vous êtes déjà occupée de ce genre de dossier ?

– Non, c'est la première fois. Ne vous inquiétez pas, vous n'aurez rien à payer.

Madhura Kapoor était déterminée et pleine de bonne volonté. Et dans la peine noire où je me trouvais, la voir me considérer avec gentillesse et me sourire m'a réconforté. Elle avait consacré un après-midi à étudier mon dossier et à prendre des notes, puis elle avait consulté la jurisprudence sur des cas identiques, elle affirmait qu'il fallait indemniser les policiers, puis plaider coupable et négocier une réduction de peine avec le procureur. Selon son patron, il n'y avait rien de mieux à faire, compte tenu des charges accablantes qui pesaient sur moi. Sauf à déposer plainte contre la police pour coups et blessures, mais cela risquait d'allonger la procédure. Elle m'a prévenu que les procès en Inde duraient de longues années à cause de la multitude des recours. Dans l'absolu, ils ne finissaient que par la ruine ou la mort des plaideurs.

D'après elle, il fallait compter une grosse année avant que se tienne mon procès, le juge de Trivandrum ne me remettrait pas en liberté, même en échange d'une caution, car il tiendrait compte de la procédure criminelle en cours à Delhi.

– Vous allez me rendre un grand service, maître Kapoor. Vous allez téléphoner à un nommé Vijay Banerjee, il est détective privé à Delhi. Prévenez-le que je suis emprisonné et que j'ai besoin d'aide.

L'attente a duré des semaines, interminables. Je n'ai reçu aucune nouvelle. Je n'ai plus revu ma charmante avocate. Chaque jour, j'espérais qu'elle se manifesterait. En vain. Je me suis renseigné auprès de deux gardiens et de détenus. Tous m'ont répondu que c'était habituel avec les avocats commis d'office. Après leur visite, on ne les revoyait qu'à l'audience. Je pouvais m'estimer satisfait de l'avoir rencontrée. J'ai aussi reçu la visite d'un inspecteur de police qui a voulu que je revienne en détail sur l'enchaî-nement des événements qui s'étaient déroulés à l'ashram, et lui dise pour quelle raison je cherchais le nommé Alex, qui il était, il m'a interrogé aussi sur l'identité de la femme qui m'accompagnait. Il n'avait pas l'air de savoir grand-chose. Je n'allais pas faire son travail. Me sentant réticent, il a soutenu que ma coopération serait prise en considéra-tion et que mon silence confirmerait ma culpabilité. Mal-gré ses menaces voilées, j'ai préféré me taire.

Dans la cour de la prison, assis à même le sol, me réchauffant au pâle soleil de février, j'ai fait le bilan, il n'était pas positif. J'avais échoué dans la mission de rame-ner Alex. J'étais passé à côté de Dina et je n'étais pas près de la revoir. J'étais mal en point, enfermé pour une durée indéterminée dans des conditions effroyables, sans aucun espoir. Je n'avais plus de prise sur ma vie, ballotté comme un enfant à qui on ne demande pas son avis et dépendant de l'appréciation d'un juge tout-puissant. Si je voulais m'en sortir, il fallait que je reprenne possession de mon existence, que ce soit moi qui choisisse mon chemin, et personne d'autre, et que j'arrête de subir comme si j'étais vaincu d'avance. Quels que soient les risques. Avec cet état d'esprit, je pensais que j'allais au-devant de grosses difficultés. Mais pas que j'allais sombrer au fond du fond.

*

La deuxième nuit, j'ai eu l'occasion de mettre en application mes fiers principes. J'avais fini par m'endormir, quand j'ai été réveillé par des cris répétés. À nouveau, le jeune homme était en train de se faire maltraiter par les quatre voyous. Il se débattait, se tordait, hurlait, et pendant que les trois canailles le plaquaient au sol, le quatrième, le plus gros, le violait avec un ahanement de joueur de tennis. Je me suis bouché les oreilles, le bruit était tel que j'avais la sensation qu'il venait d'en face de moi. Je me suis redressé. L'immense cellule était dans la pénombre, éclairée par la lumière qui provenait du couloir à travers la grille de la porte, et les détenus faisaient semblant de dormir. J'étais le seul à m'être assis sur ma natte.

Qu'est-ce que ça signifie d'être vivant si les autres meurent assassinés ? Peut-on continuer comme si de rien n'était quand ils sont martyrisés ? Comme si on n'entendait pas les hurlements de désespoir, les appels au secours. Peut-on toujours jouer à l'indifférent ? soutenir qu'on n'est pas concerné par le sang qui coule tant que ce n'est pas le sien qui est versé ? Allais-je continuer à me taire ? Ce ne serait pas facile d'affronter ces quatre brutes. Surtout que le violeur mesurait un mètre quatre-vingt-dix et devait peser cent trente kilos. Si j'intervenais, je ne pourrais pas compter sur le soutien de mes codétenus. Ni sur celui des gardiens occupés à regarder ailleurs. Non, ce ne serait pas facile. Mais ce n'était pas une raison pour renoncer, ni pour abandonner. D'ailleurs, je ne risquais plus grand-chose. Mon nez était déjà cassé et j'étais pas mal cabossé. Je me suis levé.

– Fais pas le con, Tom! m'a lancé Lloyd. T'es malade? Ils vont te faire la peau. Je ne viendrai pas à ton secours. Je t'aurai prévenu.

Lloyd a essayé d'attraper mon pied pour me retenir, je l'ai repoussé. J'ai avancé dans la travée, entre les corps figés des dormeurs réveillés, recroquevillés sur les nattes alignées. Arrivé à un mètre du groupe des violeurs, j'ai pensé que si j'avais fini premier à l'épreuve de close-combat à Lympstone, en réalité, je n'avais guère utilisé cette compétence. Hormis une grosse échauffourée dans un pub irlandais et une autre moins violente dans un bordel en Belgique, je ne m'étais jamais bagarré. Aussi curieux que cela puisse paraître, je n'étais pas du genre à chercher l'affrontement, préférant la conciliation à l'usage de la force. Là, le combat à venir ne s'annonçait pas sous les meilleurs auspices. J'aurais l'avantage de la surprise, ces quatre salauds ne s'imaginaient pas qu'un type seul, à mains nues, enfermé dans la même cellule, oserait les provoquer. Je n'étais pas remis du tabassage que j'avais subi de la part des policiers. Mon nez était encore hypersensible et le moindre coup dessus me réduirait à leur merci. Je devais absolument éviter le corps-à-corps et qu'ils me frappent au visage. Je repassai dans ma tête les fondamentaux du combat rapproché : les maintenir à distance, alterner les appuis et les ruptures, se servir de ses pieds et de ses coudes comme de massues. Je manquais de pratique, de souplesse et de tonus ; mais j'avais ma conviction pour m'encourager, la certitude qu'il n'était pas concevable de laisser une pareille infamie se poursuivre sans réagir. Sauf à perdre tout honneur.

Je me suis fixé un programme d'attaque. M'occuper du gros en dernier. S'il était le chef, il laisserait ses comparses faire le sale boulot. Je devais en priorité m'occuper du plus costaud des trois, celui qui riait en tenant le bras gauche de l'infortuné. Un coup de savate dans les parties devrait l'éliminer pour un moment. Ensuite, le plus petit, qui maintenait le bras droit : un méchant coup de coude dans le nez et on n'entendrait plus parler de lui. Il faudrait vite régler le sort du troisième vicieux avant que le gros ne s'en mêle. Un coup de poing en pointe au plexus. Bien sec. Et après, terminer par le patron. S'il voyait ses trois complices au sol, il refuserait le combat. Mais alors, il perdrait la face devant les détenus de la cellule. Je ne pouvais donc avoir de doute sur le fait qu'il me tomberait dessus. Vu sa taille et la mienne, ce serait un remake de David contre Goliath. Il était gras, avec un double menton. Certainement pas très vif. Un coup de pied cassant au genou, si j'étais encore capable du mouvement, et ce serait réglé.

Et si la bagarre ne se déroulait pas comme je l'escomptais ? Je préférais ne pas y penser. Que se passerait-il ensuite ? Demain, après-demain ? Combien de temps pourrais-je résister ? Mon Jiminy Cricket me suggéra qu'il n'était pas trop tard pour faire demi-tour. « *Hé, Tom* », murmura-t-il, « *est-ce que tu imagines ce que va être ta vie dans cette prison ?* » Il n'avait pas tort. « *Te fais pas de bile, je sais me défendre* », lui répondis-je.

Je devais affronter mon destin. Je me suis planté derrière le violeur en chef qui n'en finissait pas avec le malheureux dont les lamentations diminuaient. Ses gémissements m'ont troublé car rien ne s'est déroulé comme prévu. Je lui ai tapoté l'épaule et lui ai lancé en hindi :

– Hé toi, tu vas arrêter tout de suite, compris !

Il n'a pas dû m'entendre, il a continué sa sinistre besogne. Il râlait en cadence à un rythme qui s'accélérait. Je l'ai bousculé brutalement, il a trébuché en avant. Il s'est retourné vers le fou qui avait osé l'interrompre à l'instant crucial. Ses comparses l'ont aidé à se relever. Le plus petit a sorti un couteau affilé de je ne sais où, et a fait deux pas dans ma direction. Son patron l'a arrêté dans son mouvement, s'est saisi du coutelas et s'est dirigé vers moi. Autour de nous, les détenus se dressaient un à un sur leur natte, observant mais se gardant d'intervenir. J'ai reculé. Quelqu'un a allumé les néons. Je n'aurais pas dû le mettre en garde mais leur sauter dessus comme je l'avais projeté. Pour quelle raison avais-je fait cette sommation inutile ? Mon éducation militaire, probablement. J'allais le regretter. À force de reculer, mon dos a heurté le poteau rond au centre de la cellule. Je n'irais pas plus loin. Les détenus étaient debout et immobiles, prêts à assister à ma mise à mort. J'étais décidé à vendre chèrement ma peau. Fâcheusement, je n'avais que mes mains pour affronter les quatre malfrats armés de couteaux. Leur chef avançait vers moi. C'était un colosse, noir de peau et à l'allure effrayante. Des yeux globuleux, des dents jaunes et cariées, des cheveux en bataille et une fine moustache taillée comme les play-boys d'avant-guerre. Il n'avait pas eu le loisir de se rhabiller et avançait tel un robot, par saccades, son pantalon blanc baissé sur ses mollets. Un de ses acolytes, le plus vindicatif, avec un stylet à la main droite, a voulu le dépasser. Il l'a arrêté sèchement.

– Laisse-le-moi ! a-t-il crié, le visage décomposé par la haine. Je vais le saigner !

Voilà. Mon chemin s'arrête là. Dans cette prison sordide. Ce n'est pas tout à fait ce que j'avais prévu. Ma dernière pensée est pour ma Sally, l'amour de ma vie. Que j'ai abandonnée. Qui grandira sans son père chéri. Quel souvenir gardera-t-elle de moi ? Et Dina ? Où est-elle Dina… Adieu Dina… je…

J'ai senti la pointe de son couteau, qu'il appuyait sous mon menton. Son visage était maintenant à cinq centimètres du mien. Il me soufflait dessus et, franchement, il n'avait pas bonne haleine. Qu'attendait-il pour me transpercer de sa lame ? Pourquoi me dévisageait-il de la sorte ? Avait-il l'intention de me torturer ou de me violer avant de m'achever ? J'espérais que non. Son regard m'auscultait. Je pouvais détailler son nez parsemé de poils, ses boutons, ses cicatrices. Sa bouche était contractée par un rictus qui avait fait disparaître ses lèvres épaisses.

– Qui tu es, toi ? Je te connais.

– Pas moi.

– Si, je te connais. Me raconte pas d'histoires. T'es un flic ?

– Pas du tout.

– T'es un indic ?

– Absolument pas.

– On ne la fait pas à Param. Je te connais, je te dis.

– Cela m'étonnerait. Je suis un ancien militaire britannique.

– Par Vishnu ! Trompe-la-Mort !

Son visage s'est éclairé, comme de l'intérieur.

– Trompe-la-Mort ! a-t-il-répété avec la mine d'un enfant qui découvre le Père Noël.

Il a laissé tomber son couteau sur le sol, m'a attrapé dans ses bras et m'a serré contre lui avec une chaleur inattendue. Après une effusion qui a duré deux minutes, où il m'a secoué avec autant de chaleur que s'il venait de retrouver sa sœur cadette qu'il avait vendue dans sa jeunesse, il a relâché son étreinte. Il avait les larmes aux yeux. Il a pris ma main et l'a levée.

– Mes amis, a-t-il lancé de sa voix de stentor, je vous présente le grand Trompe-la-Mort. C'est l'être que j'admire le plus au monde.

C'est ainsi que je suis devenu l'ami de Param Purohit, une des plus infâmes crapules qu'on puisse imaginer sur cette terre, dont la principale distraction consistait à violer qui lui tombait sous la main, homme ou femme, garçon ou fillette, qui avait vendu sa mère, prostitué ses sœurs et assassiné ses frères. La liste des trafics dans lesquels il avait été impliqué était longue comme un jour sans riz, il s'en était toujours sorti avec trois fois rien, ses accusateurs disparaissant sans confirmer leurs dépositions devant un tribunal.

C'était un bandit, une canaille, un être immonde, qui ne respectait rien ni personne, et la violence était son seul mode d'expression. Il ne savait faire qu'une seule chose : voler, les riches ou les pauvres, les jeunes ou les vieilles, peu importait. Il ne se contentait pas de voler, il aimait faire mal, n'hésitait pas à torturer, avec sadisme, ses victimes, pour les faire parler, et continuait à les tourmenter quand elles lui avaient tout donné. C'est pour cela que son seul nom était une source d'effroi et de répulsion et qu'il était craint par tous. Il n'avait jamais travaillé de sa vie. Cette idée, que des gens puissent sacrifier une partie de leur temps à une occupation honnête, déclenchait chez lui l'hilarité. Il ne faisait que manger, violer, voler et regarder la télévision.

C'est par le plus heureux des hasards qu'il avait vu et adoré le documentaire me concernant et que j'avais eu l'honneur d'entrer dans son panthéon personnel. Jamais il n'aurait cru une seconde que lui serait accordé l'incroyable honneur de me croiser et que nous deviendrions amis. C'était un signe du destin. Pour Param, je n'étais pas véritablement un être humain, plutôt une sorte de demi-dieu. Un être mystérieux doté de pouvoirs énigmatiques. Le fait que j'aie osé l'agresser, seul, sans arme, prouvait, s'il en était besoin, que je n'étais pas un homme ordinaire. Ceux qui s'y étaient risqués étaient morts. Moi pas. Il manifestait à mon égard des prévenances d'archiduchesse et une gentillesse inaccoutumée dont nul ne l'aurait cru capable. J'étais devenu son meilleur ami. Le seul. L'unique. C'était pour lui une sensation inconnue, délicieuse, bizarre, qui le rendait tout chose. Et gare à celui qui ne me manifesterait pas le même amour. Et le même respect.

Cette nouvelle estocade m'a laissé totalement hébété et désemparé. Cette amitié me consternait. Ses effusions et ses sourires m'horrifiaient. C'est après cet épisode affligeant que j'ai sombré dans la plus noire des dépressions. Restant prostré sur ma couche, abattu, incapable de réagir, éveillant la pitié et la commisération de tous les détenus, qui m'auraient laissé saigner sans bouger un cil et qui venaient s'asseoir en tailleur près de moi, s'enquéraient de ma santé, m'apportant un chapati, du halva à la carotte, une banane ou un verre de thé, m'encourageant à remonter la pente, se proposant de réciter une prière à mon intention. Param me donnait du «*Mon ami chéri*», voulait que le médecin de l'hôpital vienne m'examiner, incriminait le cuisinier de la prison, un imbécile de Tamoul, un empoisonneur patenté, il était persuadé que j'avais mangé un plat qui ne passait pas; une fois, cela lui était arrivé, il avait ressenti une aigreur dans l'estomac. Il tamponnait mon front avec un mouchoir propre et s'en servait pour ventiler l'air empuanti de la cellule et chasser ces miasmes qui allaient tous nous tuer. Il me caressait la joue, murmurant des paroles de réconfort. Il me prenait la main, me chantait des comptines qui remontaient à son enfance lointaine, réclamait le silence, interdisait les ronflements et menaçait de crever les yeux à ceux qui pétaient à proximité. Il restait de longs moments à mes côtés, me poussait à grignoter une douceur, soutenait que ce n'était qu'une mauvaise période et que, de toute façon, rien ne pouvait m'arriver : Trompe-la-Mort ne pouvait pas mourir.

Je ne l'écoutais plus. Pas plus que ceux qui venaient s'apitoyer sur mon sort. Un vieillard parcheminé, à la barbe blanche, s'assit au bout de ma natte et se mit à réciter des prières. Il resta à marmonner pendant un après-midi entier. Il alluma une veilleuse. Des détenus, dont plusieurs venus des cellules voisines, se joignirent à lui pour prier, ils se relayèrent toute la journée. Cela créa de l'encombrement. Certains me jetèrent du lait de coco, ou une poudre jaune ou rouge, ou des pétales de fleurs. Il y avait en permanence une douzaine de veilleuses qui brillaient autour

371

de moi. Le vague murmure des prières s'envolait sans me concerner. Je m'en fichais. Je ne pensais plus à rien. Je ne mangeais rien. Je ne buvais rien. Je ne dormais pas. Aucune image ne parvenait à mon cerveau. J'avais l'esprit inerte. Comme si un gigantesque courant d'air avait fait le ménage par le vide. Lloyd voulait que je me nourrisse, il le répétait sans cesse, j'allais finir par fondre. Il n'y avait pas de chauffage dans cette cellule ; à cette période de l'année, il y faisait une température hivernale, et moi, j'étouffais, je crevais de chaleur, je transpirais et mes codétenus ne comprenaient pas pourquoi. Je désignais la fenêtre du doigt pour qu'ils la laissent ouverte. Il y eut des protestations et Param dut crier pour que personne ne la ferme la nuit car ils grelottaient de froid. Cette période de flottement et d'incertitude dura deux semaines. Et puis, un soir, Param épongea la sueur qui maculait mon visage. J'eus une réaction instinctive lorsqu'il effleura mon nez, craignant la douleur fulgurante, à ma grande surprise, je ne ressentis rien. Mon nez avait fini par se ressouder tout seul. De travers, certes, mais il n'était plus douloureux. J'ai mangé un peu, repris des forces. Pour tous, je remontais la pente. C'était la preuve que les prières des détenus n'avaient pas été adressées en vain. Il y avait quelqu'un, là-haut, qui réceptionnait les messages et, quand il le voulait bien, en exauçait un. Param était certain que j'étais béni des dieux. Pourtant, je restais faible et amorphe. Assis, les épaules basses, la bouche ouverte comme si j'allais m'exprimer, mais je ne disais rien.

Balaji me consacrait beaucoup de temps. Lui, il était d'une gentillesse naturelle. D'un tempérament mélancolique, il avait des traits fins et des manières délicates. Balaji était le violé. Chaque nuit, il passait à la casserole, et même ses cris ne me dérangeaient plus. Pas plus qu'il n'avait l'air traumatisé. C'est que Balaji se faisait violer depuis une vingtaine d'années, plusieurs fois par jour et par nuit. C'était son métier. Un métier pas marrant, mais un métier. Une activité qui vous faisait gagner de l'argent et vous permettait de payer les factures. Pas plus bête qu'une autre quand on faisait les comptes à la fin du mois. Les cris, les hurlements, c'était le plus de Balaji, ce qui lui avait permis de se constituer une clientèle de fidèles. Adolescent, Balaji avait rêvé d'être comédien. Ce fut un échec cruel. Par contre, il criait à merveille et produisait une incroyable impression de véracité qui donnait la chair de poule. On aurait cru que c'était pour de vrai. Ça excitait ses clients, ça les faisait monter au paradis. Pour certains, comme Param, ça les faisait bander, sinon, il devait recourir à la chimie américaine.

Balaji était inculpé de complicité. Après l'avoir violé, comme tous les mercredis après déjeuner, un de ses clients s'étant fait dépouiller de son portefeuille par deux voyous à la sortie de chez lui. Lui jurait qu'il n'y était pour rien et qu'il faudrait être stupide pour s'en prendre à un habitué qui vous violait sans se lasser et vous laissait de bons pourboires. Le juge ne l'avait pas cru et il attendait un procès, sans cesse reculé.

– Tu as mauvaise mine aujourd'hui, Tom, me dit Balaji avec douceur en s'asseyant à côté de moi et en posant sa main sur ma jambe. Tu n'as pas l'air d'avoir le moral.

– Pas trop, eus-je le courage de lui répondre. J'ai connu des périodes meilleures.

– Je sais ce que c'est. Souvent, je suis déprimé aussi. Ici, la vie n'est pas facile.

– Le temps me paraît long parfois.

– Tom, je suis ton ami, on peut discuter tous les deux.

– Je n'ai pas envie de parler, Balaji. J'ai envie d'être seul.

– Tu sais, je peux te sucer. Pour le moral, c'est formidable. Pour toi, ce sera gratuit.

– Je te remercie, mais non.

– Si tu veux, tu peux m'enculer. Et je crierai si tu veux.

– Non, Balaji, j'aime une femme. Je pense à elle. Sans arrêt. Elle me manque tellement.

– Alors, je te plains, mon ami, tu n'es pas au bout de tes peines.

*

Un mardi après-midi, deux policiers m'ont notifié un arrêt de la cour suprême de l'Inde ordonnant ma comparution immédiate à Delhi pour y répondre de l'accusation de meurtre sur la personne d'Abhinav Singh. Après six semaines d'incarcération, les adieux avec mes amis de la cellule 6 furent déchirants. Param était bouleversé. Lloyd et Balaji aussi. Ils me jurèrent qu'ils ne m'oublieraient jamais et je leur promis de penser à eux. Pour les consoler, je leur dis que je reviendrais bientôt pour être jugé ici. Les policiers interrompirent nos effusions, un avion direct nous attendait.

Par malchance, il y eut une série d'avaries et nous restâmes coincés à l'aéroport de Trivandrum, sans pouvoir fermer l'œil. Nous arrivâmes par le premier vol du matin et je fus transféré à la cour criminelle du tribunal pénal de Delhi, à Patiala House.

*

Extrait du deuxième rapport de police enregistré, lu à l'audience du jeudi 20 mars 2014 par le président de la cour de district de Patiala, l'honorable Anil Rajiv Kumar :

«... Les empreintes relevées sur le lieu du crime, outre celles de la victime et du prévenu, attestent la présence de trois individus, dont deux sont connus pour des délits antérieurs et fichés au registre national des empreintes digitales. Il est établi par le rapport de l'autopsie pratiquée sur Abhinav Singh que celui-ci est décédé de deux coups de marteau portés sur l'arrière du crâne. Les empreintes trouvées sur le manche du marteau désignent le nommé Darpan Shah comme étant l'auteur des coups ayant entraîné la mort. Celui-ci a été formellement identifié sur les photos de l'identité judiciaire par Chakor Dirgude, le voisin qui a découvert le corps d'Abhinav Singh, comme étant le garçon recueilli par ce dernier à son domicile.

L'arrestation de Narmad Varale par la police de Delhi, au moment où il venait de voler le portefeuille d'un touriste japonais après l'avoir assommé, a permis d'interpeller un des trois auteurs du meurtre d'Abhinav Singh. Il ressort des déclarations de Narmad Varale que Darpan Shah l'avait informé qu'un Anglais, le prévenu Thomas Larch, qui vivait dans la maison, possédait une grosse somme d'argent sur lui. Une agression à proximité du marché de Chawri Bazar commise par le nommé Narmad Varale et un complice, dont il affirme

ne connaître que le prénom, n'ayant pas été fructueuse,
le trio a profité du départ de Thomas Larch à Trivandrum pour pénétrer dans l'appartement que celui-ci
occupait au deuxième étage.

Abhinav Singh les ayant surpris pendant qu'ils déplaçaient l'armoire derrière laquelle Larch cachait son
argent, Darpan Shah n'a pas hésité à le frapper par-derrière et à lui porter deux coups qui se sont avérés mortels. Quand Chakor Dirgude, s'étonnant de voir la porte
d'entrée ouverte, a découvert la victime baignant dans
son sang, celle-ci, avant de mourir, a prononcé à deux
reprises le nom de Tom…, ce qui a amené la police à
conclure, de façon erronée, que la victime désignait son
meurtrier et à se lancer à la recherche de Thomas Larch,
qui a été arrêté le lendemain matin à Trivandrum…»

*

Je suis un meurtrier. Je n'ai pas tenu le marteau qui a
défoncé le crâne d'Abhinav, mais c'est tout comme. C'est
moi qui ai introduit le loup dans la bergerie. La première
réaction d'Abhinav avait été de se méfier de Darpan. Lui,
il savait. Mon discours et mon argent avaient endormi
sa méfiance. Comme moi, il voulait croire que Darpan
allait échapper à son destin, qu'il abandonnerait la rue,
arrêterait de mendier et de voler et se métamorphoserait
en honnête citoyen par le miracle de l'éducation. Je me
suis fait avoir par mes propres convictions. J'ai été un de
ces imbéciles qui croient qu'il est possible de changer les
hommes, qui espèrent qu'ils pourront devenir meilleurs,
qui s'imaginent qu'il suffit de leur apprendre à lire et à
écrire pour les mettre sur le chemin de l'espoir. On ne

peut pas ignorer les conséquences de ses actes. À quoi me sert-il d'avoir voulu faire le bien si le résultat se révèle, à la fin, une catastrophe et si mes actions s'avèrent désastreuses ? A-t-on le droit pour sauver un être humain d'en détruire un autre ? Puis-je me contenter d'affirmer pour m'exonérer : «*Je ne pouvais pas prévoir ce qui adviendrait*», ou : «*Mes pensées étaient pures, j'étais de bonne foi*» ? À coup sûr, non. Moi, je me sens totalement responsable de mes actes et ne cherche ni excuse, ni prétexte. Je peux mettre en avant la méconnaissance du pays où je suis né, mon arrogance de Blanc, l'illusion que nous, Occidentaux, avons de posséder la meilleure organisation sociale ; en réalité, nous méprisons ceux qui ne raisonnent pas et ne vivent pas comme nous et nous voulons sans cesse les obliger à nous ressembler.

Abhinav a été tué à cause de moi. Je suis coupable et je suis effondré. Dans le naufrage que je vis depuis mon départ de Delhi, il ne pouvait rien se produire de pire. Quoi que je fasse maintenant, je ne pourrai jamais effacer cette faute, jamais la réparer. Et elle me poursuivra toujours. Abhinav a été tué car il m'a fait confiance. Vijay Banerjee m'avait mis en garde, je n'avais pas voulu l'écouter, au nom de mes grands principes. Le reste, ces chocs répétés que j'ai subis, a fini par me faire douter de moi-même, a ébranlé mes convictions et mes certitudes, et me laisse désemparé et meurtri.

*

À la fin de l'audience, je m'attendais à être libéré et à quitter le tribunal sur-le-champ. J'étais innocent. Le procureur avait retiré son accusation contre moi.

L'avocat de Vijay Banerjee m'a prévenu que ce ne serait

pas possible, j'étais encore sous le coup du mandat d'arrêt délivré par le juge de Trivandrum et il fallait engager une procédure auprès de la cour suprême du Kerala.

— Et cela va prendre combien de temps ?

— Un certain temps.

J'ai donc été menotté à nouveau et transféré à la prison de Tihar, dont on dit qu'elle est la plus vaste prison du monde, et où j'ai bénéficié d'une cellule individuelle. Le lendemain, j'ai reçu la visite de Vijay Banerjee. Je l'avais aperçu dans la salle d'audience, il m'avait fait un signe de tête amical. Il avait contacté un avocat à Trivandrum, qui allait déposer une requête devant la cour suprême de cet État pour obtenir une ordonnance de libération. Selon ce dernier, c'était l'affaire d'une semaine ou deux. Cet avocat avait bon espoir de négocier un désistement de plainte avec les quatre policiers, moyennant une indemnisation prise en charge par Malcolm Reiner, qui me transmettait ses amitiés.

— Monsieur Reiner voudrait savoir si vous envisagez de continuer votre mission, une fois que vous serez libéré.

— Alex est vivant. Il est majeur. Et il agit librement. Après tout ce qui s'est passé, je crois que c'est inutile d'insister.

— On n'est pas juges de nos clients, Thomas. Malcolm Reiner veut retrouver son fils. Et il est prêt à payer. Vous comprenez ?

— Je suis fatigué. Pour l'instant, je n'aspire qu'à me reposer.

— C'est normal. Le meurtre d'Abhinav doit vous éprouver.

Vijay Banerjee ne m'avait pas raté. Je ne pouvais pas lui en vouloir.

– C'est très dur, en effet.

Nous sommes restés face à face, sans rien nous dire. J'entendais dans mon dos le gardien qui nous surveillait et qui oscillait d'un pied sur l'autre.

– Avant que vous preniez une décision définitive, a repris Vijay Banerjee, je dois vous indiquer que les retraits avec la carte de crédit d'Alex ont repris. Moins importants qu'avant. Cent, deux cents dollars. Un par semaine. Dans le sud du pays, au Tamil Nadu, à Madurai, et plusieurs à Bangalore, le dernier avant-hier. Que fait-on ? On suspend la carte ?

– Surtout pas !

Vijay Banerjee m'a souri. Il a hoché la tête. J'ai eu l'impression qu'il était sincère.

– Il y a eu aussi...

Il a retenu sa phrase et a paru embarrassé.

– Non, rien.

Neuf jours plus tard, j'ai reçu la notification de la décision de la cour suprême du Kerala ordonnant ma remise en liberté. La grille de la prison s'est ouverte et je suis sorti.

Il y avait des nuages noirs énormes, et des bourrasques de vent.

*

Normalement, si j'en croyais les films que j'avais vus, quand un individu sort de prison, il a le cœur léger et s'empresse de respirer l'air de la liberté à pleins poumons. En France ou en Italie, il va déguster un express et, en Angleterre, une pinte de bière.

Il n'y avait pas de pub à proximité de la prison de Tihar et j'avais l'esprit sombre, engourdi, et nulle possibilité de sacrifier à la tradition. Je n'avais pas de projets. Pas la moindre idée de ce que j'allais devenir.

Lorsque je faisais le point dans ma tête, le seul mot qui venait, la seule image qui apparaissait, c'était Dina. Elle était au centre de mes pensées. J'ignorais où elle se trouvait, quelles étaient ses intentions. Elle ne s'était pas manifestée. Si elle l'avait voulu, elle aurait pu me faire parvenir un message. Me faire savoir qu'elle me soutenait dans les épreuves que je traversais et qu'elle m'attendrait. Seul le silence nous unissait. Pensait-elle à moi ? J'étais certain que oui. J'ai haussé les épaules. Comment pouvais-je être encore certain de quoi que ce soit ?

Je m'étais dit que Vijay Banerjee se manifesterait peut-être. Je l'ai cherché du regard dans la longue file de visiteurs qui patientaient à l'entrée de la prison. Ou il aurait pu envoyer quelqu'un.

Je suis resté une dizaine de minutes au bord du trottoir. Sur le côté droit de la place, des taxis et des rickshaws attendaient les clients, j'aurais été en peine de leur donner une adresse où me déposer. Et puis, j'avais envie de marcher. Très longtemps. Aussi longtemps que j'en aurais la force.

Le ciel était menaçant, on entendait le tonnerre dans le lointain. J'ai refusé les offres des conducteurs de rickshaws qui proposaient de me conduire dans le centre de Delhi. Je suis parti droit devant.

J'arrivais au bout de la place quand j'ai entendu quelqu'un crier en anglais :

– Hé Thomas ! Tu ne m'entends pas ?

Je me suis retourné. Une douzaine d'Indiens se tenaient à l'arrêt du bus. J'ai aperçu un homme blanc âgé, grand, maigre et voûté, avec une barbe clairsemée, vêtu d'un jean et d'un blouson gris qui sortait du groupe. Il se déplaçait avec peine en s'appuyant sur une canne. Il s'est immobilisé à un mètre de moi.

– Bon sang ! Thomas ! Tu ne me reconnais pas ?

J'étais incertain. Ce visage m'évoquait un vague souvenir. J'avais beau fouiller dans ma mémoire, je ne trouvais pas. J'en ai déduit que ce devait être lui. Il avait sacrément changé.

– Papa ?

– Qu'est-il arrivé à ton nez ?

– Que dis-tu ?

– Tu t'es bagarré ?

– Parle plus fort, il n'y a presque plus de pile.

– T'es sourd ?

– Que fais-tu là ?

– C'est ton ami le détective qui m'a prévenu que tu sortais. Ça fait trois heures que je poireaute. Tu n'as pas bonne mine. Tu te sens bien ?

– À peu près. Parle plus fort, je te dis, il y a beaucoup de bruit ici.

Je lui ai présenté mon oreille droite. Il s'est baissé et a haussé la voix.

– Ça n'a pas dû être marrant pour toi. Quelle histoire ! Heureusement, c'est fini. Ça me fait tellement plaisir de te revoir, fils, tu ne peux pas savoir. Ce serait formidable si on pouvait rester un peu ensemble, non ?… Ça fait combien d'années qu'on ne s'est pas vus ?

– …

– Bientôt… vingt-quatre ans ! Ouais.

– Je ne m'attendais pas à te voir.

– Il y a un moment que je te cours après.

– Comment tu as fait pour me...

– C'est Davies qui m'a dit où tu étais.

Je suis resté interdit. Il connaissait Davies ! Soudain, tout s'est éclairé dans ma tête. Comme une traînée de poudre.

– C'est toi qui leur as dit ! C'est comme ça qu'ils savaient tout sur moi ? C'est pour cela qu'ils m'ont choisi. Pourquoi tu lui as raconté mon histoire ?

– C'est mon histoire aussi ! Moi, je n'ai rien à cacher. Et puis, tu ne répondais pas à mes messages.

Il y a eu un coup de tonnerre. Une déflagration. Nous avons levé la tête en même temps. Une cataracte s'est mise à tomber. Épaisse comme une pluie de mousson. Nous nous sommes réfugiés sous un des trois abribus. Avec sa canne, il n'avançait pas vite. Les deux premiers abribus étaient bondés. Nous nous sommes installés sous le troisième. L'eau crépitait sur le toit en plastique. Des gouttes passaient à travers. Le caniveau a été saturé, l'eau a envahi la place. Des gens accouraient pour se mettre à l'abri, nous étions coincés contre la vitre. L'abribus ressemblait à un wagon de métro à l'heure de pointe. Les derniers arrivés voulaient obtenir une place mais ils se heurtaient à la barrière compacte des occupants qui faisaient masse et les en empêchaient. Ils s'en allaient en courant dénicher un refuge ailleurs. Un bus vert est apparu, ils se sont tous précipités à l'intérieur, nous laissant seuls, mon père et moi. Nous nous sommes assis sur le banc de l'abribus et sommes restés à contempler le déluge. D'autres personnes sont venues se mettre à l'abri. Une Indienne corpulente en sari mauve s'est assise à côté de nous.

– Que veux-tu faire maintenant ? m'a-t-il demandé.

Je m'étais déjà posé la question. Sans découvrir la réponse. À cet instant, elle me semblait indiscutable.

– Vois-tu, je suis à la recherche de quelqu'un.

– Malcolm Reiner n'a pas besoin de toi pour retrouver son rejeton.

– Je m'en fiche d'Alex. Ce n'est pas à lui que je pensais.

– Je suis malade. Je…

– Parle plus fort, je t'en prie.

– Je suis très fatigué, Thomas. Il me reste peu de temps… Je voulais absolument qu'on… que nous soyons réunis… et

Un bus rouge s'est arrêté et a embarqué ceux qui attendaient.

– Plus fort ! Je n'entends rien.

– Je voulais qu'on fasse la paix, tous les deux. Tu ne crois pas que ça a assez duré ? On va rentrer au pays. Je vais m'occuper de toi. Je te ramène chez nous, mon garçon. On a tellement de choses à se dire.

Je me suis tourné vers lui.

– Je me fiche de savoir combien d'années se sont écoulées. Pour moi, c'est comme si c'était hier. Et je n'ai rien oublié. Tu te souviens ?

Je me suis mis à chanter d'une voix éraillée, couverte en partie par le boucan de la pluie. J'avais le nez bouché et les larmes aux yeux. Les paroles sont venues toutes seules :

Le soleil est allé au diable
Et la lune a pris son vol
Laissez-moi vous dire adieu
Tout homme doit mourir
Mais c'est écrit dans la lumière des astres
Et dans…

– Arrête, Thomas ! C'était il y a vingt-cinq ans ! Vingt-cinq ans !

– J'en ai rien à foutre ! Tu as tué maman.

– Quoi ?

– Je ne l'ai pas oubliée.

– J'aimais ta mère. Et je t'interdis de proférer une horreur pareille !

– Ah oui ! Et pourquoi ?

– Parce que ta mère, c'est toi qui l'as tuée !

– Quoi ? Qu'est-ce que t'as dit ?

Il s'est mis à hurler, de plus en plus fort :

– C'est toi qui l'as tuée ! C'est toi qui l'as tuée !

Ce fut comme si les flammes de mon enfer me rattrapaient. Au fur et à mesure qu'il me parlait, la mémoire me revenait. Les trois veilleuses que j'allumais, les supplications que je murmurais pour que ma mère guérisse, l'incendie qui dévorait la maison, les poutres qui s'effondraient, les cris, la fumée et…

Pendant toute ma vie, je m'étais caché cette évidence. L'incendie qui avait tué ma mère n'était pas un accident. C'était moi qui avais allumé la mèche. J'avais trouvé un coupable idéal. Je pouvais l'accuser d'autant plus facilement que cela m'exonérait. Lui, il connaissait la vérité. Il avait les résultats de l'enquête. Et il n'avait rien dit. Pour ne pas m'accabler. Pour me protéger. Pour me sauver. Il pensait que j'étais trop jeune pour assumer ce geste. Et il devait espérer qu'avec le temps, je mûrirais et je comprendrais. Mais moi, je lui en avais voulu à mort.

Je l'ai supplié de me pardonner. Il n'a rien dit. Il m'a pris dans ses bras et il m'a serré contre lui. Nous sommes restés longtemps ainsi, enfin réunis. Et c'est là, assis sur la banquette de cet abribus battu par une pluie furieuse, à une quinzaine de kilomètres du centre de Delhi, que j'ai compris la puissance du pardon. Nous nous sommes levés. Et, l'un soutenant l'autre, nous avons traversé la place pour prendre un taxi. Nous étions trempés jusqu'aux os. Cela n'avait guère d'importance. Mon père voulait qu'on retourne à Greenwich, qu'on reste là-bas tous les deux. Il n'arrêtait pas de répéter qu'on avait beaucoup de choses à se dire. Que le moment était venu pour nous d'en finir avec nos vieilles querelles. Dans le taxi qui nous conduisait à son hôtel, il me jetait des coups d'œil à la dérobée et me souriait comme si j'étais un gamin.

– Tu es marié avec cette journaliste ?

– On est séparés.

– Pourquoi ? Vous ne vous entendiez pas ?

J'ai haussé les épaules et suis resté un instant silencieux, à la recherche de la bonne réponse.

– Question d'évolution, je crois. On a eu une fille ensemble.

– Ah ! Quel âge a-t-elle ?

– Huit ans.

– Elle s'appelle comment ?

– Sally.

– J'ai une petite-fille ! C'est formidable. J'aimerais bien la connaître.

– On va arranger ça.

Nous avons passé notre première soirée ensemble depuis...

Le lendemain, il est allé prendre deux billets sur British

Airways. Moi, je suis allé faire mes adieux à Vijay Banerjee. Il était absent. J'ai dit que je lui téléphonerais. Son assistante m'a remis une enveloppe qui m'était adressée. Une fois dans la rue, j'ai ouvert la lettre. Elle avait été postée à Bangalore. Elle était écrite d'une main nerveuse, au stylo-bille noir, sur une feuille de papier quadrillé arrachée à un cahier d'écolier :

> *Tom,*
>
> *Ce matin, grâce à toi, il s'est produit un miracle, je suis allée prier dans un temple et j'ai fait des vœux pour que la justice t'épargne et que tu sois bientôt libre. J'espère que Vijay Banerjee te remettra cette lettre sans l'avoir lue. Je ne savais pas où te l'adresser ailleurs. J'ai longtemps hésité avant de t'écrire. Je me disais qu'il était préférable de couper les ponts définitivement, que je n'avais pas à me préoccuper de toi, il ne s'était rien passé entre nous et il valait mieux arrêter tout de suite, plutôt que de nous embarquer, encore une fois, dans une histoire impossible. C'est pour cela que je ne me suis pas manifestée.*
>
> *Après ton arrestation, j'ai éprouvé le besoin de faire le point, d'essayer de comprendre ce qui était advenu dans ma vie et ce que je voulais en faire désormais. Mais la contemplation, ce n'est pas pour moi. Je suis repartie à la recherche d'Alex, j'ai visité de nombreux ashrams entre Trivandrum et Madurai, en vain. Il y en a des centaines. Et des milliers de sâdhus qui se baladent. Autant chercher un grain de sable sur une plage. Alex a choisi son chemin et ce n'est pas le mien. J'ai définitivement tiré un*

trait sur cette idée. Je lui souhaite d'accomplir son rêve, même si je sais à quel point c'est difficile.

Je vais rester à Bangalore. J'ai un projet qui me tient à cœur et je vais tenter, pour une fois, d'aller jusqu'au bout. C'est dans la continuation de mon engagement à Delhi. Depuis ton intervention, Malcolm Reiner s'est manifesté et, dans l'esprit de ce qu'avait fait Alex, il a décidé de nous soutenir et de faire une donation de mille livres hebdomadaire à notre fondation. Pour une raison que j'ignore, il devait estimer que c'était trop peu, il a porté cette somme à deux mille livres par semaine. Pour nous, c'est inespéré. Avec une partie de cette somme, je vais ouvrir une antenne de notre association à Bangalore. Voilà ce que va être mon existence dorénavant et j'en suis heureuse. Je regrette que tu n'aies jamais eu confiance en moi, que tu aies douté de mon innocence. Comment as-tu pu me croire capable de t'avoir agressé ? Ou d'avoir dépouillé ou tué Alex ? Cela m'a profondément humiliée et blessée. À un point dont tu n'as pas idée. C'était le monde autour de moi qui était coupable, et je regrette que tu ne l'aies pas compris. Tu n'étais peut-être pas assez fort pour surmonter ces préjugés. Dommage.

Je te souhaite le meilleur. Je t'embrasse.

Dina

J'ai mis deux secondes à prendre ma décision. J'ai laissé mon père repartir pour l'Angleterre tout seul. Je lui ai promis de venir le voir dès que possible. Et qu'on aurait tout le temps pour se parler. Il a été déçu, pourtant j'ai vu qu'il me croyait. «*À bientôt, fiston.*»

Demain, je pars à Bangalore. Je ne sais pas ce qui va advenir mais j'y vais. Je ne peux pas ne pas y aller. Je voudrais tellement qu'elle me pardonne d'avoir douté d'elle. J'ignore s'il y a une relation possible entre nous. Je veux croire que oui. Je vais tenter ma chance. Je me fais probablement des illusions mais si elle ne me rejette pas immédiatement, si elle me laisse un peu de temps pour lui parler, j'ai l'espoir de la convaincre.

J'ai fait attention au décalage horaire, j'ai téléphoné à Sally. Elle allait partir à l'école. Je lui ai dit que j'en avais encore pour un moment, mais que je reviendrais bientôt. Je pensais qu'elle en serait attristée, elle m'a dit d'une voix légère : «*Il n'y a pas de problème, papa.*» J'ai consacré ma dernière soirée à me balader dans Delhi. Le ciel est toujours crayeux. Il y a toujours une circulation folle. Cela n'a guère d'importance. Et puis, il y a eu un signe du destin. Comment ne pas y croire? Je me suis arrêté de marcher, j'ai levé la tête et j'ai reconnu ma maison, l'immeuble de mon enfance, en face de l'ambassade d'Indonésie. J'avais dû passer plusieurs fois devant sans la remarquer. J'ai voulu pénétrer à l'intérieur, un digicode m'en a empêché. Tant pis. J'étais si heureux de l'avoir retrouvée. C'est comme si ma mère me faisait un signe et me pardonnait. J'entends ses paroles, deux ou trois mois avant sa disparition, quand elle me disait en regardant tomber la pluie : «*Tu sais, mon fils, il ne faut penser qu'au présent, sans cesse. Le reste n'a pas d'intérêt. L'avenir nous est interdit ; pour nous, êtres humains, c'est le présent qui existe. N'oublie jamais que la vie est une maladie incurable, Tommy.*»

Je réponds ordinairement à ceux qui me demandent raison de mes voyages que je sais bien ce que je fuis, et non pas ce que je cherche.

Montaigne

Table

Je tiens à remercier celles et ceux qui m'ont apporté leur aide et permis d'écrire ce roman :

Nataly Adrian, le colonel Alain Bayle, Jean-Michel Bohrer, Sara-Guy Brown, Solène Chabanais, Chantal Étienne, Nicolas Fournier, le Dr Ron McCaw, Carol Menville, Ramesh Mukherjee, Edouard Plunkett, Satish Prakash, Paul Serror, Madhu Tharoor (et moi-même, bien sûr).

Et un remerciement tout particulier à Véronique et à Richard.

Le poème *Brother in Arms* est de Mark Knopfler. La musique aussi.

Compostion : IGS-CP
Impression : CPI Bussière en décembre 2014
Éditions Albin Michel
22, rue Huyghens, 75014 Paris
www.albin-michel.fr
ISBN : 978-2-226-31246-4
N° édition : 21565/01 – N° d'impression : 2012899
Dépôt légal : janvier 2015
Imprimé en France